猪俣津南雄
戦略的思考の復権

龍井葉二 著

同時代社

編集協力：藤田　悟

はしがき――いま、なぜ猪俣か？

本書は、一九二〇～一九三〇年代の社会主義運動において活躍した猪俣津南雄の闘いの軌跡を、その戦略論、運動＝組織論を中心に辿り、困難な問題に直面する現代のわれわれに投げかける問題、時代を超えて共有し得る課題について考えてみようという試みである。

猪俣は、一八八九（明治二二）年に新潟で生まれ、長岡中学を卒業後、苦学の末に米国留学の機会を得る。在米中に勃発したロシア革命の影響下で米国共産党に加わり、一九二一（大正一〇）年に帰国。翌年の第一次共産党の結成に参加する。その後の内部対立から、第二次共産党には加わらず、一九二七（昭和二）年に刊行された雑誌『労農』の同人となり、戦略規定や無産政党の組織方針などをめぐって共産党のセクト主義や教条主義を批判し、独自の戦略論・組織論を提起した。

だが一九二九（昭和四）年には、意見対立から『労農』同人も脱退、その後は、『改造』や『中央公論』などの雑誌に、経済分析を中心に論稿を寄せるとともに、単行本も数多く世に送り出した。

その一方で、労働組合、農民組合、そして地下に潜行していた共産党とも連携しながら、運動の再構築を模索し続けたが、一九三七（昭和一二）年の人民戦線事件で逮捕され、拘置所内での健康悪化もあって一九四二（昭和一七）年に五三年の生涯を終えた。

猪俣の立ち位置を一言で表現するのはなかなか難しい。

猪俣は、日本に帰国した後、早稲田大学の講師となり農業政策を担当したが、翌年の共産党事件による逮捕で辞職を余儀なくされている。つまり、その後の彼の数多くの著書、雑誌論文は、〝在野〟の立場から執筆された評論であり、戦後に復刊された『金の経済学』や『農村問題入門』も含め、必ずしも「経済学者」の業績として評価されてきたわけではない。

また、社会主義運動史、思想史において猪俣が登場する機会は少なくないが、そこでお馴染みの「講座派」「労農派」という基軸からすると、『労農』の中心人物であったにも拘らずそこから脱退した猪俣を単純に「労農派」で括ることはできないだろう。一九三〇年代には日本資本主義論争が講座派と労農派の間で展開されたが、猪俣は論争を「スコラ的」と批判しこれに与せず、農村踏査を実施している。

さらに、猪俣が手がけた分野はとても幅広く、何が〝専門分野〟であったかも特定し難い。主なものだけを拾っても、戦略論、戦術論（組織論）、帝国主義論、中国革命論、金融資本論、独占資本論、「第三期」経済論、インフレーション論、統制経済・準戦時経済論、農村調査と農業恐慌論、産業組合論、農村社会論、アジア的生産様式論、等々――と縦割りの壁を越えて多岐にわたっている。

これらの個々の成果をきちんと評価すること、あるいは全体像を把握することは、なお進行中の課題にとどまっているのが現状だが、本書では、戦略論・戦術論に着目すると同時に、そこに見られる思想方法に焦点を当てている。

それは、そこにこそ猪俣の独自性があり、さまざまな分野に及ぶ執筆活動の根底に流れている思想方法だと思うからである。そして、その「戦略的思考」は、現在においてこそ発揮されるべきものだと思うからである。いまわれわれが直面している困難は、ただ単に運動・思想面でいわゆる左翼的潮流が後退していることではなく、困難を打開しようとする発想の枠組みそのものが従来型にとどまっていることにあると思われる。

思想・運動の枠組みそのものと対峙した猪俣の格闘の軌跡は、いまさまざまな分野で闘う人たちへの熱いメッセージに他ならない。

目次

緒　言

〈一〉時代を超えて共鳴し合うもの

猪俣との出会い

縁は異なもの——猪俣との出会いもまさにこれだった。

私は高校時代に竹内芳郎氏（フランス哲学）の著書に接し、手紙を出したのを機にご自宅を訪問するようになっていた。早稲田への進学が決まった際に、学生自治会の特殊事情を教えて頂くと同時に新島淳良氏（中国研究）への紹介状をもらい、その新島氏から紹介されたのが津村喬（高野威＝高野実氏の次男）だった。津村とはバリケードの中で行動を共にしていたが、大学闘争が下火になるとともに連絡も途絶えていた。一九七一年の春、どちらが言い出したのか二人で竹内宅を訪れることになった。そして、その帰り道に手渡されたのが『猪俣津南雄研究』の創刊号（七〇年三月）だった。

それを機に、猪俣津南雄研究会の一員に加わり、早稲田の仲間たちとともに活動に携わっていくわけだが、経済や農業の分野はまったく門外漢だったので、会のなかでは戦略論部会を担当した。というのは、猪俣の雑誌論文のコピー集めに図書館を漁りながら読み進めるうちに、その運動＝組織論が、われわれがその一端を担ってきた全共闘運動のスタイルに通じることに、驚嘆と同時に親近感を感じたからである。

もう一点、決定的だったのは、猪俣の薫陶を学生時代から受けていた高野実氏（元総評事務局長）との出会いである。

初めて神奈川県・大船のお宅を訪れた際、自分のやってきたことを「仕掛け花火の花火師」に喩えて話されたことは今でも印象に残っている。高野氏は病弱だったことで上京される機会はなかったが、そのうちに、労働運動関係の膨大な資料整理のお手伝いに大船に通うようになり、入院後も病院通いが続くようになった。まとまった話を改めてお聞きする機会があったわけではないが、猪俣と高野氏が活動していた時代の息吹のようなものに直に接する貴重な機会となったことは言うまでもない。その後私は、総評そして連合と、労働組合運動の道を歩むことになり、猪俣との出会いは今なお尾を引いているということになる。

だが気がつくと、今の私は、半世紀前に初めてお目にかかった高野氏の年齢に達していて、「貴重な機会」を生かし切れたのか、甚だ心許ないという思いもよぎる。

もっとも、歴史というものは、一方向に向かった時の流れなどではなく、猪俣との出会いがそうであったように、ある時点とある時点が無媒介的に共鳴し合うものなので、この困難な時代において、またそうであるが故に、新たな出会いが生まれる可能性がいつも開けていると考えるべきだろう。

二つのメーデー

二〇〇九年四月二五日、東京・代々木公園の野外音楽堂。

連合主催のメーデー式典の終了後、われわれ連合・非正規労働センターは「非正規メーデー」の集会を開催したが、その舞台に三本のレトロな垂れ幕を掲げた。

「八時間労働制の実施」

「失業の防止」

「最低賃銀法の制定」

この三つのスローガンは、一九二〇（大正九）年に挙行された第一回メーデーで掲げられたものである。二〇〇八年の年末に取り組まれた「年越し派遣村」に象徴されるように、今世紀に入ってからのいわゆる新自由主義にシフトした経営と政策の下で広がった「格差と貧困」。そこで声を上げ始めた労働者たちの姿が、九〇年前に立ち上がった労働者たちの状況と二重写しのように感じられたからである。

もう一つ、われわれの頭をよぎったのは、次のスローガンであった。

「労働非商品の原則」

これは、一九一九（大正八）年に大日本労働総同盟が掲げたものである。一九一二年に結成された友愛会は、創立七年に際して名称変更を行うと同時に、「宣言」と「主張」を採択。そこで、「労働組合の自由」「同質労働に対する男女平等賃金制の確立」などとともに提起されたのが、このスローガンであった。

このスローガンがわれわれの胸に響いたのは、直面している「格差と貧困」が、単に労働力の価格の低さにとどまらず、労働力の商品化そのものに起因していたからに他ならない。

つまり、二つの時代の労働者たちの思いが、九〇年のタイムラグを超えて、共鳴し合ったのである。

別言すれば、生産力や技術の進歩によって経済は発展し、貧困は克服される——というのはお伽噺にすぎなかった、ということになるが、それにとどまらない。日本では、農村型社会から都市型社会に移行するという「近代化」のプロセスが「企業社会」への再編＝統合という形にゆがめられてきたわけだが、その「企業社会」が、金融主導の経済システムと短期利益・株主重視の経営の下で液状化し始め、労働と生活の基盤を失った労働者の大量発生という、初期資本主義と類似した社会的危機が再浮上したと考えられる。

〈二〉ロシア革命インパクトと組織問題

猪俣の活動開始

一九一九（大正八）年の日本労働総同盟の旗揚げと、翌年の第一回メーデーの開催は、労働運動・社会運動の新たな時代を画するものであった。一九一〇（明治四三）年の大逆事件で弾圧の対象となったのは一部の「主義者」の運動であったが、この時期になると、声を上げ政府に要求する労働者たちが、集団的に組織的に行動し始めていた。政府側も、「階級」という用語を用い始め、弾圧一辺倒ではない社会政策を検討し始めるようになる。

米国に留学していた猪俣が活動を開始するのも、ちょうどこの時期であった。

当時、米国に亡命していた片山潜らが組織した在米日本人社会主義者団は、モスクワに本拠を置くコミンテルン（共産主義インターナショナル）との密接な連携の下に、在米の日本人に対する活動にとどまらず、日本におけるコミンテルン支部、すなわち共産党の結成に尽力していた。

猪俣は、この団に加わると、やがて中心的な役割を担うようになり、一九二一（大正一〇）年の帰国後、日本共産党の正式発足に参加し、日本における活動を開始していくことになる。

そして、猪俣が共産党と距離を置き、雑誌『労農』グループの一員として論争を展開していく際にも、その枠組みとなっていたのはコミンテルンの時々の方針であった。

ロシア革命インパクト

猪俣の活動の出発がなぜこういう形態をとったのか？　そして共産党の結成後になぜ革命戦略をめぐる論争が起きたのか？　なぜそれが「労農派」「講座派」という二大潮流の分岐にまで発展していったのか？——それを理解するには、当時の、戦間期の時代の特殊事情を知る必要があるだろう。そして、この特殊事情は、われわれの世代にはある程度察しがつくとしても、ポスト冷戦世代には想像もつかないことかも知れない。逆に言えば、なおその影響下にあったわれわれ世代は、その特殊性に無自覚だったといえるのかも知れない。

特殊事情というのは、端的にいえばロシア革命が世界に与えたインパクトである。

一九一七（大正六）年に勃発したロシア革命は、欧米先進地域からすれば辺境の後進国で起きた政変だったが、それが初めての社会主義革命だったこともあり、革命の成功例の一つにとどまることなく、その典型例・模範例として位置づけられることになった。それが世界各国の革命運動にも大きな影響を及ぼすことになる。

第一は、革命理論としての「マルクス主義」の確立である。

マルクスの思想は、その現役時代から一定の影響力を持っていたが、それはさまざまな社会主義思想の一つにすぎず、アナキズムなどと併存していた。それが、マルクスを旗印としたロシア革命の成功によって、「マルクス主義」という教義が形成されるとともに、それが唯一の真の革命理論と位置づけられ、その他の思想に対しては異端として排他的な対応を生み出していくことになる。

第二は、世界各国の革命指導部としてのコミンテルンの設立である。

ロシア革命の成功は、ロシア共産党に、単なるフロントランナーではなく、各国に対する指導部としての地位を与えることになった。各国にはその支部としての共産党が組織され、モスクワから発せられる指示に従うという壮大な装置が形成されたのである。

第三は、ロシア革命を規範とした革命の定式化である。

後進国で起きたロシア革命は、二段階革命論（ブルジョア民主主義革命→プロレタリア革命）にもとづき、二月革命→十月革命という段階を経て成功したとされたことから、これが中進国、後進国における革命の規範とされ、各国共産党に対しても、この規範に即してどの段階に該当するかという視点から指導が行われることになった。

第四は、中央集権的な前衛党モデルの確立である。

ロシア革命の成功は、革命思想や革命類型にとどまらず、その組織のあり方についても一つのモデルを確立し、コミンテルンという装置を通じて各国に持ち込まれることになった。

前衛党は革命運動の唯一の指導組織と位置づけられ、遅れた大衆を教育・指導し（外部注入）、自然発生的な闘争を目的意識をもった闘争に導くための、職業革命家あるいはエリート層のみで構成される厳格な秘密組織とされた。

革命ロシアの指導者たちが、こうした影響力を世界各国に広めていくことは、帝国主義列強の攻撃から自らを防衛するために不可欠のことであったが、各国の革命運動家たちがこれを受け入れたのは、何らかの理論的・思想的根拠にもとづいたというよりは、初めて労働者が権力を握った革命ロシアの発生と存在そのものが与えたインパクトといった方がいいだろう。

猪俣が直面した運動課題

だが、猪俣の運動開始は、決して順風満帆とは行かなかった。猪俣はその後、自らもその担い手となるはずだった前衛党の対応に悩まされることになる。

猪俣が直面した運動＝組織の対立点を、いくつか列挙してみよう。

①普通選挙への対応と山川均らのボイコット論（第一章）
②共産党事件後の取り調べに対する警戒心の欠如（第二章）
③無産政党結成準備段階の徳田球一らのセクト主義（第二章）
④労農党分裂後の無産政党合同問題での福本和夫らのセクト主義（第五章）
⑤共産党（第二次）の再建をめぐる対立（第五章）
⑥弾圧後の新党準備会の対応と市川正一らの玉砕戦術（第五章）
⑦日本大衆党結成後の清党問題をめぐる内部対立（第五章）
⑧労働組合再建＝全産結成をめぐる山川らとの対立（第五章）
⑨合法的労働組合の再建と非合法路線に走る共産党の対応（第八章）
⑩反ファシズム統一戦線の形成とそれに消極的な共産党の対応（第八章）

これらの対立は、（山川との対立も含めて）第一次共産党という枠内のものであり、猪俣にとっては「内部対立」として軌道修正を促すという性格をもつものであった。

第二次共産党とのいわゆる戦略論争も、綱領論争というよりはこうした運動＝組織をめぐる論争の一環だったのである。

戦略論争は、もっぱら闘争目標をめぐる論争だったと誤解されがちだが、それに劣らず、その闘争目標と闘うために、どの階層と手を結び、どの階層を中立化し孤立化させるかが極めて重要な論点であり、それが無産政党のあり方とも直結していたのである。

興味深いのは、ロシア革命インパクトの枠組みの中で活動を開始した猪俣が、こうした組織論争において、その枠組みそのものへの批判を含む議論を展開していたことである。

渦中にありながら距離をとる——私が猪俣を読み始めた当初、ある種の戸惑いを覚えつつ魅力を感じたのも、まさにこの点であった。

〈三〉批判活動を通じた独自の思想形成

「マルクス主義」への対応

「戦闘的マルクス主義者」——これは、高野実が一九六七年に執筆した草分け的な猪俣論のタイトルである（高野実「猪俣津南雄」『越後が生んだ日本的人物』第三集（『猪俣津南雄研究』創刊号に収録））。

猪俣がマルクス主義者であることは疑いの余地のないことであり、私も当初はその立場で猪俣の紹介に努めてきた。ところが、猪俣の「彼等を見よ」と題する掌編（第二章）を目にした時、それとは異質なものを感じた。

猪俣はまず、現代の賃金労働が「一片の道具」「歯車の歯」と化し、「創造と達成の歓び」や「遊戯と、愛と、誇りとは、彼らの仕事から追い出され」ていることを指摘し、それに対する嫌悪が叛逆に転じていくことを「本能的な抵抗」としている。そこから、労働組合の役割についても労働条件の維持・向上にとどまらず、こうした衝動や本能に吐け口を与えることだとし、労働組合において「自発による建設的な仕事と兄弟愛を見る」としている。

これは、階級闘争の出発点を経済闘争とする考え方とは大きくかけ離れているといわざるを得ない。

続いて猪俣は階級意識や階級闘争に言及するのだが、それも独特なものだ。

ここで強調されているのは、階級意識が「闘争のうちからのみ」生まれることであり（その萌芽は戦友意識）、マルクスの名も階級闘争の理論も知らない労働者たちの、空疎と重圧から逃れようとする本能的努力から「にじみ出る」という点である。

階級意識の「外部注入」との落差は歴然としている。というよりは、マルクスを信奉している人たちへの露骨な嫌味とも受け取れるくらいだ。

続いて指摘されるのは、労働者たちの憎悪が、一器械、一資本→器械一般、資本一般→器械化や被雇を強いる世の中の組み立て・仕組みへと発展し、そこから社会的不公正を取り除く可能性という「漫然たる信念」に到達していくという点である。そして、その誇りや自負を支えているのは、彼らが社会の生産機関の事実上の担い手・操縦者だからであり、そこに「建設的理想主義の歴史的基礎」があるとしている。

ここに見られる思想も、階級闘争→政治権力奪取→プロレタリア独裁というお馴染みの図式とは、大きくかけ離れている。

一方、いわゆる封建的絶対主義勢力についての分析において、猪俣は「物質的基礎を欠いたものがなぜ存在し得るのか」という問題を提起し、「制度・イデオロギーとしての残存」を指摘しているが、政治現象を下部構造に還元する、あるいは下部構造によって説明することを常とする「マルクス主義」の常識からは想定し難い問いかけということになるだろう。

このように、正面から異を唱えたわけではないとしても、公式の「マルクス主義」から逸脱していたことは明らかである。

因みに、日本では一九二〇年代初めに「アナ・ボル論争」が交わされ、ロシア共産党のボルシェヴィズムの立場から無政府主義に対する批判が行われていたが、どちらが「正しい」かという基準があるわけではなく、決着がついたというわけでもない。

「コミンテルン」への対応

猪俣が属していた在米日本人社会主義者団も、日本でその結成に参加した日本共産党も、紛れもなくコミンテルンの指導下にあった。

第一次共産党事件後に党が解散を余儀なくされた後も、猪俣はコミンテルン支部としての党再建に尽力した。ところが、コミンテルンと日本の関係で極めて重要な節目となる「二七年テーゼ」（昭和二年）の策定と評価をめぐって、猪俣の独自のスタンスが明らかになっていく（第三章）。

第一次共産党事件後の猪俣の活動で特筆すべきなのは、コミンテルンの指導下にあったとしてもその指示を待つのではなく、日本帰国時に自らに課していた、日本の経済社会と運動状況に関する独自の実証的・総括的な情勢および階級・階層分析に携わったことである。

そして、モスクワでの「二七年テーゼ」策定に向けて、党員でないにも拘らず分析結果やデータを送付し、それが実際に「テーゼ」本文に生かされた。

「テーゼ」の要約が公表されると、自らの見解との一致を指摘するとともに、いくつかの点について注文をつけた。つまり、すでに自身で行なっていた戦略規定に即して「テーゼ」を評価したわけである。

そして、「二つの悪傾向」（福本と山川）の指摘によって共産党の再建をめざした「テーゼ」の狙いとは裏腹に、共産党の対応を批判したグループによって雑誌『労農』が発刊され猪俣も加わることになり、「コミンテルン支部」の再建に尽力していた猪俣の「苦悩」が始まる。

この「苦悩」は、山川たち他の『労農』グループのメンバーには見られない独自のものだったといえよう（猪俣は共産党批判に際しても「同一陣営内」のものだとしていた）。

コミンテルンは、一九三一年に社会主義革命路線にシフトした「政治テーゼ草案」、翌年にブルジョア民主主義革命路線にシフトした「三二年テーゼ」と二転三転するのだが、猪俣はその影響を受けることなく、一貫した方針をとり続けた（第七章。これは、野呂栄太郎らとの違いとして指摘し得るだろう）。

その後、共産党は弾圧と自滅の両面から存立が危ぶまれる状況に陥っていくが、猪俣は地下の党員との連絡や資金提供など、再建に向けた尽力を続けた。

ここで重要なことは、猪俣と高野たちは、コミンテルン支部＝共産党の有無にかかわらず、実質的に運動全体を前進させていくという決断をしていたという点である。コミンテルンの指示を待たない、という態度は運動面でも貫かれ、それは例えば、コミンテルンの「人民戦線」戦術への転換以前に日本で幅広い統一戦線の運動が展開されたことにも顕著に現れている（第八章）。

「革命の定式化」への対応

日本共産党の設立直後に行われた戦略論議は、ブハーリンが起草した綱領草案をベースに、ロシア革命を雛形とした「第一か第二か」という二者択一の形をとっていた。この会議で議長をつとめたのは猪俣だったが、猪俣はその後、こうした問題設定から離れていく。その後の戦略論争において、猪俣はブルジョア民主主義革命に対してプロレタリア革命を主張したとされがちだが、猪俣の主張はこうした問題設定の枠組みそのもの――コミンテルンの「テーゼ」にも見られるもの――に対する批判を含んでいた点に特徴があった（第五章）。

第一は　ロシア革命を規範として日本を推し量る「歴史的類推」（ここにはツァーリと天皇制の類推も含まれる）に対する批判で、猪俣は、ロシアと日本の状況の決定的な違い（ブルジョアジーが権力の座についているか否か）を指摘するとともに、「類推」に対置したのが、前述の実証的・総括的分析であり、後年の農村踏査であった。

第二は、革命段階の「幾何学的理解」に対する批判である。

革命が第一段階から第二段階に「転化」するという場合、共産党の主張は、第一段階が完全に終了してからでないと第二段階に移行できない、封建的勢力の「残存」がある限りまずはその一掃を主要目的とすべきで「一足飛び」には移行できない、というものであった。猪俣は、これを「幾何学的」と批判すると同時に、ブルジョア民主主義革命の課題（土地問題の解決と政治的自由の獲得）が、反動化したブルジョアジーには遂行できず、それどころかブルジョアジーの打倒なしには実現できないことを力説した。

猪俣の戦略規定は、単純なプロレタリア革命ではなく、「ブルジョア民主主義革命の形態をとる」「（一方が他方の）端緒となる」という独特のものであったが、猪俣にとっての革命の「転化」は、（国家権力の移動ではなくプロレタリアートの同盟軍が「農民全体」から「貧農」に移行するという、いわば「主体的条件」の問題であった。そして、「農民全体」との同盟を具現化していたのが当時の無産政党であった。

第三は、一国だけを切り離して、その「本質」を規定する（例えば天皇制国家）という手法に対する批判である。いわゆる日本資本主義論争に対する批判的な態度も、結局はそこに根ざしていた（第九章）。

猪俣が行ったのは、世界的な帝国主義体系の中に各国を位置づけその特殊性を理解するというものであった（第四章）。

例えば日本における政治反動について、国内の反動勢力や封建的要素に「物質的基礎」を求めるというよりは、帝国主義体系において、内外の対抗勢力との闘いを迫られて反動化したブルジョアジーの「政治的地位」に着目した（猪俣は、天皇制イデオロギーの教育が確立したのは、帝国主義ブルジョアジーの時代になってからであることを強調し、単なる残存ではなく再編されたものであることを示唆している）。

同時に猪俣は、日本の革命闘争についても、世界的な革命闘争の一環として位置づけていた（第五章）。

猪俣が規定する戦略上の闘争目標は、世界体系としての「帝国主義の打倒」であり、ここから、日本と中国の革命闘争は、互いにそれぞれの同盟軍になるという構図が描かれることになる。

なお、以上のような革命段階の議論は、日本の社会経済がどの発展段階に該当するかという議論と重なるわけだが、猪俣は、日本の特殊性を歴史的に理解する手がかりとして、アジア的生産様式論を展開したことも注目に値する。

猪俣は、水田耕作に不可欠な水利事業や公共事業を独占する専制国家と、その事業に関与できず依存するしかない相互に孤立した小農共同体、という関係の下で、西欧のような商品経済化や都市化が生じなかったとして、「アジア的特殊性」という問題を指摘した（「日本的なものの社会的基礎」『中央公論』一九三五年一〇月号）。だが同時に猪俣は、生産の機械化によってこのアジア的関係から抜けだし、「生産者が自ら結合」し「組織」する力によって、「新しい労働形態」を生み出していく展望についても語っている（第八章）。

「前衛党モデル」への対応

「前衛」というものが、かつての武将のように、最前線で戦い範を示すというものであるなら、何ら問題はないどころか大いに歓迎すべきことであろう。だが、こうした範を示す指導ではなく、階級意識や革命理論を外部から注入する指導となると、話は全く変わってくる。

前述の「運動＝組織の対立点」でも明らかなように、現実に起きたことはといえば、前衛と称する人たち（猪俣のいう「自称前衛」）が「指導」という名のもとに大衆的な組織に対する支配・介入を行い、合法的な大衆政党や労働組合の再建の道を自ら閉ざし、すでに起きていた広範な統一戦線運動に水を差す結果を招くことだったのである。

もちろん、ロシア革命時の前衛モデルは、武装闘争を前提とした軍隊モデルであって、それをそのまま持ち込むこと自体に無理があるわけだが、より根本的には、エリート主義（大衆蔑視）、理論信仰、非合法主義、さらにコミンテルンに端を発する社民主要打撃論などさまざまな要因が重なっていたと考えられる。

「自称前衛」と本物の前衛を区分けする客観的な基準などあるはずもないが、猪俣がまず強調したのは「意識」「理論」に代わる「役割」「機能」であった。つまり、どんな「意識」を持っているかではなく、労働者・農民たちの要求実現と戦線統一のためにどんな「役割」を果たしているかを問題とした（「意識」「理論」の偏重は『労農』グループにも見られる傾向である）。

猪俣も「階級意識」に言及するが、それは「外部注入」を俟つまでもなく、「本能」によって「にじみ出る」もの、「マルクスを知らない」労働者たちが、闘いを通じた「戦友意識」として勝ち取るものであった。

こうした立場から猪俣が福本イズムと山川イズムに代わるものとして提起したのが、「前衛党形成と統一戦線の交互作用」としての「横断左翼論」であった。

その詳細は第六章で見ることにするが、ここで重要なことは　猪俣のこの構想も、あるべき理念型ではなく、その後の運動展開のなかでヨリ具体化され豊富化していくものだったという点である。

猪俣がその後に見出した「本当の意味の先進分子」は、各種の争議や戦線統一運動で最前線に立つ人たちであったが、彼らは仕事の現場で中軸を担う「おっさん」たちであり、農村で細々《こまごま》とした日常活動に携わる農民組合の活動家たちであった。つまり、いわゆる職業革命家モデルの対極に位置する人だったのである（第八章）。

彼らの存在があって初めて、「党」の再建を模索し続けた猪俣らも、（すでに見たように）「党の有無」にかかわらず、求められる役割を発揮していく、という姿勢が可能となったといえる。

〈四〉 戦略的思考が切り開くもの

独自の思想方法

では、何が以上のような「対応」を可能にしたのだろうか？

革命運動の発展は、人々の自発と創意にもとづく闘いを通じて自ずと獲得されていくものなのか、それとも階級意識と理論を備えた前衛（党）の指導によって初めて達成されていくものなのか――これは、革命観の違いというよりは人間観そのものの違いというべきものであった。猪俣が「ロシア革命インパクト」から逸脱していたのは、この違いと無関係ではないだろう。

もう一点見ておく必要があるのは、思想方法の問題である。

猪俣は、自らの分析方法について、ある事象を特定の勢力に「固定的機械的に結びついているもの」としてではなく、「経済的政治的情勢に含まれる矛盾対立の特殊の特質によってのみ決定される」（第六章）とし、その特殊性とともに「主要な矛盾」（第七章）を取り出すことを強調した。

これは、下部構造や物質的基礎に還元することで「本質」を規定しようとするのではなく、絶えず変化する「矛盾対立」をダイナミズムとして動態的に把握することに他ならない。

これを将棋に例えるなら、一つひとつの駒は、相手の駒、味方の駒が織りなす、その時々の局面全体の中でその価値や役割が決まってくるのであって、その盤面から一つだけ取り出して些細に分析し、規定づけようとしても全く意味をなさないだろう。

日本のブルジョアジーという駒は、対外的には、①他の帝国主義諸国、②社会主義国、③（半）植民地の大衆と、対内的には、④（半）封建勢力、⑤労働者・農民などと重層的に向き合っているのである（まして、現実の闘いは、現場の頭上に指し手がいるわけでもなく、何を攻略すれば勝敗が決まるかも事前に定められているわけでなく、それ自体が論争の対象となる）。

こうした思想方法からすれば、自明の前提とされがちな「主体」さえもまた、外界や環境との交互作用の産物ということになり、そこから切り離されて、意識や知識によって確立されるようなものではないことになる。

猪俣が一貫して問うていたのは、「～とは何か」（What is it?）ではなく、「どう作用し合っているか」（How do they interact?）であった。猪俣が「ロシア革命インパクト」から逸脱し得たのは、その「戦略的思考」によるものだったと言えるだろう。

先に見たように、革命戦略や封建遺制をめぐる論争において、猪俣は一方の立場を代表していたというより、その枠組みそのものを批判していたのである。

逆にいえば、戦略論争や資本主義論争を中心に論じてきたこれまでの歴史叙述においては、こうした思想方法や、運動＝組織をめぐる対立といった問題は登場しないことになる。

従って、いま改めて猪俣を再読するということは、「ロシア革命インパクト」によって後景に追いやられていた思想や運動経験に光を当て、解決済みとされてきた問題にも〝再審〟の道が開かれることを意味するだろう。

「猪俣＝高野ライン」の歴史的意義

そういう意味で着目したいのは、猪俣らが関与した運動の歴史的な意義である。

本編では、猪俣の『労農』同人脱退後の活動について、「猪俣＝高野ライン」という用語を用いている。それは、猪俣の運動＝組織論が高野との連携、あるいは高野たちの運動を通して具体化されていったことを示唆している。

満州事変以降の、今では想像も及ばないほどの反動政策と弾圧の下で猪俣と高野が追求したのは、合法的な領域を可能な限り拡大し、反ファシズムの広範な統一戦線と国際連帯を形成することであった（第八章）。

その活動母体は労働組合であったが、本分とされる経済闘争にとどまらず、政治闘争を積極的に展開し、「合法組織」でありながら、高野らは幾度となく逮捕・勾留された。

統一戦線の呼びかけは、農民組合やさまざまな社会運動団体にとどまらず、宗教団体や学者・文化人にも及び、「民衆戦線」と銘打たれていた。

これらの行動で中心的役割を担ったのは職場活動家集団であり、労働組合の地域組織であった。そこに貫かれているのは、「派」を作ることなく、ヨコの連携によって全体を押し上げていくイニシアティヴ・グループという活動スタイルである。

こうした活動が歴史的にみても重要なのは、コミンテルンの「人民戦線」戦術への転換以前に日本で独自の運動を展開していたことであり、そうであるが故に、その経験が戦後の労働運動・平和運動へと着実に引き継がれていったことである（第八章）。

そして、猪俣がさまざまな論争を展開した際に、何かに依拠したわけではないし、高野らと統一戦線運動を進めた際も、どこかに雛形があったわけではないことは、銘記されて然るべきだろう。

歴史の「補助線」として

第一回メーデーで掲げられた「八時間労働制」も「最低賃銀法」も戦後になって実現したが、二〇〇〇年代に生じた「格差と貧困」を防ぐことはできなかった。

また、二〇〇九年秋に起きた政権交代も、この流れを反転させることはできなかった。これらは、政策要求の実現も政権の交代も、必要条件ではあっても十分条件たり得ないことを示している。どこか突破口を見出す術はあるのか。

ここでも、依拠するものや雛形は恐らく存在し得ないのであろう。どこかの最先端理論や、どこかの国の先進事例を参照することはできるかも知れないが、それらに増して我々に示唆と勇気を与えてくれるのは、今からは想像も及ばないほど厳しい状況のなかで苦闘した数多くの先輩たちの経験だと思われる。

例えば、労働組合のあり方についても、欧米モデルを雛形として、日本の企業別組合を頭から否定して見せる議論が今でも根強いが、日本が積み重ねてきた地域労働運動、地区労運動の経験は、今こそ再評価、そして再構築されるべきものである。それは、液状化してしまった地域社会の再構築という視点からも重要となっている。

我々にとって、猪俣の闘いの軌跡は、これまでのものに代わる新たな軸というよりは、補助線である。一本の補助線によって、これまで四角形と思われてきたものが二つの三角形に化けるように、見慣れてきた思想史や運動史の風景に、新たな目映《まばゆ》い光を差し込み、例えば、一九三〇年代から五〇年代にかけての運動を一続きのものとして見せてくれることであろう。

そして、そのことは、我々がいま目にしている風景にも、新たな可能性が開けていくことを意味するであろう。

＊本書において当時の文献の引用に際しては、読みやすくするために適宜現代表記に改め、明らかな誤字・脱字は訂正した。

猪俣津南雄

戦略的思考の復権

プロローグ

一九二一（大正一〇）年一〇月三〇日。横浜港。

一隻の客船がゆっくり接岸すると、一人の日本人がボストンバッグ片手にタラップを降りてきた。サンフランシスコ港から約一ヵ月を費やしての船旅である。

ほぼ六年ぶりとなる故国の風景。それを見やる視線には、何ともいえぬ高揚感が漲《みなぎ》っていた。無理もない。米国留学で学位を取得し、東京の大学で教壇に立つことが約束されていたのだから。

しかし、この男の視線に宿る周囲への警戒心に気づく者は、ほとんどいなかったに違いない。

猪俣津南雄。三二歳。

後に「労農派の闘将」として、あるいは『金の経済学』や『農村問題入門』などの著者として知られることになるこの男にとって、日本の地に踏みしめた第一歩は、単なる学究生活への第一歩ではなかった。まして、単なる故国への帰還でもなかった。

第一次大戦の終結、ロシア革命の勃発など、世界は大きく揺らいでいた。そして、日本においても米騒動が起き、労働争議や小作争議も増加……。こうした激動のただ中で、彼はある使命を担ってこの地に「やって来た」のだった。

だが、その二〇年後、日本が本格的な中国侵略を経て太平洋戦争に突入していくなかで、志半ばで非業の死を遂げる運命が待ち受けているとは、まだ知る由もなかった。

第一章　共産党結成と旧思想の克服　一九二一（大正一〇）～二三（大正一二）

起点としての早稲田

一九二一年一一月二八日、早稲田大学が主催するある歓送迎会が開かれた。主賓の一人は、これから留学に旅立つ長谷川安兵衛で、もう一人は、米国帰りで農業政策を担当する新任講師、猪俣津南雄である。このイベントは、猪俣に対する期待の大きさを物語るものであった。

猪俣の早大講師就任は、彼がかつて苦学生として早大政経学部で勉学に励み、一九一五年七月に首席で卒業した時点で、すでに約束されていたものだった。

だが、その早稲田は一変していた。大正デモクラシーの旋風は各地の大学でも巻き起こり、ＭＬ会、ＬＬ会、暁民会など学生運動組織が作られていた。もともと自由な気風に満ちていた早稲田では、建設者同盟、早大文化会が生まれていた。

米国での社会主義運動の経験があり、また、日本の状況についてある程度の情報を得ていたとはいえ、目をみはるものがあったに違いない。

ある日、猪俣は一人の学生の訪問を受けた。その学生は後にこう回想している。

「靖国神社裏手にある下宿は、木造の細長い、四階だか五階だかの薄汚い階段を昇りつめた、その六畳の一室だった。その三分の一はうずたかい書物の山が並んで、小さい机がひとつあるきりだった。

「丸坊主の十九歳の早大学生だった私は、世界を渡った学者を前にオズオズと大山［郁夫］さんの紹介について話した。力一杯の言葉のために茹蛸《ゆでだこ》のようになった顔をよう上げえなかった。猪俣さんは端座したまま私をまともに見つめていた。そして、ゆるゆると煙草をふかしつつ、丸い輪を面白そうに吹いて見せた。

「私は、中学時代から思想雑誌を出してきたことや、スパイがついてうるさいことや、それから理工科学生だということや工場で働いた経験があることやについては特別の注意を惹かれたようだった。それで、『君は将来労働運動をやる決心があるだろうか？』と尋ねられた。私はドギマギしながら『東京に生れ東京に育ち、そして労働生活しか知らない自分は労働運動をやるつもりです』と答えた。

「それから賃金形態や親方制度や寄宿制度や大正九年恐慌のことなどについてきかれたあとで、書籍の山をあちこち崩した揚句、『これを読んで見給え』といって薄青い表紙の英本を差出された。それはフォスターの『スティール・ストライキ』だった。猪俣さんはフォスターの永いストライキ準備とストライキ経験について幾つかの話をしてくれた。キイ・インダストリーを狙う仕事の大切さについて注意を促された。

「それから今一つ、小さなパンフレットを読むようにといって示された。その表紙には『統一アメリカ共産党プログラム』と記されていた。その一頁一頁をくる私にその大綱をこともなげに話された。

「私が外国のストライキの記述を見たのはむろんこれが初めてだった。大規模なストライキの準備や二十何ケ国語で書かれた檄文のことなど、いちいち感心しない頁とてなかった。また、プログラムの小冊子は私が見た最初の共産党の文献だった。しかも、冒頭には『経済学批判』の相当分量が抜粋され、その後半は党細胞の組織と活動方法について、全く教科書風にかかれていた。

「二つの宝物をふところにした私は、学生運動にも労働運動にも、すぐと実地にためして、共産主義をマスターすることの出来た最初の第一歩を踏んだのであった」（高野実「二つの二時間」『社会主義』一九四六年（『高野実著作集・第5巻』所収））

この学生とは、当時、理工学部に在籍していて、戦後になって総評事務局長となる高野実である。早大教授・大山郁夫の紹介状を手に、猪俣の下宿を訪ねたのだった。

この会見は、猪俣にとっても重要な「第一歩」となったようだ。猪俣はその後、高野が所属していた早大文化会の顧問となり、高野や黒田寿男らが中心となって結成した学生連合会の運動にも関与していくようになる。

日本共産党結成と猪俣の活動

高野が持ち帰った「二つの宝物」が物語るように、猪俣はれっきとした米国共産党員だった。詳細は本書の第一〇章で見ることになるが、六年に及んだ米国留学中に、猪俣は片山潜を中心とする在米日本人社会主義者団に加わり、米国共産党の一員として、日本における共産党結成に向けた活動に携わっていたのである。

日本における共産党結成の第一歩は、すでに一九一九年に踏み出されていたが、一九二一年四月に、堺利彦、山川均、荒畑寒村、高津正道らによって、コミンテルン日本支部準備会が結成される。そこには、在米日本人社会主義者団のメンバーとして日本に戻っていた近藤栄蔵も名を連ねていた。

ところが、党の結成をコミンテルンに報告するために上海に渡った近藤は、現地で活動資金として五〇〇〇円の大金を受け取るのだが、気を大きくしたのか、その帰路の下関で遊興に耽ってしまい、官憲に逮捕されるという大失態を演じ、これによって国際的な連絡網も寸断されてしまう。

こうして第一歩の試みは挫折を余儀なくされるが、その後、猪俣のほかコミンテルン大会および極東勤労者大会に参加していた日本側メンバーも相次いで帰国し、翌一九二二年七月、日本共産党の態勢立て直しが図られる。一般的に「創立大会」とされるものである。

党は、それ以前から活動していた運動家グループをベースに、班（細胞）を組織した。猪俣がキャップをつとめた班には、鈴木茂三郎、平林初之輔、高野実らが属していて、活発に活動を進めていた。細胞という位置づけでも、中央から具体的な指示があったわけではなかった、という（『鈴木茂三郎選集・第四巻』二四頁）。

猪俣たちの細胞は「学生班」という位置づけだったようだが、当時の学生運動は、社会運動全体のなかで独自の位置を占めており、とくに早稲田大学は中心的な存在だった。

高野の回想によると、学内の問題だけでなく、労働者街に住み込んで支援活動を行うセツルメント運動や労農ロシア支援カンパ活動、夜店でのパンフレット販売活動なども行われ、猪俣や大山を講師とする演説会や講演会も数多く開催された。猪俣は学生たちに密着し、街頭宣伝が終わるとそば屋の二階に集い、その場で行われる演説会の審査員役をつとめ、そこから多くの活動家が巣立っていったという（高野実「志士的熱情の奔流」東京大学新聞社編集部篇『灰色の青春』一九四八年所収）。

一九二二年一一月に学生連合会が結成されると、活動は全国各地に広がっていき、猪俣は各地の講演会に飛び回る一方、それらの状況把握に余念がなかった。

一九二三年五月に「早大軍研事件」が起きている。早稲田大学で軍事研究団が結成されたことに対して、早大文化同盟を中心に反対運動が展開され、流血事件にまで発展したのである。これを機に軍事研究団は解散に追い込まれたが、文化同盟も自主的に解散する事態となった。

猪俣は、『赤旗』一九二三年五月一日号に柴耕介の筆名で発表した「青年プロレタリアの運動」のなかで、こう述べている。

「無産階級の運動は、一面に全面的な政権奪取を目指し、他面に於ては部分的な経済的勝利を目指す二重の団体に組織されて居るが、教育期に在る少年青年の団体運動は、第一の団体組織を以て党の予備校たると同時に組合の予備校たるべきだ。そして、飽くまでも少年青年の大衆を包擁すべきである。未結晶な階級意識、率直な階級的本能を有する少年青年大衆の無産階級的教育と訓練――其処《そこ》に青年運動の使命がある」

続けて猪俣は、「書物の中からマルキシズムを引出す」ことではなく、「闘争への参加こそは、真の無産青年の訓練なのだ」と強調し、「全無産階級の解放へ積極的に参加せしめること」とともに、「先ず現在の無産青年の生産的労働から全然失われて居る教育的価値を取戻さねばならぬ」として、具体的な要求項目を列挙している。そして、最後に農村の無産青年との連携を強調し、「都市と農村と、此の大無産階級群の両翼が歩調を合して突撃する時、――其の時にのみ凱歌があがる」と締めくくっている。

この文章について、戦後に社会党で活躍する伊藤好道は、「これは、でるとすぐ、猪俣さんの論文として、たしか高野君から教わって、何度も読んだ。当時はじめて問題とされつつあった青年運動に対する示唆は、相当大きかったと思う。氏は、すでに、党内のいわゆるアメリカ派の人として、学生運動の指導者たちには特異の存在だった」と語っている（伊藤好道「猪俣さんの思い出」安田徳太郎他著『光を掲げた人々―民主主義者の思想と生涯』新興出版社、一九五六年所収）。

もちろん、猪俣のこの時期の活動は青年運動に限られていたわけではなく、鈴木が提唱した防援会や悪法反対運動にも積極的に関与していた。

党内における「違和感」

自分が担当する班では生き生きと活動していた猪俣だが、共産党全体をどう運営していくかという点については頭をいためていた。

共産党といっても、ある明確な方針のもとに結集したわけではない。堺、山川、荒畑といった古参の主義者を中心に、それまで活動していたさまざまなグループが集まってきた寄り合い世帯である。内部には重要な点について意見の違いがあり、山川が起草したとされる党の綱領も、これらの最大公約数的なものとならざるを得なかった。

なかでも猪俣が困惑していたのは、古参の主義者たちへの対応だった。鈴木は当時のことをこう回想している。

「私が福岡から上京して日本においてはじめて彼［猪俣］とあったとき『古い社会主義者が無政府主義の残骸から容易にぬけきれなくて困った。山川君でさえ当時はそうでした』と猪俣がこぼしたことがあった」（『鈴木茂三郎選集・第四巻』二五頁）

もちろん、日本の社会主義運動がその生い立ちからして、無政府主義の流れとの共闘が必要なことも猪俣は理解していた。しかし、ロシア革命後の、日本では米騒動以降の、新たな局面において、そして共産党の結成という重大な転機において、一段の飛躍が求められていることを痛感しないわけにはいかなかった。

猪俣が感じた「違和感」は、米国帰国組に共通していたようで、近藤や田口運蔵も、古参主義者たちに「島国根性」や「セクト主義」を嗅ぎとっていた。

一方、米国帰国組もまた「アメボウ」（アメリカ亡命）と揶揄されていたように、別の意味の「違和感」を醸し出していた。もっとも、それは全員に対してというわけではなく、猪俣や鈴木は一目置かれていたと山川菊栄は語ったという。

こうした党内の「違和感」は、ほどなく運動路線をめぐる対立として表面化することになる。

山川の「方向転換」論

日本共産党の結成とほぼ時を同じくして、山川均は「無産階級運動の方向転換」を『前衛』（一九二二年七、八合併号）に発表する（『山川均全集・第五巻』所収）。

この文書の柱となっている「大衆の中へ」というスローガンは、一九二一年八月に開かれたコミンテルン第三回大会で決議されたものだった。

コミンテルンは、ロシア革命を引き金とする世界革命の広がりに向け、とりわけドイツ革命に期待をかけていたが、それが挫折したため、コミンテルン自身の世界戦略が「方向転換」を余儀なくされたのであった。「大衆の中へ」は、その転換を象徴するスローガンであったが、山川の論文は、日本の状況に合わせた山川流の翻案ともいうべき内容になっている。

この「方向転換論」は、当時広く読まれ、新たな運動の段階を画する歴史的な文書と評価される一方で、一九二五年に入って福本和夫［北條一雄］が華々しく論壇にデビューした際に、槍玉にあげたものでもあった。

この文書には、いくつかの特徴を見て取ることができる。

第一に、ここでの方向転換は、「階級意識に目覚めた少数の前衛」が思想的に純化してかたまる「第一歩」から、前衛が「大衆を動かす」ことを学び、遅れた大衆に引き返す「第二歩」への転換として語られているが、この構図そのものは、後の福本の分離・結合論とほとんど軌を一にするものであった。ここで共有される前衛観は、その後のいわゆる講座派、労農派の違いを越えて、日本の左翼党派の「原型」を形成していくこととなる。

第二に、この「第一歩」は、必要不可欠の過程であるとされる一方で、その第一歩に二〇年も要したことは日本の社会主義者の誤りとされ、とくに政治に対して、「無産階級が国家に何ごとかを要求してみてもつまらない！」「いやしくも、革命以外の、いっさいの当面の問題はつまらない！」といった態度をあげている。つまり、自らの自己批判として語られているのである。

第三に、前衛が「第二歩」を踏みだし、大衆の要求に立脚し、現実の要求に基礎をおくことがそのまま革命運動に発展していくかのように語られている。この点は、後に福本が「ズルズルベッタリ」だとして批判するわけだが、そうした批判を許す余地があることは否めないだろう。

第四に、政治への消極的否定から積極的な闘いへ、ということが強調されていても、ここで示される転換は心構えの次元に留まっていて、それを具体化するための運動論、組織論はまったく示されていない。

とくに、当時、議論になっていた普通選挙や無産政党の結成には何ら言及していないことに対して、これを鋭く批判する文章が、『前衛』一〇月号に掲載された。柴耕介「無産階級の政治行動」と北原龍雄「『方向転換』に関する疑問」である。

猪俣の山川批判

「柴耕介」というのは前述の通り猪俣のペンネームである。

柴＝猪俣はこう指摘する――「無産階級と政治」をめぐっては、これまでもさまざまな議論が重ねられてきたが、それらを経て「吾々は何時の間にか一つの方向に進んで来た。吾々は要するに政治なぞというものは無産階級にとっては下らぬものだというのであった」と（山川の方向転換論では「つまらない」ものと表現されている）。

しかし、こうした態度そのものが「一種の政治行動」なのであって、今の状況のもとで黙っていても「政治行動を強いられる」。

政治行動としては、まずはストライキ、とくに総同盟罷工（ゼネスト）の主張が出てくる。

「総同盟罷工は、天から降り、地から沸く訳じゃない。吾々が空想の同盟罷工で空想の気焔を続けて居る間は、敵は枕を高うして眠ることが出来る。現実の総同盟罷工は、吾々に準備があり、組織があっての話だ。吾々が、大人気ない鼻のつき合いや、下らない内輪喧嘩をする代りに共通の敵のあなどり難いことを胆に銘じ、結束を固めて、敵の武器と陣立と作戦に対抗し得る丈けの武器と陣立と作戦を持つことに腐心し、努力した其の上での話だ。政治行動で必勝戦を戦う覚悟を極めて、臥薪嘗胆した揚句のことだ」

こう指摘した上で、単純な直接行動主義を厳しく批判する。

「政治行動化した経済行動の威力――其れが無産階級運動の眼目なのだ。ここを思わずに、総同盟罷業を唱えるようでは、ひいき目に見ても、善意の反革命だ」

続いて柴は、ブルジョアジーの側から仕掛けられた普通選挙という「網」の問題に論点を移す。ここで柴は「遅撒きながら普通選挙の門を開く気になった日本のブルジョアジー」に言及しているが、それは普選から過激思想取締法に至る「ブルジョア政治の網の十重二十重」の一環であり、彼等が直面している社会問題、社会運動が、大逆事件当時のように治安対策だけでは対応し得なくなっており、国家による社会政策、階級対策を必要としたことを意味していた。*

＊例えば、小路田泰直『日本近代都市研究序説』（一九九一年、柏書房）は、「憲政会総裁加藤高明の普選論は、一貫して議会の階級協調機関化を模索する内容の普選論であった」（二二三頁）と指摘している。

そこで柴は強調する。

「ブルジョアジーが誘いの隙を見せたら、誘いの隙と心得て打込んで行くまでだ。……議会運動万能、議会運動中心で行こうとすればこそ、敵の乗ずる処となる。産業行動の政治行動化――此の大道さえ踏み外さなければ、ブルジョア政治の表門に奇襲を試みる位の戦略はあってもよかろう」

そして結論はこうだ。「政治行動の回避は無産階級運動の自殺だ」。

こうした対立は、党内での具体的な戦術論議に発展しないわけにはいかない。

未決着の石神井会議

一九二三（大正一二）年三月一五日、都内の旅館である会議が開かれた。

これは共産党の臨時大会として位置づけられていたもので、三月初旬にモスクワから送られてきたブハーリン起草の綱領草案を審議するために慌ただしく開催されたものである。石神井の豊島館の一室に長方形に並べられた机を囲んで席に着いたのは　党の各細胞代表者たちであった。議長をつとめたのは猪俣である。

当初は堺が議長、猪俣は副議長をつとめることになっていた。ところが、この会議で天皇制の問題を審議することに堺が難色を示し、「審議するなら退席する」と言い張った。これに噛みついたのが猪俣と佐野学である。しかし、折り合いはつかず、結局、猪俣が議長をつとめることになった。

ただし、堺の指摘によって館内に不審な人物が潜り込んでいることがわかり、実際には天皇制の問題は審議されることなく「暗黙」で了解されたという（『近藤栄蔵自伝』（一九七一年、ひえい書房）巻末座談会での浦田武雄、高津正道の発言）。

残されている議事録*や報告書には、これらの証言を裏づけるものはないが、それが会議での正式なやりとりだったとしても、当時の状況からして記録に残すことなど考えられないだろう。

＊松尾尊允「創立期日本共産党のための覚書」（『京都大学文学部紀要』一九七九年）

会議の「正式」な報告としては、佐野と堺が連名でコミンテルン宛に送った文書*があるが、それとても、モスクワ向けに脚色されている可能性は否定できない。

＊富田武・和田春樹編訳『資料集　コミンテルンと日本共産党』（二〇一四年、岩波書店）所収

これらの記録を見る限り、この会議では、日本における革命の性格と当面する戦術が大きな論点となったが、意見の違いが大きく、結論は三ヵ月後に先送りされ、モスクワへの代表派遣者を荒畑にすることだけが決まった――というところに落ち着くようだ。

ただし、「意見の違い」といっても、参加者が真っ二つに分かれたわけではない。一点目の「第一革命か第二革命か」という点に関しては、議長の猪俣は「大体、第一」と集約している。また、二点目の普通選挙と合法無産政党については、消極論を唱えたのは荒畑、佐野、渡辺政之輔だけであり、大勢は積極論であった。

にもかかわらず、会議では結論を下せなかったのはなぜか。

この会議に山川は出席していない。ところが彼は『前衛』三月号に「普通選挙と無産階級的戦術」を発表していて、「われわれがもし与えられた一票を棄権するとしたならば、それは明白な意識的積極的の棄権でなければならぬ」と、持論である普通選挙ボイコット論から抜け出ていなかった。

また、同じ号には、荒畑の「政治運動に関する一考察」も掲載されていて、そこでは「たとえば、都市農村の無産階級に向かって、直接にソヴエットの組織を宣伝し、政治的総同盟罷工を鼓吹するというが如き運動方法は果して有効ではないだろうか」と述べられていた。

つまり、この時点において肝心の山川も荒畑も「方向転換」を遂げておらず、猪俣にとって、石神井会議における最大の「論敵」は、欠席していた山川（と荒畑）だったのである。

だが、山川欠席のまま結論を押し切ることもできなかったのだろう。そこで　綱領委員会を設置して三ヵ月後

に再び議論することにしたわけだが、その段階でもまとまる保証はまったくない。

こうなったら、モスクワへ荒畑を派遣し、コミンテルンから直に荒畑を説得してもらうしかない――それが議長としての猪俣の判断だったのではないか。

当時の党内における普通選挙に対する賛否という軸に、後に分岐する労農派と第二次共産党という軸を重ねてみると、およそ次のようになる。この時点の対立の構図は、後の『労農』同人の内部対立の面が大きかったのである。

	後の『労農』同人	後の第二次共産党
普選に反対	山川　荒畑	佐野（学）　渡辺
普選に賛成	猪俣　鈴木	徳田

「革命の方式」をめぐって

共産党として、普通選挙にどう対応するか、合法無産政党という組織を併せ持つかどうかという問題は、単なる当面の戦術の問題にとどまらず、いわば「革命の方式」に関わる重要問題だった。

一口に「革命」といっても、そのイメージは一つに定まっているわけではなく、実に多様である。例えば、暴力革命か平和革命か、直接行動か議会か、政治革命か社会革命か、破壊か建設かなど、それぞれの捉え方によって、それを遂行する組織も運動形態も異なってくる。

ロシア革命について、早くから論評している論者の一人にイギリスの思想家バートランド・ラッセルがいるが、そのロシア訪問記（『ネイション』一九二〇年七月三一日号、八月七日号）を留学中の米国で読んだ猪俣は、友人に宛てた英文の書簡草稿のなかで、「革命の方式」に言及している。

「ボルシェビキは、革命が単に資本家政府を打倒することに限られないことをよく知っています。……しかしながら、こういう新しい社会の建設は、武装した労働者による資本主義政府の打倒後、ソヴィエト組織あるいはプロレタリアート独裁の時期を経ることによってのみなされ得ると考えます。これをソヴィエト方式と呼びましょう。ボルシェビキは他の国々のプロレタリアートもこの方式をとることを主張し、ラッセルはそう考えません」（藤田悟訳「ラッセルはロシア革命をどう見ているか」『日本ラッセル協会会報』七一年二月 https://russell-j.com/INOMA-01.HTM、『猪俣津南雄研究』第五号七

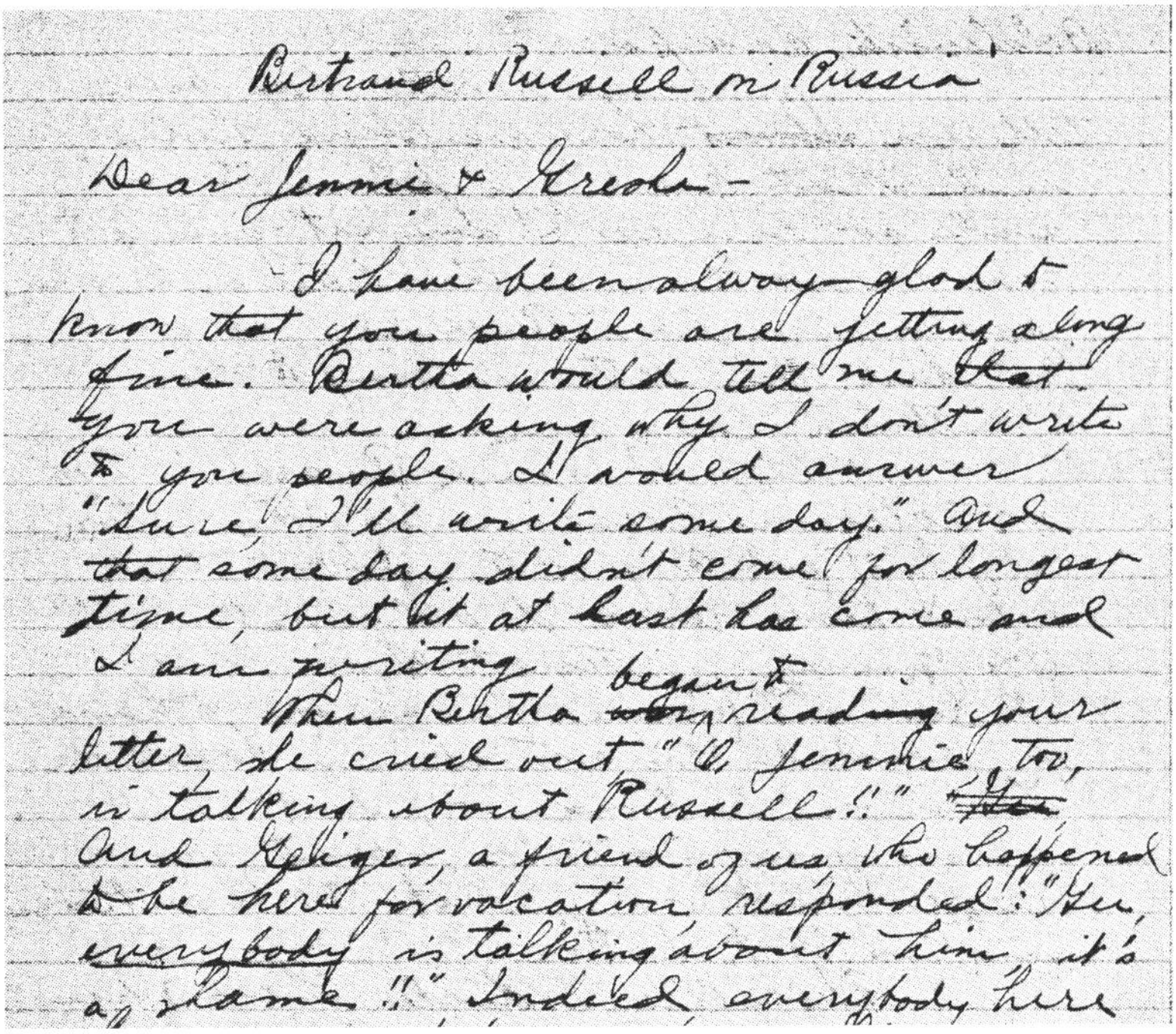

Bertrand Russell on Russia

Dear Jennie & Gresha -

I have been always glad to know that you people are getting along fine. Bertha would tell me ~~that~~ you were asking why I don't write to you people. I would answer "Sure, I'll write some day." And that some day didn't come for longest time, but it at last has come and I am writing.

When Bertha ~~was~~ began to reading your letter she cried out "O, Jennie, too, is talking about Russell!!" ~~Yes~~ And Geiger, a friend of us, who happened to be here for vacation, responded: "Yes, everybody is talking about him. it's a shame!!" Indeed everybody here

ラッセルのロシア革命観についての書簡草稿

一年六月三九頁)

この点に関連して、米国から帰国後の猪俣は大学での講演のなかで、ロシア革命におけるソヴィエトが労農「兵」で構成されていることを強調していたという(『高野実著作集・第5巻』四九四頁)。

では、日本における「革命の方式」はどのようなものになるか。

鈴木の回想によると、まだ米国にいた当時、日本独自の革命のあり方をめぐって猪俣と議論を交わしたという。

「当時から私は、武力革命でなく議会主義でない、日本においては『独自の革命』手段によらなければならないとして、ニューヨークで猪俣と話し合い、クーロン[ウランバートル]で徳田と論争した課題が私としてはそのままであった」(『鈴木茂三郎選集・第四巻』二四頁)

その後、日本に帰国した鈴木は猪俣の強いすすめで上京し、山川との会見で共産党の結成を知るわけだが、「最高の指導者が堺、山川であって、しかも秘密結社である以上、とやかくすべきでない。また、当面の戦略闘争の目標が、社会主義・民主主義の初歩的な段階の方向を志向する同じ道程をすすまなくてはならないことは疑いない、と、私はかように判断した」(同前)。

こうして、「徳田と論争した課題」は、先送りされてしまったのだが、米国での議論における猪俣の考え方はこう紹介されている。

「共産主義は必ずしも暴力革命を手段としない。やり方によっては暴力を避けることが可能である。それは支配階級が暴力をもっていかに革命に敵対するかどうかということにもかかっている問題である」(『鈴木茂三郎選集・第二巻』九四頁)

「武力革命」をめぐる猪俣と鈴木のスタンスは微妙に異なっていたが、日本において前衛党とともに無産政党を作るべきだという点では一致した。つまり、前衛党の結成を前提としつつ合法的な活動舞台も重視していく

――非合法主義でも議会主義でもない方向をめざすという立場である。

米国における労働者党結成

石神井会議の後にモスクワに向かった荒畑は、六月のコミンテルン第三回拡大執行委員会総会に出席する。荒畑はそこで議長ジノヴィエフから「合法的な共産党の結成」という提案を受けるのだが、それは、米国共産党が大弾圧後の苦境の中で合法的な労働者党を結成した経験を踏まえてのことであった。

こうした動きの背景には、すでに触れたように、コミンテルンによる「大衆の中へ！」をスローガンとする統一戦線戦術への方向転換があった。

米国の労働者党（The Workers Party）は、猪俣が日本に到着してから約二ヵ月後の一九二一年一二月末、ニューヨークで結成されたものだが、ここに至るには何度もの紆余曲折を経なければならなかった。

ロシア革命後の米国においては、まさしくラッセルが提起していたとおり、米国における革命がロシアと同じ方式を採用できるかどうかが問題となった。それと並行して、革命を推進するための組織も、合法的組織か非合法的組織かをめぐって激しい議論が展開されていた。

一九二一年の時点では、エングダールら労働者協議会（Workers' Council）の社会党左派グループは合法政党だけで対応していくことを主張し、バラムら左翼反対派といわれる共産党中央委員会少数派グループは、非合法政党だけで進めていくことを主張。ラヴストーンら共産党中央委員会の多数派は、コミンテルンの支援も受けつつ合法、非合法の双方の政党が必要だと主張するなど、意見は三分し、収拾がつかない状況だった。

七月に入って、アメリカ労働連合（American Labor Alliance）が結成されたり、「開かれた共産党」の考え方が示されたりしたが、コミンテルンの介入により、ようやく各派間の一応の妥協が成立、労働者党（The Workers

Party of America）の旗揚げにこぎ着けるのである。労働者党結成の際の綱領には、プロレタリア独裁もソヴィエトも武力闘争も含まれていない。コミンテルンが求める前衛党の結成と、幅広い戦線の拡大という目標を、同時に追い求めたのである。*

＊Theodore Draper: *The Roots of American Communism*, 1957, The Viking Press, pp. 327-344
なお、ドイツにおいても、一九二二年頃にロシア革命とは異なる革命の方式に関する議論が行われており、当時の党綱領草案は、議会制民主主義を前提とした統一戦線政府が社会主義への移行形態となり得るとの考え方を示している。

W・Z・フォスターは後に、米国労働者党結成の意義を次のように記している。

「それは、この国におけるまったくすべての共産主義諸勢力が統一するという、ながいあいだのぞまれてきたものを確立した。また、それは共産党の建設期がおわったことのしるしとなった。それは、ほとんど社会主義宣伝だけの時期をおわらせ、あたらしい党が、大衆活動をはじめる道をひらいた。それは、当面の要求についての原則的な綱領をつくりだすことによって、伝統的な左派のセクト性に多くの打撃をあたえた。それは、とくに党の公然活動における重要な一歩をしるした。つまり、大会は、マルクス＝レーニン主義を合衆国の特殊な条件に適用することにおいて、真の進歩を記録したのである」（『アメリカ合衆国共産党史・上巻』一九五四年、大月書店二四九頁）

こうした一連の動きは、猪俣が米国を離れた後の出来事であるが、日本において猪俣が情報を得ていたことは想像に難くない。ここから、前衛党の結成が必然的に非合法たらざるを得ない、という固定観念に縛られていなかった、ということも容易に推察することができるだろう。この点は、各国の状況の「研究」にとどまっていた山川や福本との決定的な違いといっていいだろう。

また、各国の活動の経験に関連して、猪俣が鈴木に「共産党についてはアメリカ、社会民主党についてはドイツに学ぶことを勧めていた」ことも示唆的であり、猪俣にとって、米国の方式が決して例外的ではないことを物語っている（『鈴木茂三郎選集・第二巻』九四頁）。

しかしながら、こうした点をめぐる議論も中断を余儀なくされる深刻な事態に、共産党は見舞われる。

第一次共産党事件

一九二三（大正一二）年五月に起きた「早大軍研事件」は、思わぬ波紋を呼ぶことになった。事件に関わる捜査に対して警戒心を強めた早大商学部講師の佐野学は、保管していた共産党資料を知人に預けたところ、その知人は実はスパイで、その資料が警察当局の手に渡ってしまったのである。

こうして、六月一日に共産党に対する大検挙が行われた。

猪俣は、六月四日と六日に笹塚の自宅を捜索された。五日は、慶応大学で「改造用具としてのアダム・スミス経済学」と題する講演を行っているが、その終了後に新聞社の取材に対して、「治安警察法に抵触した堺、近藤外十数名を検挙した、参考のため捜索したいとのことでした。押収されたものは学校で教授材料の小作争議についてのノート、コールの国家論を抜粋したノート……でして、講義材料を押収するなど甚だ怪しからんと思います」と語り、とくに研究室の捜索に対しては「学園の神聖、研究の自由を蹂躙したもの」と強く抗議している（『東京朝日新聞』六月六日）。

猪俣が検挙されるのは七月一〇日のことである。その時の様子を高野はこう記している。

「丁度慶応大学土曜講座のため、私も猪俣宅に行って原稿を用意していると、検事団が押しかけてきた。要求は明白だった。

「猪俣サンは今日は約束があると主張して譲らず、午前中は二人で講演の用意を整え、検事団を引具して慶応の講堂に立たれた猪俣サンは、いつもと何の変わりもなかった。午後四時頃別段の心配もなさそうな、しかも、いつものニガリ切った顔をのぞけて検事局へ入って行かれた後姿を私はいまでも描くことが出来る」（前掲『灰色の青春』二八頁）

二ヵ月後に関東大震災が発生し、予審を終えていったん保釈の身となるが、早稲田大学は、猪俣の講師解任を決定する。

その後、二七（昭和二）年一月の出獄に至るまで、猪俣は政治活動の中断を余儀なくされてしまう。その活動の詳細は明らかになっておらず、学生班とともに国際班を担当していた猪俣が、コミンテルン本部や朝鮮、支那の共産党とどのような連携を模索していたかも不明のままである。

猪俣が、綱領を審議した石神井会議の議長をつとめたことは、当時の猪俣の位置の重要性を端的に物語るものだが、それは、猪俣個人の位置というより、米国経由のコミンテルン支部建設という流れの中で考える必要があるだろう。

なお、米国における活動経験が日本においてどう生かされているかは必ずしも明らかではないが、一例として、後に雑誌『労農』で活動を共にする岡田宗司は、第一次共産党事件後に鈴木茂三郎が携わった救援会の仕事について、「これはアメリカ共産党がやっていた仕事を、猪俣さんのすすめでやり出したのがはじめなんだ」と語っている（「聞き書・猪俣津南雄三」『図書新聞』七四年三月三〇日号）。

また、鈴木茂三郎は、「猪俣津南雄はアメリカおける共産党の秘密運動のやり方の実際を知っておった唯一の人間であった関係上、猪俣は第一次日本共産党の重要な一員であった」と指摘している（『鈴木茂三郎選集・第三巻』一一八頁）。

第二章　共産党再建と無産政党をめぐる確執

一九二四（大正一三）〜二六（大正一五＝昭和一）

〈一〉活動制限下の調査研究

共産党解党論と農労党の挫折　一九二三（大正一二）〜二五（大正一四）

前衛党とは別個に合法無産政党を結成するという猪俣たちの構想は、この共産党検挙と大震災によって大きな転機に直面することになる。

この二つの事件は、高揚しかけていた労働運動、農民運動、社会運動に大きな打撃を与えることになったが、とくに共産党検挙は、党の存立そのものを脅かすものとなり、そこから再建に向けた困難な模索が開始される。大震災後に総理大臣となった山本権兵衛が普通選挙の実施を明らかにしたことも、無産政党結成に向けた動きがにわかに活気づく要因となった。

一方の共産党について見れば、検挙→解党論の浮上→森ケ崎会議での正式決定（二四年二月）→ビューローの結成→コミンテルンの「上海テーゼ」（二五年一月）→コミュニスト・グループの結成（同八月）→福本イズムの台頭（同一〇月）、という経過を辿り、コミンテルンの指導もあって合法無産政党結成の方針に傾いていくと同時に、指導部では徳田、市川正一、渡辺、そして福本が影響力を持つようになり、セクト主義の傾向が急速に強まっていく。

もう一方の無産政党結成について見ると、政治問題研究会（二三年一二月）↓政治研究会創立（二四年六月）↓同第二回大会で右派が脱退（二五年四月）↓日農が政党組織のための協議会を提唱（同六月）↓政治研究会の左右対立が激化（同九月）↓総同盟と評議会が脱退（同一一月）↓農民労働党結成・即日解散（同一二月）という経過を辿り、最初の無産政党結成の試みはもろくも挫折を余儀なくされる。

そもそも普通選挙法は治安維持法と同時に公付され（二五年四〜五月）、革命を推進する勢力と大衆的な運動を分断するという狙いを持っていたことからすれば、無産政党結成のプロセスで左派排除の動きが出てくるのは、ある意味で当然の成り行きであった。ただ、その具体的な場面を見ていくと、それは、共産党再建の過程で主導権をとっていく中心メンバーのセクト主義的な誤った戦術によるところが大きかった。

介入に晒される政治研究会

政治研究会は、嶋中雄三、鈴木茂三郎、高橋亀吉らを中心に結成されるのだが、コミュニスト・グループは介入工作を開始し、八月の綱領委員会から一〇月の第三回大会にかけて自らの綱領案、組織方針を強引に押し通し、嶋中、高橋を脱退においやる結果となる。彼等は、総同盟が提起した無産政党組織準備会でも同様な行動をとったため、総同盟が脱退し、政党結成そのものが危ぶまれたため評議会もまた脱退し、政党結成後に政治研究会を解散させるという条件つきで、ようやく農民労働党の結成大会に漕ぎ着けたのである。

党名からも推察されるようにここで主導権を発揮したのは農民組合であったが、それは農民組合にはコミュニスト・グループの影響力が及んでいなかったという事情があった。だが、二五年一二月に結成大会を迎えた農労党は、共産主義とのつながりを理由に即日解散を命じられてしまう。

上記のコミュニスト・グループの方針について、その中心の一人であった市川正一は、「第一に赤松［克麿］一派の社会改良主義、つぎにそのころ安倍磯雄などによってつくられた日本フェビアン協会、それから政治研究会の旧幹部、これら小ブルジョア急進主義を具体的闘争のなかにおいて克服して無産政党運動の圏外に放逐してしまうこと」であり、「この無産政党運動を共産党の側に克ち取るということ」であったと述べている（市川正一述『日本共産党闘争小史』暁書房一九四六年、九一頁）。

こうした対応は、同じく共産党系に属する鈴木、高野、猪俣らとの間の溝を決定的に深めることになる。当時、政治研究会事務局にいた高野は、後にこう書いている。

「私ら政研本部で働く書記、中央幹部は、招集権、規約、綱領、運動方針などが、一夜にして奪い去られたことに驚いた。怒った。悲しんだ。セクトを憎んだ。それ以後の諸会合では、日和見主義者、社会民主主義者、裏切り者……と罵られた。ある時は、会場をつまみだされたが、何故か、誰にもよく解らなかった。不思議な光景が続いた。いわば一種の『内ゲバ』だ」（「猪俣の実践に学ぶ」『猪俣津南雄研究・第一〇号』一九七二年二月（『高野実著作集・第5巻』四七六頁））

農民労働党結成の挫折は、もちろん官憲の弾圧が招いたものだったが、それだけに還元できない問題を孕んでいたのである。

猪俣の微妙な立ち位置

こうした流れの中で、普通選挙ボイコットを主張していた山川も、二三年末頃になってようやく「方向転換」し、協同戦線党論を提唱するようになっていく。ただし、山川は共産党の解党を積極的に主張していたとされ、前衛党を無産政党に解消してしまうことにもなりかねなかったことから、この点が後に福本和夫による厳しい批判を招くことになる。

他方、猪俣は、共産党の解党をめぐって市川正一と話をしているが、その内容まではわかっていない。解党後に作られたビューローに参加はしていないが、その会議には高野が出席している。なお、鈴木茂三郎によると、猪俣からビューロー候補として推薦されたが、鈴木は市川と会った際に、「もう非合法組織は考えていない」という立場を伝えたという（『鈴木茂三郎選集・第四巻』一二五頁）。

猪俣の立ち位置は、極めて微妙なものがあった。党再建の必要性は認めつつも、第一次共産党の幹部に対してはある種の不信感を抱いていたからである。

高野は、出所直後の猪俣の話として、こう語っている。

「猪俣さんは、第一次共産党の首脳だった一部の人たちが警察であらいざらい自白してしまったのでその正直さというか阿呆さというかに驚き、怒り、耐えられない様子でした」（『猪俣津南雄をめぐる社会運動史の一こま』『猪俣津南雄研究・第三号』七一年一月）

また、後に『労農』スタッフとなる橋本敏彦は、第一次共産党について猪俣が「名指しはしませんでしたがスパイがいたといわれたのが耳の底に焼付いていた」と述べ、それが猪俣の独自の組織論に結びついたのではないかと指摘している（「聞き書・猪俣津南雄七」『図書新聞』七四年九月七日号）。

ただし、関係が切れてしまったわけでは決してない。

猪俣は、一九二四年秋にフェビアン協会に入会する一方、翌二五年には産業労働調査所の調査研究活動に参加する。これは、野坂参三や加藤勘十が中心になって設立され（二四年三月）、研究員には、赤松克麿、市川正一、高橋亀吉らが名を連ねていた。つまり、野坂、市川とは、調査研究活動の同僚としての関係が続いていたのである。

もちろん、猪俣のスタンスは、基本的には鈴木、黒田、高野らとほぼ軌を一にするものであり、ビューロー↓

コミュニスト・グループによる政治研究会への介入が激しさを増すにつれて、当然のことながら距離感も開いていくことになった。*

＊この時期の猪俣の活動については、岩村登志夫『コミンテルンと日本共産党の成立』（一九七七年、三一書房）の第Ⅲ章が詳細な分析を行っている。だが、（本書でも鈴木の証言を頻繁に紹介しているが）「猪俣・鈴木グループ」と一括してしまうのは少し無理があるように思われる。

独自の分析と思想形成

ところで、猪俣にとって、震災（二三年九月）から、裁判を終えて入獄（二六年九月）までの時期は、保釈中の身であり、活動は大きく制約されていた。

それでも猪俣は、政治研究会主催による各地の講演のほか、雑誌への寄稿、そしてJ・ロビンソン『新思想の普遍化』（二四年一〇月）、T・ヴェブレン『特権階級論』（二五年二月）の翻訳・出版など、精力的に活動していた。とくにヴェブレンは、日本での最初の紹介の一つであった。

だが、それらにも増して重要なことは、猪俣がこの時期に、本格的な帝国主義分析、日本資本主義分析を開始したことであろう。産業労働調査所という格好の場を得て、自らの視点で調査・研究に専念することが可能になったからである。

猪俣は、米国から帰国してすぐに運動の最前線に飛び込んだ。米国でコミュニストとなった猪俣には、日本の政治、経済、そして労働運動や農民運動の状況について、きちんとした分析をする余裕は与えられなかった。そして今、ようやく懸案の課題に取り組む機会が訪れたのである。

しかも猪俣が志したのは、コミンテルンや何らかの権威に依存しない自前の分析であり、一時の気分や情緒に流されることのない客観的な事実に裏付けられた分析、マルクスやレーニンなどからの引用によって根拠づけるようなことをしない分析であった。

もちろん、その分析は、日本とアジアにおける革命戦略を打ち立てるためのものであり、この「保釈中」の三年間は、まさしく、猪俣の独自の戦略が練り上げられていく時期でもあった。

それと同時に注目しておきたいのは、この時期における猪俣の独自の思想である。当時は、日本における社会主義、共産主義思想の〝啓蒙期〟に当たり、内外の入門書、解説書が数多く出回っていた。ラッセルのいう「ソヴィエト方式」が、徐々に影響力を増しつつあるとはいえ、社会民主主義はもちろんのこと、アナキズムや、ギルド社会主義なども社会主義の一潮流としての位置を占めていた時代である。

米国で社会主義者となり共産党員となった猪俣だが、そうした思想状況の中でどんな立ち位置を築こうとしていたのか。この点については、後段で改めて検討することにしよう。

『金融資本論』

猪俣は、一九二五(大正一四)年四月に『金融資本論』(希望閣)を出版している。「資本論後の資本論」と称されるヒルファディングの同名の著書を下敷きとしたものである。

そのいきさつについて猪俣は「序文」の中で、「はじめ……翻訳を想うた」のだが、「膨大」で「普及に適さざる高価なものになりそうであった」ことと、「原著の書振りは……説明的でなく、多分の……予備知識を要求してもいる」ことから、「訳業に比すれば遥かに多くの労力を意味したとはいえ……解説と紹介を兼ねたこのような著作として世に送り出すに至った」と述べている。

因みに、林要による全訳が刊行されるのは、翌一九二六年である。

この『金融資本論』の各章末尾には、対応する原著の篇と章が注書きされている。それを以下に示してみよう。

この対比から明らかなように、「第一篇　貨幣と資本信用」の前半は原著にはない部分が書き加えられており、「序文」では、「第一篇は予備知識の十分ならぬ読者諸兄の為めに書かれたる序論と見てよいもので、私自身の工夫になる部分がわけても多い」と記している。

他方、原著からは省かれている部分があり、それは「第四篇　恐慌」である。猪俣は「序文」の中で、「ヒルファディングの研究にもまだ盡《つく》さざる点があり、正さるべき箇所もすくなくない」と述べているが、そのことがこの第四篇の取り扱いと関係しているのかも知れない。

また、「第一五章　結語」は、原書の「第二五章　プロレタリアートと帝国主義」を下敷きにしているが、原書にはない「無産政党」に関する記述を独自に加筆しているのが注目される。

《猪俣『金融資本論』の構成》	《「原書」の篇・章》
第一篇　貨幣と資本信用	
第一章　貨幣	
第二章　資本	
第三章　信用	
1　信用貨幣の諸相	
2　資本信用	一―四
第四章　銀行と産業企業	
1　銀行信用	一―四、五
2　銀行集中	一―五
第二篇　金融資本	
第五章　会社企業と株式資本	
第六章　会社財政と銀行	二―七、八
第七章　銀行利潤と銀行資本	二―一〇
第八章　独占	三―一一、一二
第九章　金融資本の成立	三―一四、一五
第一〇章　金融資本の歴史的傾向	三―一五
第三篇　金融資本の政策	
第一一章　貿易政策	五―二一
第一二章　資本輸出	五―二二
第一三章　金融資本と諸階級	
第一四章　金融資本の労働政策	五―二四
第一五章　結語	

「寡頭資本政治と、負担の過重と、大雇主階級の頑強なる抵抗と、生活難と、失業不安と更に資本帝国間の致命的衝突がもたらす惨禍とは、虐げらるる大衆を根本的な覚醒に向わしむるに十分である。そして、解放戦の主動力としての無産階級団体とその政党は、それらの客観的・社会的諸力をば如何に新社会の建設に利用すべきかを学ぶであろう。学びつつある」（『金融資本論』希望閣三九二頁）

「無産階級が半無産的中間階級乃至は農村の準無産階級を糾合し得る先要条件は、無産政党の存在であり、そのどれだけ多くを惹きつけ得るかは、すくなからず、無産党それ自身の強弱如何によって定まることは言う迄もない」（同前三九五頁）

こうした記述は、原書の忠実な紹介という面から見れば「勇み足」ともいえるわけだが、逆にいえば、猪俣にとって本書は、単なる紹介ではなかったことを物語っている。

産業労働調査所における活動

猪俣の調査研究活動の足場となった産業労働調査所には、「労働」「政治」「資本」「国際」の四分野にわたる調査会が設置されており、「資本調査会」の主査をつとめたのが猪俣であった。委員は一九名で三つの小委員会に分かれ、相互の調整は浦田、市川、野呂、猪俣が行うこととされていた。

そこでの調査項目は、『産業労働時報』（一二五年九月号）によると、八月七日の主査会で下記のように決定された。

〈資本調査会の調査項目〉

・第一部

一、日本産業の一般的地位

イ、生産高より　ロ、生産の規模より　ハ、資本の高より　ニ、資本の収益力より　ホ、貿易より
二、原料及び食料の供給並に販路の内外依存関係
三、日本に於ける農業の地位

・第二部
支配的資本間の地位、構成、特色、及び政府との関係を示し、國家トラスト的発達の現段階と、我國國家資本主義の特殊性を明らかにすることを主眼とする。
一、銀行資本
イ、銀行資本集中　ロ、銀行資本の金融資本化
ハ、殖民地及び対外関係に於ける銀行資本の発展　ニ、支配的銀行資本
二、企業集中
イ、生産集中　ロ、企業統合　ハ、独占
三、支配集中
イ、所有集中　ロ、投資及び貸借関係による支配集中　ハ、主要なる資本家団
四、政府の地位
イ、官業及び準官業　ロ、金融及び産業政策　ハ、國家財政　五、土地資本

・第三部
日本資本主義の國際的依存関係及び競争関係、殖民地搾取の実状並にそれ等の階級関係に及ぼす影響等を明示することに依て、我が國の帝國主義及び國家資本主義的発達形態を明確ならしめることを主眼とする。

一、國際資本関係
　イ、貿易関係　ロ、海外放資　ハ、外資輸入
二、殖民地関係
三、階級関係

この項目に貫かれているのは、『金融資本論』の視点と問題意識である。しかも、一国的な視点ではなく、当初から世界帝国主義の視点に立っている。

さらに注目すべきなのは、日本の「特殊性」を、「我國國家資本主義の特殊性」として明らかにしようとしていることである。

もちろん、これらはあくまで「資本調査会」における調査項目という限られたものであるが、猪俣のその後の全体的な日本資本主義分析は、ここに基礎を据えているといっていいだろう。

なお、「第二部」の調査項目は、当初の案では「甲、金融組織、乙、土地資本関係、丙、資本の集中等の諸点より、日本の金融及び投資関係の詳細なる調査をなす」となっていたものである（『産業労働調査時報』二五年八月号）。

この変更については伊藤好道が、「最初、高橋亀吉氏が調査要綱を作っていたが、それが、非科学的で、杜撰だというので、改めて猪俣さんが案をつくり直し、べつの調査要綱を作り、それを基礎にして資本調査を行った」と述べている（前掲・伊藤好道「猪俣さんの思い出」）。

「我が國プロレタリア運動の現段階」

猪俣は、雑誌『大衆』の二六年三月号に「我が國プロレタリア運動の現段階」を掲載した。

これは、猪俣の初めての本格的な論文といえるもので、二九年に論文集『現代日本研究』に収録する際に、「本稿において批判された戦線の分裂と脆弱とは、いまだ決して克服されておらない。ある点ではかえって悪化してさえいる。したがって本稿において提起された諸問題は、なお当面の至要問題として評価されなくてはならぬ」というリード文を付している。

（一）日本資本主義分析

この論文で注目に値するのは、この時点における日本資本主義の具体的分析が要約的に示されていることである。産労・資本調査会の成果といっていいだろう。その骨子は以下の通り。

①家長的政府の庇護の下に成長し覇権を握ったブルジョアジーは、封建的残物を、破壊し凋落すべきものとは見ずに、利用し操縦すべきものと見る。

②政府の直営事業は、全国会社払込資本総額の四割を越える産業資本を擁し、その預金部等において、三巨大銀行の総預金に匹敵する貨幣資本を運転している。

③社会主義国家が強く伸び始めた一方、欧州資本主義国の多くは、戦前の経済的水準回復の望みはない。

④世界資本主義の没落は、理論の域を脱し、事実の領域に入り込んだ。

⑤資本主義的世界経済の一環としての日本は、この大勢を超越することはできない。

⑥日本と米国は、大戦の破壊的影響を免れ、かえって著大なる資本主義的発展を遂げ得た。

⑦戦後恐慌の打撃から回復の途上にある日本は、未だ金本位制を復興し得ず、多数の労働者に職を与え得ぬとはいえ、生産、貿易、計画資本は遙かに戦前の水準を抜いており、国民経済の規模はほとんど二倍した。

⑧内部的には、集中が進み、製造工業は精化し、重工業が基礎づけられた。

⑨金融資本主義の急激な台頭と、独占的段階への進出とが、「産業立国」の標語を生み、武断帝国主義から資本帝国主義への転形が、しばしば「平和的外交」を声明させた。

⑩しかし、この発展と進化は、組織に内在する資本主義的諸矛盾の拡大と深化を意味する。生産と消費の矛盾、各生産部門間とくに農業と工業間の矛盾、物価と賃金の間の矛盾が増大した。

⑪国民的生産力と国家的経済地域の間の矛盾は、不景気によって辛うじて爆発点を免れている。

⑫経済が立ち直るほどに、東洋における英米の資本とわが国の資本との衝突は鋭さを増し、諸国の帝国主義の支那大衆の民族的覚醒との衝突、労農ロシアの国際主義との衝突を不可避にならしめる。

⑬ブルジョアジーは、資本主義的な処理（生産制限、保護関税、企業合同とカルテル化、財閥トラスト・重工業トラスト・銀行トラストと融合する国家資本主義的トラストの促進）によって、この矛盾にみちた生産組織の存続を企て得るのみであり、ますます階級的対立を先鋭化するのみである（『横断左翼論と日本人民戦線』所収九八～一〇〇頁）。

世界資本主義の一環としての日本、ブルジョアジーと家長的政府との関係、国家資本主義を基礎とした資本主義の発展と金融資本主義への転化、諸矛盾の拡大とアジアにおける緊張激化、支那大衆との衝突……など、猪俣の分析の基本的枠組みはここで遺憾なく示されているといえるだろう。同時に、山川や福本、あるいは高橋や野呂との違いも、後の論争のなかで明らかになるであろう。

（二）労働運動・農民運動の分析

この論文の本題は、もちろん「プロレタリア運動」の分析である。

猪俣がまず着目するのは、労働組合の組織率であるが、その「低さ」もさることながら、「組織労働者がどれだけの力をもつかは、……いかなる産業部門、いかなる工場が組織されるかに依って定まらねばならぬ」として、産業別の労働者数、労働組合員数、組織率の一覧表を掲げる。この数字は、産業労働調査所が調査したものである。そして猪俣は、関鍵産業（キイ・インダストリー）における組織化の重要性を指摘し、日本での立ち後れに警鐘を鳴らす。まさしく、猪俣が初対面の高野に向かって、フォスターの本を片手に熱っぽく語ってみせたキイ・インダストリーである。ところが、「運動上最も戦略的意義大なるところの、集中的重要諸産業においてこそは、かえってほとんど組織の見るべきものがない」という根本的な課題を、具体的なデータによって指摘するのである。

「組織されたものは、全体としての比較的に階級的重要性の少ない部分であり、残された部分こそ関鍵産業を含む最集中的な重要区分に属するのに、この労働大衆こそはまた実に、戦闘意思と抵抗力との最強大なブルジョアジーの搾取下に立つ。……資本家連合の形成を見た産業、財閥トラスト国家トラストの支配下にある産業部門の巨大工場に向って進まねばならぬ時、個別的、局所的な攻撃はもはや用をなさない。僅々二、三万の組合員の僅々四、五銭の組合費によって立つところの最小連合体では力及ばない」（同前九三〜九四頁）

この「未成熟」をどう克服していくのか。ここで猪俣が着目するのは、新しいリーダーの登場である。

「今や、あくまでも工場の中にあって質実なる闘争を辛抱強く戦おうとする者が各所に現れた。それらの新しき闘士は、冷めやすい群集的昂奮に乗じて巧名を拾おうとする代りに、自らも工場大衆の一人として、その生色なき、機械生活の底にひそむ階級的な力と熱と光とを活かし強むることによって、根底深き信任と指導力とを確有するに至るであろう。そうして……争議大衆の直接要求に即して所要の統一戦線を促進し達成するであろう。……全運動は、ますます、雛形式の旧衣を脱し、生々乎たる屈伸性を発現するであろう」*

＊同前九四頁。因みに「旧衣を脱する」は後述の「彼等を見よ」にも出てくる表現である。

「経済的結合の段階と、政治的闘争の段階とを、最初からほとんど同一時に踏み出さねばならなかったわが無産階級は、その急速なる生長によってすでに、いま、全組織労働の統一化と、遺されたる重要区分労働の獲得と、そして最多数可能の無産大衆、および準無産大衆の政治的戦線の結成とを、できるだけ速やかに実現せねばならぬ絶対的な階級的必要に迫まられるに至った。この必要は、新たなる戦術と行動と覚悟とを要求する。転機に立つとはすなわちそれである」（同前九五〜九六頁）

もう一点、猪俣が強調しているのが、農民運動の重要性である。

猪俣は、「小作組合と組合員数」の表を示した上で、短期間で組織化が進んだことは「一種の驚異」だとするとともに、「七万三千を擁する全国的組織農民の、わが国における社会的重要性、現下の無産者運動にとっての圧倒的重要性は、過般の政党組織運動の具体化とともにあらゆる階級の認識にのぼった」とし、「無産政党へのイニシアチブを農民代表がとったということは、世界的記録でなければならぬ」と指摘する。

そして、「農民大衆と都市労働者との協同動作を可能かつ必要ならしめる客観的諸条件」として下記の点をあげている。

（一）帝国主義的負担の増大と生活費の昂騰への反抗という共通目標をもつこと。
（二）小作農と自作農の大多数が「労働力の売手」であること。
（三）農民大衆が日傭労働者、季節労働者を兼ねていること。
（四）農民大衆が、織維工場の「娘子軍」の父兄として、その労賃に依存すること。
（五）一坪の土地も所有しない三七万の純農業労働者がいること。
（六）農村の多くが都会、工業現地に近接し、近代的プロレタリアと不断の接触をもつこと。

とはいえ、「両者の物質的基礎の相違を滅却することはできない」のも事実であり、「農民戦線における戦術的適正はますます必要となる」と猪俣は指摘している（同前九七〜九八頁）。

文末の結論部分は、「生れんとする新党は、草創期を脱せんとする組織労働と、半封建的地殻を破らんとする組織農民との、鬱勃たる生長力の体現であらねばならぬ」と強調し、こう締め括られている——「陣列にあるすべての者すべての密集。しかる後の大いなる展開、急速なる増大のための客観的諸条件に至っては、すでに熟し過ぎているのである。——日本は多望だ」（同前一〇〇頁）。

なお、労働運動の状況について、猪俣は「現下の階級的闘争点と所謂左右両翼の対立」（『改造』二六年四月号）も執筆している。この中で、「我国に於いては、未だ、先進諸国に於けるが如き明確なる左右両翼の分化、結晶を見ない」と指摘した上で、「吾々が見るのは只だ階級的精神の所有者としての左翼分子と、かかる精神を欠く右翼的分子であって、此の両種の分子は現在すべての組合、すべての連合体の中に見られる」と指摘し、こう述べている。

「真の左翼分子は、……飽くまでも右翼分子と闘うべく運命づけられていると同時に、謂わゆる小児病的傾向に堕する左翼分子とも闘わねばなるまい。が、その何ずれと闘うにせよ、所要の批判と攻撃とは、特定分子の特定の指導的言説に向けられねばならぬ。……二三の指導者の為めに団体それ自体を排撃するの無意味と、排撃の武器としてブルジョアもどきの漫罵を頻発する醜さとは、単なる無意味、醜さに終わらない。敵階級の乗ずべき間隙を与えることによって、『密集』への当面任務を裏切るからである」（『改造』二六年四月号　九四頁）

左翼分子はどんな組織内にも存在するのであって、団体を丸ごと左翼的、右翼的と決めつけてしまうのは間違っている、という猪俣の考え方は、当時のコミュニスト・グループに対する批判というよりは、セクト主義全般に対する批判と見て然るべきだろう。

共産党再建と労農党結成　一九二六（大正一五＝昭和一）

こうした時期に理論面・運動面で急速に影響力を拡大していたのが、福本和夫であった。いわゆる「福本イズム」の登場である。彼は、その難解な文体で、「論壇の寵児」となっただけでなく、共産党再建の動きの中でも中心的な役割を担うようになっていった。

まだ多くの幹部が獄中にあるうちに、一九二六年一二月、コミンテルンから在日ソヴィエト・ロシア大使館に派遣されていたカール・ヤンソンの消極論を押し切る形で、第二次共産党結成大会が開催されるのである。

一方、無産政党に関しては、およそ次のような経過をたどる。

無産政党準備会は、共産党系排除を申し合わせ（二六年二月）→労働農民党結成（同三月）→政治研究会解体派が雑誌『大衆』創刊（同三月）→解体派が政治研究会を脱退（同四月）→政治研究会が大衆教育同盟に改組（同四月）→左派が労農党奪還運動を展開（同四月〜）→労農党から総同盟が脱退（同一〇月）→労農党が分裂、日本農民党、社会民衆党、日本労農党など結成（同一〇〜一二月）

こうして、無産政党再建の動きは無産政党分立という状況を生み出すことになる。この一連のプロセスの中で、山川が『マルクス主義』に「労働農民党と左翼の任務」を発表し「左翼進出論」を提起（二六年九月）→鈴木、高野らは『大衆』で「中間派左翼の結成」を提起（九月）→『マルクス主義』が「雑誌『大衆』批判号」を特集（一〇月）という動きもあり、福本たちと『大衆』グループの対立という軸だけでなく、「山川さんの雑誌《マルクス主義》と鈴木さんの雑誌《大衆》の間には、相当はげしい論争が行われた」（前掲・伊藤好道「猪俣さんの思い出」）という状況にあった。

山川の「左翼進出論」は、「かつては左翼の退却が単一政党を救う唯一の方法であったものが、いまや左翼が積極的に進出することが、単一政党の結成をようごする唯一の方法となったのである」(「労働農民党と左翼の任務」『マルクス主義』二六年九月号〔『山川均全集・第六巻』所収一〇七頁〕)という主張であり、結果的に、左派の労農党「奪還」の動きをバックアップするものだった。

他方、鈴木たちの「中間派左翼」の主張は、「今日の左翼戦線の立場は労農党に於ても、必ずしも有利でないのみならず、左翼団体の失策と猛烈なる反動政策とが、左翼の地位をむしろ悪化しているがために、左翼全体の気勢は下向いである」。こうした状態を打破するためには、「左翼派が活動しうる新しい条件を以ってしなければならら」ず、「中間派諸団体に属する左翼の分子の結合」をすすめねばならない、というものであった(「左翼除外と左翼当面の諸問題」(『大衆』二六年九月号))。

しかし、コミュニスト・グループの勢いが弱まることはなく、「労農党は第二の政研」という状況に陥っていくことになる(薄茂人〔=鈴木茂三郎〕「政治研究会の歴史的任務」『社会科学』二八年特別号〔『鈴木茂三郎著作集・第三巻』所収〕)。

「福本イズム」の席巻

こうしたコミュニスト・グループの方針を根拠づけていたものこそ、すでに触れた福本の「理論闘争」論であった。

福本の論壇デビューはドイツ留学からの帰国直後の二四年末だったが、二五年秋頃から国内の問題にも言及し始め、北條一雄の筆名で「山川氏の方向転換論の転換より始めざるべからず」(『マルクス主義』二六年二月、五月号)などの文章を相次いで発表した。

福本はこう主張している。

「マルクス主義――マルキストを生かし、深め、浸透せしめうるがためには、……一旦自らを強く結合するために『結合する前に先ず、きれいに分離しなければならない』『単なる意見の相違』――同一傾向内の――と見えたところのものを『組織問題』に迄、従って単に『精神的に闘争する』に止まりしものを、『政治的、戦術的闘争』にまで開展しなければならない。……この原則を戦いとるがための闘争は当分理論的闘争の範囲に制限せられざるをえぬであろう」(「無産階級の方向転換」『福本和夫初期著作集・第三巻』こぶし書房、一九七二年所収一四九〜一五〇頁)

「……意識的分子、(左翼的分子―マルクス的分子)はかくして、組合内に左翼的核心―細胞を作りつつ、右翼化せる組合幹部を遊離し、放逐すべきである」(同前二四三頁)

猪俣は、少し後の「何から始むべきか」(『改造』二八年一月号)で、福本に対して「マルキシズムの理論一般の紹介および宣伝における福本氏の多大なる貢献にもかかわらず、指導的理論における氏の罪過は、氏の亜流の頌つところとなった」という評価を下している(『横断左翼論と日本人民戦線』所収一〇八頁)。

また、一九三七(昭和一二)年に人民戦線事件で逮捕された際、東京地裁に宛てた「上申書」の中で、次のように述べている。

「当時盛んに行われたところのその『理論闘争』なるものは、今日からは一寸想像も出来ない独善的なものでありまして、当時の知識分子層を文字通り瞠目させた程のものでありましたが、その先頭に立った福本のやり方は、自分自身の論拠を記述することなしに、マルクス、レーニンを無闇に引用し、それによって直ちに、自己の批判せんとする論敵の誤謬を指摘し得たりとなし、而もその際必ず論敵の見解に対して『ブルジョア的』、『小ブルジョア的』、『社会民主主義的』、『折衷主義的』、『中間派的』等々のレッテルを貼って排撃したのでありましたが此種の粗雑、無造作な独断的な論争態度が却って、理論に対する真の理解力なき若き知識分子や運動指導者を惹きつけて居り、此のような方法で次々と排撃された者は福田、小泉、高田、河上の諸教授、櫛田民蔵氏等大原社会問題研究所の人々、河野密氏等雑誌『社会思想』の人々、鈴木、大森等雑誌『大衆』の人々、山川均等枚挙に遑《いとま》ないほどでありまして、一部の者は『あれは理論的暴力を行使しているのだ』などと言った位でありました」

しかし、猪俣は二六年前後においては、福本を批判する文章は発表していない。デビュー間もない俊英に対して、この時点では、まともに批判の対象とする必要性をまだ感じていなかったのだろうか？

福本が分離結合論を最初に唱えたのは「『方向転換』はいかなる諸過程をとるか　我々はいまそれのいかなる過程を過程しつつあるか」（『マルクス主義』二五年一〇月号）であった。*

＊二村一夫の発掘した資料（『マルクス主義』一〇月号編緝後記）によると、一〇月号のために予定していた原稿が集まらず、編緝者の手元にあったあり合わせの原稿で埋め合わせするしかなかった、その原稿が福本の文章であった、という事情が語られている（「雑誌『マルクス主義』の五年間（四）」『二村一夫著作集ＷＥＢ版』http://nimura-laborhistory.jp/mxmkaidai4.html）。

これを読んだ高野はその夜のうちに猪俣の下宿をたずね、これを真正面から粉砕したいと提案し、夜を徹して話し合った。その時の猪俣の対応は、次のようなものだったという。

「これを論駁して叩きつぶすことはたやすいことではない。あせって戦えばその思想的根源を芟除《さんじょ》出来ないだろう。①福本はいったいどんな哲学をヨーロッパで学んで来たのだろう。これは十分に研究してみる必要がある。われわれの側は『哲学』に決して強いとはいえまい。②労働組合勢力の間ではこれをどう受けとるだろうか？　③コミンテルンはどう扱うだろうか？　④コミンテルンとの連絡は彼らに独占されているのではないか。そう見てくれば、福本・市川派に比して労働者の中に足を持つうえで弱いのではないか。しかし異論があれば内部で論争しなければならない段階のように思うがどうか? なによりも、全左翼の戦略に関する見解を統一するよう努力しなければならない。そのために多少の時間がかかるのはやむをえないことだ」(「猪俣の戦略論を手にして」一九七三年『日本プロレタリアートの戦略と戦術』序文による(『高野実著作集・第5巻』所収 四九一頁))

高野たちは歯がゆく思ったかも知れないが、猪俣は、国内の労働運動の状況、コミンテルンの対応にまで目配りした上で、全左翼の「見解の統一」に重きを置いている。

伊藤好道は、産業労働調査所時代の話として「当時、すでに評判になりだしていた福本和夫氏をつかまえて、猪俣さんが、畳の上の水練で本当に泳げますか、などというふうな言葉をかけて、やじられた光景などもあった」というエピソードを記しているが、やがて、「やじる」だけでは済まされない事態になっていくのである(前掲「猪俣さんの思い出」)。

猪俣の入獄と「苦悩」

一九二六年の八月二〇日に第一次共産党事件の判決を受けた猪俣は、九月から豊多摩刑務所に入所する。入所直前に仕上げたのが「帝国主義論」で、これは翌年、新潮社の『社会問題講座』第三巻に掲載される。

第一次共産党事件から二六年末にかけての時期は、多くの党幹部が獄中にいた時期でもあり、運動の谷間、乃至は〝過渡期〟のように見えるが、決してそうではない。

これまで見てきたように、この時期は、日本における無産政党の形成・発展という観点から見ると、極めて重要な時期に当たっている。普通選挙の実施と無産政党の結成を求める運動は、「大正デモクラシー」の初期から展開されていたが、それが開花する可能性が、この時期に訪れていたからである。

共産党初期の政治否定論、共産党解党の後の左翼進出、セクト主義は、こうした動きに大きく立ちはだかるものであった。共産党指導部が、前衛党とは別に合法無産政党を結成する方針を定め、その方針を堅持し続けていたら、日本の民衆運動はまったく違う姿を示していたであろうことは、想像に難くない。

しかし、猪俣は、そうした共産党幹部の対応に、反発と不信感を感じつつも、あくまでも「内部」の問題として対処し、時間をかけてでも「見解の統一」に向けて努力し続けてきたのである。

鈴木は、この当時の猪俣についてこう語っている。

「猪俣津南雄君が第一次共産党を離れたときに、第二次共産党をつくることについて猪俣君は、日本の共産党は外国の外交の利害によって、それに従属するという行き方は賛成できない、それでは日本の共産主義革命を犠牲にすることになるという考え方、それを共産党が承認しなければ困る。自分は賛成できないが、共産党はつくらなければならない。猪俣君は、山川さんたちと違った一つの苦悩をもっていたと思う」

(『鈴木茂三郎選集・第三巻』三九~四〇頁)

ここには、コミンテルンによる「ボルシェビキ化」への警戒を見て取ることもできるが、「参加しない」ではなく「賛成できない」というところに、猪俣が紛れもなく「当事者」であり続けていることを見てとることができる。

そして、この「苦悩」はその後も引き続き猪俣が背負い続けることになる。

〈二〉猪俣の社会主義思想

米国共産党の活動を経験し、山川のサンディカリズム的傾向を批判する猪俣は、オーソドックスなマルクス主義者と思われても何ら不思議はない。本人も、否定しないであろう。
しかし、当時の数少ない文章から垣間見えてくるのは、必ずしもそうとは言い切れない一面である。

「彼等を見よ」

「彼等を見よ」は、雑誌『新人』一九二五年一月号に掲載された、わずか数頁のエッセーである（『猪俣津南雄研究・第一〇号』所収）。

この掌編がもつ魅力と不思議さは、題名からも窺えるのだが、何といってもその独特の文体にある。結論部分で「科学主義」を強調しておきながら、およそ「科学」的とはいえない。

それどころか、「新しき人を着る」という文末の引用句は、なんと『聖書』からのものなのである。してみると題名の「彼等を見よ」も、周知の「この人を見よ」（ヨハネ福音書）のパロディーではないか、と思えてくる。

さらに興味深いことに、「彼等」とは何者かという点に関して、いろいろ属性の説明は出てくるものの、最後まで明示も特定もされない。プロレタリアートという用語もいっさい登場しない。キリストを大文字のＨＥで表す例に倣っていえば、この「彼等」は、大文字のＴＨＥＹとしか表せない何者かということになる。つまり、命名も特定もされ得ない、ある可能態として描かれているのである。

では、この掌編の主題はいったい何なのか？

（一）流浪者としての苛立ち

「彼等は流浪者である」

書き出しは、この印象的な一句で始まる。労働者でも無産者でもなく、流浪者。

「仕事口というものの外に足掛りにする物の無い彼等」は、新たな仕事を求めて流れ行くしかない。産業革命によって錨綱を断ち切られた「漂流者」。猪俣は、「彼等」の特質をまずはそこに見る。

「定と不定、安と不安が、前代の農奴と当代の賃金労働者との差異として際立つ。一切のより高き文明と文化とに拘わらず、現代の労働人の生命は、より危険になった。存在はより不確かになった。そして絶えず仕事が変り、習慣が変る。それらのことのいちいちが、彼等の多数を脅かし、苛ら立たせ、憤らせる」

猪俣によれば、産業革命以前の農業経済は、「習慣」によって定められる「親しみ深き生活」であり、「幾時代を経た伝統の重み」と「しきたりの仕方を熟知し知悉した安らかさ気楽さ」があったという。

ところが、「科学が、機械が、生存と労働の伝統的形態を破壊する」ことによって事態は一変し、価値観までが変わってしまう。

「今や、威信は、旧きものを去って新しきものに移った。人々は、進歩と変化とを常則と見、停滞と固定を変則視する」

こうした文面だけを見たら、これが「マルクス主義者」のものとはとても思えないだろう。科学と機械がもつ「破壊」の側面を強調し、共同体からの切断に「自由」よりも「危険」を見出す筆致は、少なくとも単線的進歩史観や生産力中心主義とはかなり異質のものだといわざるを得ない。この独特な歴史観は、その後の猪俣の日本社会論、農村社会論、中国社会論などの、いわば通奏低音となっていく。

（二）消費者としての不満

さて、猪俣がここで同時に着目するのは、近代化に伴う社会の「平等相」である。

彼によれば、現代社会の前代未聞の不平等に憤る人々は、「往々、それと並んで存するところの史上未曾有の平等相を指摘することを忘れる」という。

「平等相」とは何か? それは、「交通と印刷と教育」を通じて、貧富の差に拘わらず「同一平面上」に引き上げられた「想像作用」であり「欲望の対象」である。

かくして、貧富の差が「人間としての質」の高低を意味せず、むしろ乖離する傾向があるのに、「富むと貧しきとは、欲求野心を充たす手段と能力との有無、大小を決定する」。そこに、猪俣は根本的な問題を見ている。

「現実及び想像上の欠乏感が強ければ強いほど、不合理は単なる不合理でなく、不正にも不義にも見えよう。そこに無産者の公憤が芽ぐむ」

ここで強調されているのは、貧富の差という「経済的」な差別にとどまらず、「公正さ」と「正義」を求める「公憤」に他ならない。

(三) 生産者としての憤り

以上が「彼等」の「流浪者」「消費者」の面からのスケッチであるが、「こうした消費生活に於ける彼等も、生産生活に於ける彼等の不満ほどに強いかどうかわからない」と猪俣はいう。

近世の工場は、彼等を「一片の道具」「歯車の歯」と化し、「創造」や「達成の歓び」、そして「遊戯と、愛と、誇りは、彼等の仕事から追い出された」。

もちろん猪俣は、「生産過程の或程度迄の器械化」を否定するわけではないが、現代におけるそれは「余りに程度を越えている」。その器械化が「自意」や「自発」にもとづかず、さらに「逃れ難いわが一生である」と意識された時、「嫌悪は変じて呪詛となり転じて叛逆となりやすい」と指摘し、「それは、人間の内具深在なる、遊戯と実現と創造の衝動の抑遏《よくあつ》に対する、本能的な抵抗に過ぎない」という。

ここに見られる労働観、仕事観には、猪俣自身の労働経験が息づいているように思えてならない。彼は、一九歳で上京すると、向島の鍍金工場で住み込みの職工として働き、「真っ黒な鼻汁が出る」と友人の塚原徹に書き送った。

猪俣がここで強調している「本能」は、前衛＝大衆、意識＝無意識といった図式への根本的な批判を含んでおり、精神＝身体の二元論に対する批判といっていい。

それにしても、「遊戯、愛、誇り」とはどうだろう。まるでフーリエではないか。それとも、ラスキンからモリスを経て、コールらに至るギルド社会主義の流れか？

（四）労働運動から階級意識へ

仕事に対する不満はやがて行動に転じ、労働運動となって現れる。

ここで猪俣は労働組合運動について話を進めていくのだが、その内容もまた実に興味深い。

まず猪俣が紹介するのが、「賃銀の値上げや維持、労働条件の改善を要求し達成する手段」という「誰れもが知り、誰れもが言う」労働組合観であるが、それと同時に猪俣が強調するのが、「抑圧された情緒と衝動と本能とに吐口を与える」という役割である。

それは「手段」というより、それ自体がもつ役割に他ならない。

「労働運動に於いて、彼等は、器械的単調さから救われ、人間らしい自己を見る。自意に出て自発による建設の仕事を見、友と兄弟と愛とを見る」

労働組合運動は、経営者といった相手との関係というよりは、何よりも「自発による建設」の運動なのだ。ところが、その運動も「常に多かれ少かれ、闘争の形をとらねばならぬ」という。

「流浪者としての苛立ち、消費者としての不満、生産者としての憤りとに其れが根ざしてある為に、人みなが持つ闘争の衝動は、ひときわ其の尖がりを増す」

こうして運動が「頑強な抵抗に出逢い、且つしばしば逆に挑戦される」ことにより、「闘争に発展する」わけだ。注目すべきは、ここでも「経済的搾取」の問題は、後景に退いていることだ。運動と闘争のエネルギーは「流浪者としての苛立ち、消費者としての不満、生産者としての憤り」なのである。

それはさらに「階級意識」へと転じていくのだが、ここでの階級もまた経済的な規定によるものではない。

「闘争のうちからのみ階級意識が生れるのである。階級意識は、その胎芽に於いては、戦友意識だ」

「戦友意識」は、先に触れた「苛立ち、不満、憤り」から生まれるわけではなく、まして搾取され抑圧されているという「意識」や「理論」から生まれるのではない。

「彼等は、マルクスの名を知らない。階級闘争の理論を知らない。が、彼等の生活事実から——物に於ける欠乏と心に於ける空疎と重圧から逃れようとする本能的努力そのものの裡から、階級意識がにじみでる」

「生活事実」と「本能的努力」から「にじみでる」というのも独特だ。もちろん猪俣は「胎芽に於いては」とことわっているのだが、すでに指摘したように、「自然発生＝経済闘争」「目的意識＝政治闘争」という図式とは、明らかに異なるものだ。

(五) 社会変革可能という信念

以上のように、労働運動は「一見相矛盾」する面を持っている。一方に「叛逆気分」と「破壊の衝動」があり、他方に「愛、誇り、建設、理想主義」がある。そして、「謂うところの愛は、今のところ、階級愛にすぎず、戦友愛に過ぎない」という。

だとすれば、ここからどんな飛躍が待ち受けているのか？「意識ある少数」の「前衛」による「外部注入」なのか？「理論闘争」による「分離」なのか？「革命的理論」の学習を通じた「意識変革」なのか？

猪俣がイメージしている飛躍は、そんなに大それたものではない。

彼はまず、「彼等の階級、彼等の戦友は多数だ」という単純な事実の確認から出発し、「その愛は、彼等が意識の必然の社会化と共に、ますますその抱擁力を増す」と強調した上で、次のように述べる。

「階級意識の発生と共に、先きには、一つの器械や一つの資本に対する嫌悪であり、不満であったものが、今や器械一般、資本一般に対する嫌悪となり、不満となり、進んで彼等に器械化を強い被雇を余儀なくさせる此の世の中の組立てと働きに対する嫌悪となり、忿懣となる」

すでに見たように、この書き出しの「階級意識」は、「闘争のうちからのみ」生まれた「戦友愛」であり、「生活事実」と「本能的努力」から生まれたものである。そういう意味での階級意識の「社会化」と「抱擁力」こそが「資本一般」を見出すというわけだ。断じて、「資本一般」という認識、それへの還元が先にあって、そこから「階級意識」が芽生えるのではない。逆だ。

嫌悪の対象はここからさらに進んで、「器械化」と「被雇」を余儀なくさせる「世の中の組立てと働き」に行き着く。

ここで猪俣が問題としているのは、「資本一般」が所有する権力ではない。「組立てと働き」である。そして、「彼等」は、「此の世の中の組立てと働きに関する統制的活動から除外されている事」、「彼等自身の生存と活動とを支配する諸勢力が彼等の意志と幸福とに反してのみ作用する事」に気付くのだという。

ここから猪俣は、次の結論を導き出す。

「彼等は一つの漠然たる信念に到達する。かかる社会的不公正を取り除く可能――此の信念がそれだ。……そして、悪制度、悪組織を故意に存続せんとする敵階級に対しては、嫌悪に加えて侮蔑を感ずる。侮蔑の反面は、誇りであり、自負である」

では、そうした信念や自負はどこから生まれてくるのか。彼等が無産者だから、鉄鎖の他に何ものも失わない者だからか？

猪俣は、それは「彼等」が、「一社会の生産機関の事実上の担い手であり操縦者である」からだという。

「そこにこそ、何人も、生産的新興階級に独自な建設的理想主義の歴史的基礎を見なければならない」

悪制度の維持に固執する「敵階級」への対抗は自明のことだが、ここで猪俣が強調するのは、「破壊」よりは「建設」であり、「事実上の担い手」が本当の意味で「担い手」となることである。

これは「革命＝破壊」という俗説に対する批判にとどまらず、「革命＝政治権力奪取」という狭隘な革命観への批判でもある。

もちろん、だからといって「建設」のプロセスが平和裡に進むとは限らない。すでに指摘されていたように、敵階級の「抵抗」や「挑戦」に直面すれば、運動は自ずから「闘争に発展」せざるを得ない。

(六)「旧き人を脱ぎ新しき人を着る」

だが、この掌編はここで終わらない。最後の節で「彼等を見よ」と呼びかけるのだ。

これは、言うまでもなく「見ざる」ものに向けられたものである。

猪俣は、「見る」と「見ざる」によって「改革と改造とに於ける空想主義と科学主義が分れる」というのだが、具体的にどんな人たちを想定していたかは明示していない。

だが、もしもこれが「大衆の中へ」のメッセージと同じ対象者に発せられたとすれば、その呼びかけの発信者に対して、「彼等を見よ」と切り返した可能性は否定できない。観念的（空想）的な「大衆」ではなく、いま正しく階級へと変容しつつある「彼等」を見よ、と。

そして、最後の条りはこうだ。


「産業革命以後の殉教者は、みな、彼等と道を一つにした。深く彼等を見る者のみが、『旧き人とその行為（おこない）とを脱ぎて、新しき人を着る。』」


この文末の引用は、すでに指摘したように『新約聖書』の「コロサイ人への手紙」からのものである。

この「殉教者」は、革命の犠牲者とも考えられるが、「彼等と」道を一つにしたというからには、「彼等」に属する者ではない。「彼等」から〝分離〟した者たちと見ることができよう。

つまり、この掌編の主題は「前衛」論なのだ。

数年前の「大衆の中へ」というスローガンは、いわば〝分離〟した者たちに〝結合〟を呼びかけるものであったが、それは単なる態度や構えの問題ではない。コミンテルン第三回大会の決議は、ドイツ革命の敗北を受けて、それまで敵対していた社会民主主義者たちとの統一戦線を呼びかけたものであった。

もちろん問題なのは、コミンテルン決議への忠誠度ではない。日本の現実に即して、「大衆の中へ」の決議を消化し切れていたかどうかである。

そういう意味で、「彼等を見よ」という呼びかけは、決して一握りの者に向けられたものではない。猪俣自身も含め、脆くも挫折を余儀なくされた「第一次共産党」そのものに向けられたものと考えていいだろう。

その「共産党」がどうすれば「旧き人と行為を脱ぎ」「新しき人を着る」ごとく変容していけるのか？　第一

次共産党事件で逮捕後、保釈中の身であった猪俣が、『聖書』からの引用でカモフラージュしながら、その「次」を模索していた同志たちに突きつけた問いかけだったと考えられる。

「社会主義の理論と実際」

猪俣は、一九二五年頃、政治研究会が主催する全国各地の講演会に出掛けていたが、四月二一日には島根県・松江で講演を行っていて、その要旨が地元の山陰新人総連盟の『奔流』(二五年五月一五日)に「社会主義の理論と実際」というタイトルで掲載されている(因みに、この時の講演要旨は『進め』にも掲載されている)。

講演の冒頭で、まず猪俣が掲げているのが次の五点である。

①人間相互の正しい関係、②自由の実現、③愛、人類愛、隣人愛、④自治政治の実現、⑤機会の均等。

それらが社会主義の「精神」だと猪俣はいう。それらの目的達成のために、社会主義は私有財産制度を否定するものだと一般的には思われているが、そうではないという。社会主義が主張するのは「社会全般に最も迷惑な弊害の多い私有財産を、社会全般の利益幸福の為に大衆の共有としよう」ということ、つまり「社会生活に最も重要機関の共有」だという。土地に関しても「公有」となるが、地主の土地、資本主義的土地は直ちに公有となるが、自作、小作農の土地はそのまま耕作権が先ず過渡的に付与されるという。

次に交換の方法はどうなるかというと、「組合的需要供給的方法」になり、「今の松江にもあるような公設市場」の精神を、もっと充分に発揮するものだとしている。

また、「公営機関の管理の方法」について、「徹底的に自治的民主的」であることが強調され、「産業最高委員会」のようなものの設置が提起されている。

こうして、社会主義の主張として、「今までの無政府的な生産方法を改めて組織的な経済生活が出きる様にすること」とともに、「社会の為に働く人に生活の保証を与えること」だとしている。

その後、話は「怠け者はどうするか」「皆が嫌がる仕事はどうするか」といった課題に及び、最後に、「一九世紀が資本主義の時代だったように、二十世紀は社会主義の時代になるだろう」という言葉で結ばれている。

この短い講演記録でも、猪俣の社会主義観の一端は見えてくるように思う。

興味深いのは、猪俣がここで社会主義の「精神」を語っていることである。唯物史観にもとづく法則でも将来ビジョンでもない。「精神」である。

猪俣が掲げた五つの項目で、自由、平等、愛といった理念はとくに目新しいものではないが、ここでも特徴的なのは「自治政治の実現」である。

それに続く「公有」の強調、さらに「組合的需要供給的方法」、自治・民主を裏づけるものとしての「産業最高委員会」などの提起は、いわゆるソ連型として知られる社会主義とはかなり趣を異にするものといえるだろう。

これらの点は、すでに前記の「彼等を見よ」でも顕著になっていた猪俣の思想の独自性として指摘できる。

猪俣が逮捕された際に、押収物の中にD・H・コールに関する資料が含まれていたことを先に紹介したが、コールの名は当時の日本で比較的よく知られていた。

コールは、第二次大戦後のイギリス労働党の理論的指導者であるが、一九二〇年代にはギルド社会主義の主唱者の一人であった。コールの最初の著書はウェッブ夫妻の『労働組合運動史』を批判した『労働の世界』（一九一六年）で、当時のイギリスにおける集産主義とサンディカリズムの双方を批判する道を提示したものであった。

因みに、猪俣が在米時代に言及したB・ラッセルも、一九一八年に出版した『自由への道』の中で、このギルド社会主義を積極的に評価している（日本でも、室伏高信、小泉信三、土田杏村、嶋中雄三らが早くからギルド社会主義を紹介し、翻訳も行われていた）。

猪俣が、単純にその延長線上にあるとは思えないが、山川のサンディカリズムに違和感を感じる共産主義者でありつつ、こうした自治の思想とどこかで共鳴し合っていたのであろう。

つまり、公式的な「マルクス＝レーニン主義」が権威として確立してしまうまでの「社会主義」は、はるかに豊かな土壌で育まれていたのであり、猪俣たちもまた、その瑞々しさの中で思想を育んでいたのである。

第三章　独自の現段階分析と戦略規定　一九二七（昭和二）

活動再開と立ちはだかる課題

一九二七年一月、猪俣はほぼ三ヵ月の刑期を終えて出獄した。

二三年の第一次共産党弾圧以来の公然活動再開であったが、共産党と無産政党の立て直しを図ろうとする猪俣を待っていたのは、思いもよらぬ状況であった。

前章でも見たように、共産党は獄中の古参幹部の出獄を待つことなく、福本イズムを旗印としてすでに再建大会を開催し終えており、無産政党の方では、労働団体の分裂に呼応して労農党も分裂し、社会大衆党、日本農民党が結成されていた。

再建共産党に対してもともと「賛成できない」としていた猪俣は、野坂を通じて入党を勧誘されるが、これを断わっている。

一方、労農党については入党を申請するのだが、党幹部から「暫くの遠慮」を申し渡されてしまう（「労農戦線の進出的再建へ」『労農』二八年八月（『日本プロレタリアートの戦略と戦術』所収一四九頁））。

具体的な活動の足場が与えられないまま、この状況をどう打開していくか。とりわけ、再建共産党を福本イズムの呪縛から解き放ち、建て直すことができるかどうか。猪俣は難題に直面していた。

折しも、日本は金融恐慌に見舞われた後、いよいよ中国侵略に乗り出していく時期に当たり、日本国内では、山東出兵に対する対支非干渉運動が労農党を中心に展開され、また、労働争議も多発しており、こうした運動の発展の中から、前衛の再編・強化を図ることも可能な状況が生まれていた。

後に詳しく見るように、帝国主義の打倒に向けて、とりわけ中国革命と連帯し得る「日本民衆の自覚」が求められている、というのがこの時期の猪俣の認識であった。

ところが、日本無産運動の中からこれに水を差す主張が登場していた。

一つは、かつて同僚だった高橋亀吉らの主張で、日本は帝国主義国には該当せず、せいぜい「プチ・帝国主義」であるとして、英米帝国主義に対抗するため日本の中国進出を積極的に支持するというものであった（高橋亀吉「日本の資本主義の帝国主義的地位」『太陽』二七年四月号）。

もう一つは、再建共産党指導部の主張で、それは、日本資本主義は没落の過程にあり、日本国家は絶対主義的封建勢力の手に握られている、とするものであった。

これらの主張は、猪俣にとって看過できない重大な問題であり、精力的な批判活動を開始する。

「帝国主義ブルジョアジーは、自己の反動政治の満干に応じ、或は残存勢力を利用し、或はそれを排撃しようと欲するのに、そこへプロレタリアートが現れ、今や我が闘争せんとする当面の敵は彼ではない、絶対主義勢力の方だと宣言する。ブルジョアジーは、ニヤリとは笑わないだろうか。……支那大衆に向かい、今度の出兵は、絶対専制主義が出しゃばったからであると叫ぶ！　だが、それは日和見主義者の言うことと違うか?」（「現代日本ブルジョアジーの政治的地位」『太陽』二七年一一月（『横断左翼論と日本人民戦線』所収三〇～三二頁））

猪俣の再出発の道は、皮肉にも、「身内」から現れた主張に対する批判として開始されることになったのである。

「プチ・帝国主義論」批判

二七年七月、中国では將介石によるクーデターによって第一次国共合作が破綻し、中国革命は大きな危機に直面していたが、この機に乗じて日本が行った山東出兵は、日本帝国主義によるアジア進出の重大な転換点を意味していた。

猪俣によれば、「東洋が、世界資本主義の、従って帝国主義の、新らたなる重点となろうとしている」(『帝国主義研究』二八年一月、改造社一五一頁)と同時に、「我国の帝国主義は今や、わが無産階級に果敢なる『対支非干渉運動』を遂行すべき任務を、現実に課した」(同前一一五頁)という転換点である。

そこに登場したのが、高橋亀吉の「プチ・帝国主義論」である。

猪俣はこう書いている。

「全事態の緊迫化は、我国において今や、無産階級の指導者をもって任ずる者をさえ、帝国主義の走狗に等しき言説を吐かしめるに至った。曰く、英米よりも遙かに領土が狭く、資源に乏しく、しかも人口凋落なる我が日本の無産階級は、支那の大衆と共に英米を敵として戦うべきだ、と」(「革命支那と英米と日本と」『太陽』二七年九月号(『猪俣津南雄研究』第五号三四頁))

猪俣はこの主張に対して、①主戦論であり、②日本の無産階級・被抑圧大衆に帝国主義戦争を支持せしめるものであり、③わが民衆を支那大衆の敵たらしめるものであり、④支那民衆を長くブルジョアジーの支配下に置かんとするものであり、⑤わが民衆をも帝国主義ブルジョアジーの利用に委すことでブルジョアジーを強めんとするものであり、総じて「無産階級を導いて、解放の道より奴隷の泥沼に転落せしむるもの」だと批判した(同前)。

前章で見たように、高橋は猪俣にとっては研究所のかつての同僚であり、敵陣営のものとして真正面から批判してよいものか、当初は悩んでいたが猪俣は決断する(前掲・伊藤好道「猪俣さんの思い出」)。

高橋の主張は、もともとは丸岡重堯によって提起されていたもので（丸岡重堯「世界及日本資本主義の情勢と我国社会運動」『社会思想』二六年一二月号）、それを理論的、実証的な衣で包んで見せたのが高橋であった。

この主張で特徴的なのは、「日本は帝国主義国ではない」という命題が、レーニンの帝国主義論を拠り所にしていたことである。

つまり、レーニンが掲げていた帝国主義の「定義」——具体的には、①独占、②金融資本の支配、③資本輸出、④国際的トラストによる世界の分配、⑤主要資本主義国による地球分割——が、日本には当てはまらない、というのである。

当然のことながら、高橋の主張に対しては、雑誌『マルクス主義』も反論を開始し、野呂栄太郎や鈴木茂三郎も批判の論陣を張った。プチ・帝国主義論の主張そのものは、ある意味では他愛のないものであり、その危険性は誰の目にも自明なものだったといえる。

ところが、猪俣がその批判に際して重視したのは「方法の問題」（『帝国主義研究』二五一頁）であった。

というのも、高橋を批判した者たちも、おおむね高橋らと同様の問題点を孕んでいたからである。

例えば野呂は、レーニンのいう帝国主義は「世界資本主義」のことだとしつつも、その「定義」のうち三つは日本にも当てはまる、としていた（野呂栄太郎「『プチ・帝国主義』論批判」『太陽』二七年六月号）。

これに対して、猪俣の高橋批判は、この両者に共通する「方法」そのものに向けられていた。

つまり、猪俣によれば、レーニンによる「定義」は、「世界体系としての帝国主義」の、しかも「純経済的」な指標であって、個々の帝国主義国に当てはめ得る指標ではそもそもない。したがって、ある国が帝国主義国であるか否かは、別の指標——世界体系において占める「位置」によって判断されなければならない、ということになる（猪俣前掲書三一一頁）。

高橋は、猪俣の批判に対して反批判を試み、何回かの応酬が行われるのだが、その後、論争は高橋によって一方的に打ち切られてしまう。

だが猪俣の理論活動は、それで終わることはなかった。「消極的な批判にとどまってはならない」として、自らの帝国主義理解を展開するとともに、日本帝国主義の成り立ちや「特殊性」の解明へと進んでいくのである。それらの成果をまとめて刊行されたのが、『帝国主義研究』（二八年一月、改造社）であった。とくに重要なのは、ここで展開されている帝国主義論が、猪俣の戦略論の基礎となっていたことで、猪俣による戦略規定の闘争目標が「帝国主義の打倒」であることからも明らかなように、戦略論そのものであった。しかし、その後の戦略論争の系譜においては、この視点は失われていくことになる。*

*戦略論争を比較的早い時期に紹介した小山弘健『日本民主革命論争史』（伊藤書房一九四七年）や対馬忠行『日本資本主義論争史論』（黄土社一九四七年）は、いずれもプチ・帝国主義論争には触れていない。一方、プチ・帝国主義論争の先駆的紹介である長岡新吉「『プチ・帝国主義』論争について」（『北海道大学経済学研究』第二七巻第一号一九七七年三月）も、残念ながら戦略論との関わりには触れていない。

雑誌『マルクス主義』の戦略規定

一方、再建共産党は、雑誌『マルクス主義』において、その立場を鮮明にしつつあった。「日本資本主義没落説」は福本のかねてからの主張で、この情勢認識が「結合の前の分離」論の拠り所となっていた。また、無産階級運動の戦略については、闘争目標として「ブルジョア民主主義」を掲げ、絶対主義の打倒を戦略的課題だと主張していた。

これらは、二四年頃の福本の主張の延長線上にあるものだが、いくつか特徴的な見解も示されている。

例えば、阿部平智［＝市川正一］が指摘するのは、二つの勢力の「抱合」である。

「……最も肝腎な点は、我がブルジョアジーと専制勢力とがその『矛盾対立』を内包しつつ抱合せざるを得ざるに至っていることだ。……我が無産階級が当面の歴史的段階におけるその闘争目標を特に専制勢力に向け得るのは、……我が無産階級が衝くべき最も根本的弱点があるからである」

「……その反絶対主義の闘争のなかにおいて、既に帝国主義ブルジョアジーそのものに対する、従って又、ファシズムと小ブルジョア的＝メンシェビキ的日和見主義とに対する、果敢なる闘争を自ら負担しなければならないし、又かくすることによって、次の段階の闘争――無産階級の［権力］獲得のための――に準備することができるのである」（阿部平智「労働農民党及び請願運動について」『マルクス主義』二七年四月号）

また、佐野学が着目するのは、政治的自由と絶対主義勢力との関係である。

「政治的自由の大小は専制絶対主義の遺制の大小に逆比例する。……政治的自由の為の闘いは専制主義的遺制との戦いである。歴史的にもそうであったし、吾が国（の現在）においてもそうである」（佐野学「政治的自由の獲得」『マルクス主義』二七年八月号）

「吾々の支配者の構成を現実的に分析して見れば、そこには……絶対主義的勢力と、……帝国主義ブルジョアジーとの抱合を見出す。両者は共に反動的であるが、前者は後者よりもヨリ反動的である。この故に専制主義絶対主義の勢力が出しゃばることが強ければ強いほど、政治的自由の範囲が縮められるのであり、この自由のための闘争がヨリ重要となる」（同前）

ここから導かれる結論は、無産階級の「当面の敵は絶対専制勢力である」ということになる。

他方、松村徹也［＝志賀義雄］が示すのは、専制主義が没落しつつある金融資本の「支柱」になっている、という認識である。

「没落に向いつゝある大資本は、その政治的権力維持の為め所謂絶対専制勢力と必死的に結合を強めつつある」（松村徹也「我が無産階級運動の当面の闘争過程」『マルクス主義』二七年八月号）

「資本の没落期に於いて、……無産階級は、歴史的進行過程に対する反動の柱石たる絶対専制勢力と闘い、政治的自由を獲得する必然に迫られる。無産階級の当面の闘争の対象は、一部識者のいう如く、『反動化せる国家資本主義トラスト』それ自体ではない。今日において金融資本の政治的独裁は、専制主義との結合によってのみ可能である。故に、無産階級が、専制主義との闘争に於いて政治的解放を成就するのは、金融資本をしてその政治的支柱を失わしめることであり、無産階級が自由を得ることは、やがて資本の支配を［打倒］し、自己の経済的貧困を揚棄することである。ここに、当面、無産階級がブルジョア民主主義を［闘いとる］べき意義がある」（同前）

〝将を射んとする者はまず馬を射よ〟というわけである。

「現代日本ブルジョアジーの政治的地位」

これらの見解に「誤謬を見出し」た猪俣は、知人を介して雑誌『マルクス主義』の執筆者で労農党のある有力者に意見の違いを話し合いたいと会見を申し入れるが、その機会が与えられなかったため（『日本プロレタリアートの戦略と戦術』一四九頁）、一般雑誌に論文を発表する。「財政危機と政変」（『世界』二七年五月号）、「我国資本主義の安定の型、没落の型」（『中央公論』二七年七月号）、「我国資本主義の現段階の問題」（『社会科学』二七年八月号）などがそれである。

このうち「財政危機と政変」では、次のような見解を示している。

ブルジョアジーは、その時代の階級的本質の故に封建的残物に対する決定的闘争を行い得ず、そのために絶対主義は制度として残存している。また、ブルジョアジーが絶対主義に対して軟弱であったのは、資本主義が世界的な没落期にあったこと、日本資本主義が家長的専制的政府の保護によって発展したこと、現在もなお産業、商業、金融において政府の占める地位が大きいことに起因する。こうした政府の地位、なかんずく国家資本にこそ封建的残物、国家官僚の物質的基礎があり、ロシアやドイツと異なって、大地主を生じせしめてはいない。国家官僚の勢力が「尚お意外」に大なるを感ずるのは、それと対立関係にあるブルジョアジーの更に大なる実勢力の認識が前提されており、その実勢力の増大は、日本資本主義における根本的変化の反映である――。

その上で猪俣は、「無産階級の当面の任務」として、①銀行救済策を糺す臨時議会の召集、②枢密院の追及、③議会解散の要求、④資本家救済の負担拒否の闘い、⑤内閣の対中国政策に対する監視と撃討、⑥労働農民党と日本労農党の統一戦線、を掲げている（単行本『現代日本ブルジョアジーの政治的地位』一四〇頁以下）。

その後、前述のように、共産党指導部が当面の闘争目標を絶対主義であると規定したことから、猪俣はそれに対する批判をとりまとめ（九月七日）、雑誌『マルクス主義』に掲載を申し入れる。『マルクス主義』批判を『マルクス主義』に発表しようとしたのである。

しかしこの申し出が拒否されたことから、やむなく雑誌『太陽』一一月号に発表することになる（『日本プロレタリアートの戦略と戦術』一四九頁）。

これが、「現代日本ブルジョアジーの政治的地位――特に謂ゆる封建的絶対主義勢力との関係」である（以下「政治的地位」と略記）。

その構成は次のようになっている。

緒言――生産の支配より政治的支配へ

1　大資本の制覇

2　ブルジョアジーの支配とその政治的対立物
3　謂ゆる封建的絶対主義勢力
4　我が帝国主義ブルジョアジーの政治的反動
5　結語

猪俣自身が「包括的」としているように、産業労働調査所での分析を集約したものとなっており、これを掲載した『太陽』の編集後記も、「この問題について総括的批判を下したもの」であり、「この種のものの真面目な研究としては、恐らく日本に於ける最初の文献であろう」と記している。

ここでは「五　結語」の骨子を以下に示してみよう。

(一) 政権がブルジョアジーに帰したのに吾々が政治的デモクラシー・自由を持たないのは、旧政治勢力が残存するからではなく、ブルジョアジーが妥協を通じて政権を獲得したからである。

(二) それ自身反動化した帝国主義ブルジョアジーの政治的基調は世界資本主義の一環としての日本帝国主義が彼等を導き入れる対立関係であり、地主、貴族、官僚、軍閥などとブルジョアジーによる帝国主義支配のブロックは、国内のプロレタリアート、セミ・プロレタリアート及び植民地・半植民地の被抑圧大衆と対立する。

(三) 帝国主義ブルジョアジーが、中間層を惹きつけることによって政治的自由を求める闘いの先頭に立つプロレタリアートを孤立化させようとするのに対して、プロレタリアートの戦術がよく、貧農以下のセミ・プロレタリアートの支持を得られれば、上層小ブルジョアジーを中立化することができる。

(四) 無産階級の政治的自由・デモクラシーを求める闘争の正面の敵は、封建的絶対主義勢力ではなく、ブルジョアジーを主導的勢力とする帝国主義的支配のブロックである。革命支那をめぐる諸対立が尖鋭化しつつあるという、没落世界資本主義の一環としての日本の役割を見ず、「没落」の牧歌を歌う者は無産階級運動を誤るのみである。

（五）プロレタリアートの歴史的闘争は、反動イデオロギーとの闘争を含む。封建的絶対主義的イデオロギーを利用するブルジョアジーは、必要以上の反動政治を行いつつあるが、その場合でも、反動分子との闘争は、直ちにブルジョアジーとの闘争であると認識する時にのみ、小ブルジョア改良主義と闘い得る。

（六）日本における政治的進歩のための歴史的闘争は、帝国主義に対する闘争との結びつきにより、ひとまずブルジョア民主主義［革命］にカルミネートする［ピークを見出す――引用者］。

（七）この革命の無産階級的意義は、その勝利を通じて、貧農以下のセミ・プロレタリアート大衆とプロレタリアートの強い結合を実現し、上層小ブルジョアを中立化させ支配的ブルジョアジーを孤立化におとし入れることにある。

ここに示された戦略論の骨子は、当時の絶対主義勢力打倒論に対する批判として提起されたものであったが、その内容は、共産党の方針転換後にも有効性を失うことなく、その後の猪俣の戦略論の核心であり続けることになる。

さらに注目しなければならないのは、猪俣の雑誌『マルクス主義』に対する批判は徹底したものであったが、雑誌『マルクス主義』への掲載を念頭に置いていたこともあり、「尖鋭な対立的態度を避け、ただ誤謬者の反省に役立つ程度の批判を加えておいた」とし、「政治的地位」では「尚お批判の対象となれる見解が何人のものであるかを明かにせず、無用の対立を避けることに努めた」としている点である（『日本プロレタリアートの戦略と戦術』一四九頁）。

猪俣は、再建共産党に対する批判のトーンを強めつつも、その方針の誤謬を正すという可能性を模索し続けていたのである。

再建共産党とコミンテルン

ところで、日本共産党と無産政党の状況を憂慮し、共産党に「反省」を促そうとしていた人物がもう一人いた。一九二五年の夏以降、コミンテルンから日本の大使館に派遣されていたカール・ヤンソンである。ヤンソンは一八八二年ラトヴィア生まれ。米国やカナダの共産党結成や労働運動に携わり、一九二五年六月に日本に着任した。

ヤンソンは日本着任後、共産主義ビューローを中心とする党再建に尽力していたが、その後に登場した福本イズムには否定的で、日本経済の現状についても、コミンテルン極東支局（上海）の指導者ヴォイチンスキーの没落説とは違って、上向説の立場に立っていた。

共産党再建の動きが具体化してくると、まだ獄中にいる古参幹部が出席できるよう再建大会の延期を求め、また、用意されていた宣言文案についても修正を求めたが、これらの意見はすべて無視されてしまう。

これらの対応について、ヤンソンは「独裁的なやり方」に他ならず、「コミンテルンに反対して仕組まれた陰謀」のようなものとして受けとめたのである（村田陽一編訳『資料集　初期日本共産党とコミンテルン』大月書店一九九三年　一五四頁）。

ヤンソンと共産党指導部との対立が鮮明になる中で、新たに就任した共産党幹部は、自らの正当性を主張するために代表団のモスクワ派遣を決定する。

ヤンソンもまた同席するためにモスクワに向かうが、その際に山川と荒畑にそれぞれの主張を文書化するよう要請し、それを持参した。

ところが、当時のコミンテルン自体が、深刻な内部対立の渦中にあった。一九二六年から二七年にかけての時期は、レーニン死後のソ連共産党＝コミンテルン内の主導権争いがピークを迎えていた。

スターリン、ブハーリンと、トロツキー、ジノヴィエフの間で激しい主導権争いが繰り広げられていて、二六年の第八回執行委員会総会でジノヴィエフはコミンテルン議長の職を解任され、ブハーリンがその座についていた。そして、二七年一二月のコミンテルン第五回大会で、スターリン体制が確立するのである。

そのため、モスクワ入りした日本共産党幹部の間にも「左翼小児病」批判に与する動きが広がり、福本イズム批判になびく流れが作られていった。

福本を支持していたはずの徳田の豹変ぶりを含め、内部の確執と混乱を物語るエピソードが残されているが、この流れ自体は、もう後戻りできないところにきていたのである。

その後、コミンテルンに日本問題委員会が設置され、その討議内容はやがて「二七年テーゼ」として結実していくことになる。

「二七年テーゼ」の作成経過

モスクワにおける「二七年テーゼ」作成の経緯は、まだ多くの謎に包まれているが、例えば、最新資料を収録した前掲『資料集　コミンテルンと日本共産党』の「解説」によると、おおよそ次のようなものだったとされている。

二月頃、すでにモスクワにいた高橋貞樹、片山潜らは反福本の立場に転身→先行した日本側代表団もこれに同調→四月に徳田と福本が到着→徳田の態度も反福本に豹変→四月二六日、コミンテルン執行委員会極東書記局日本部の会合開催、徳田が報告の中で福本批判→続いて、福本、佐野文夫、渡辺政之輔が報告し散会（翌日に予定されていた会議は再開されず）→徳田、佐野が党役職を辞任→五月三日、コミンテルン執行委員会日本委員会を開催、ヤンソンが「報告」↓九日、福本が反論↓六月、日本代表団が執行委員会書記局宛に書簡（福本、徳田、佐野が半年間モスクワにとどまることを提案）↓ブハーリンが「テーゼ」の起草者に↓「テーゼ草案」に日本側も賛成し若干の修正を申し入れ↓七月一五日の執行委員会幹部会で「テーゼ」を採択↓一一月末、代表団が帰国↓一二月一四日、共産党中央委員会↓代表団報告を承認し新人事を決定↓同日、モスクワで「テーゼ」の完成稿。

このように、「福本イズム」で再出発した日本共産党は、その後、数ヵ月にわたって主要幹部が揃ってモスクワ入りするという異常な状況の中で、その方針も人事も大きく転換させることになる。福本らインテリ・グループから、渡辺や鍋山ら労働者グループへの指導部の交替である。

「二七年テーゼ」は「ブハーリン・テーゼ」あるいは「七月テーゼ」ともいわれ、七月一五日の幹部会で採択されたとされている。この日に行われた「ブハーリン報告」が、「テーゼ」の基調となっているからである（「ブハーリン報告」は前掲『資料集　初期日本共産党とコミンテルン』を参照）。

ところが、この日の幹部会に配布されたのは「テーゼ案」の「骨子」だけで、しかも、この場でブハーリンは、いくつかの重要な修正点を提示している。草案がブハーリンの手によるものであれば、それに自ら修正意見を述べることはないだろう。

となると、原案作成に向けた議論にブハーリンが参加していたとしても、起草者は別の人間だった可能性が高い。ブハーリンは、前述の党内闘争の渦中にあり、それどころではなかったのかも知れない。

そこで浮上してくるのが、五月に行われた「ヤンソン報告」である。

というのは、「二七年テーゼ」は、この「ヤンソン報告」に沿った内容になっているからだ。それどころか、「ブハーリン報告」も、日本に関する分析については、「ヤンソン報告」を踏まえていることは明らかである。

もちろん、「ヤンソン報告」がそのまま「テーゼ」になったわけではない。「ブハーリン報告」は、原案に対する文言修正にとどまらず、その根幹に関わる点について重要な指摘をいくつか行っている。

とくに、共産党がとってきた方針や戦術の誤謬に関して、ブハーリンは同席していた日本側代表も認めた（福本と渡辺の自己批判書は前掲『資料集』を参照）と発言する一方、「テーゼ」の最終的なとりまとめは小委員会（ブハーリン、ペトロフスキー、片山、ヤンソン）に委ねると結論づける。

最終稿がいつ成文化されたかは明らかでないが、その後、日本問題委員会は開かれておらず、片山以外の日本側代表は、それを目にすることなく帰国の途につくことになった。「テーゼ」本文が日本に届くのは、一一月末のことであり、翻訳が公表されたのは『マルクス主義』二八年三月号であった。

以上の経過を見ると、「二七年テーゼ」は、「ヤンソン報告」を下敷きとしつつ「ブハーリン報告」の指摘を踏まえて策定されもので、七月の幹部会で「採択」された後、成文化されたと考えられる。つまり、「ブハーリン・テーゼ」といっても、実質的にはヤンソンとの「合作」だったといえるだろう（日本側代表に回覧はされているが、修正意見がどこまで反映されたかはわからない）。

「ヤンソン報告」の成立事情

では、その「ヤンソン報告」はいつ作成されたのだろうか？

その手がかりを与えてくれるのが、ヴァレンチーン・シテインベルクの「カール・ヤンソン伝」である（村田陽一訳『大原社会問題研究所雑誌』三七四〜三九二号 一九九〇〜九一年）。

同書は、二五、二六年頃のヤンソンを取り巻く状況について、次のような点を明らかにしている。

（一）ヤンソンの日本への派遣について、スターリンは自分が関わらずに決定されたことに不満だった。

（二）コミンテルン、プロフィンテルン（赤色労働組合インターナショナル）の責任者でヤンソンの上司にあたるロゾフスキーがスターリンに会見した際に持参したヤンソンの手紙は、『プラウダ』（ソ連共産党機関紙）に掲載された中国革命に関するヴォイチンスキーの論文を批判していた。

（三）スターリンは、ロゾフスキーに対して、ヤンソンは日本で仕事をさせておくとともに、日本についてのコミンテルンのテーゼの準備について彼と相談するようにと指示した。

（四）ロゾフスキーは、その夜のうちにこの内容を手紙でヤンソンに伝え、ヤンソンは「自分のテーゼ」と呼んでその草案にとりかかった。

（五）ヤンソンは、日本国内の多くの関係者から話を聞くなど作業に専念し、二六年七月モスクワに向けて「日本資本主義のスケッチはほとんど書き終えた」と書き送った（最後の第五章、第六章を残していたようである）。

ここから明らかになるのは、「テーゼ」が、先に言及した二七年以降の動きに先立ってその策定が決まり、日本資本主義に関する部分については、すでに二六年七月の時点でほぼ仕上がっていたことである。

ヤンソンは一一月にいったんモスクワに赴き、一二月の共産党再建大会に間に合うよう日本に戻ってくるのだが、その前後に再建大会の開催の是非や、綱領などの基本方針をめぐって共産党再建グループとの対立が深まっていたことは前述のとおりである。

そこから再建共産党の幹部がモスクワに行くことになり、ヤンソンも三月にモスクワに向かうのだが、こうした対立の状況が、最終的な「ヤンソン報告」に付加されていったことは十分に考えられる。

こうして、一年以上を費やして作成された「ヤンソン報告」は、次のような柱で構成されている。

（一）日本資本主義の状況（没落説に対する批判）

（二）日本の政治状況（政治権力及び革命の性格）

（三）労働運動の当面の任務
（四）共産主義運動の問題（二つの傾向＝山川・福本への批判）
（五）大衆運動の問題（労農党分裂策に対する批判）
（六）共産党の問題（党運営への批判、共産党合法化の道）

これらは、日本の状況について歴史的な経過も含めて具体的な事実に即して分析したものであり、山川批判や福本批判についても同様で、山川批判は「テーゼ」本文を質的にも量的にも上回る記述となっている。

「二七年テーゼ」と猪俣（その一）

ここでとくに注目しておきたいのは、この「報告」と猪俣の関わりである。

猪俣は「二七テーゼ」のために「大量の資材をモスクワに提供するのに懸命だった」（高野実「猪俣津南雄」〈『越後が生んだ日本的人物』第三集〉三〇四頁、『高野実著作集・第5巻』所収）とされているが、その窓口はヤンソンだったと思われる（彼は一九二〇年、二一年当時チャールズ・スコットと名乗り、パン・アメリカン・エージェンシーのメンバーとして猪俣と接点のあった人物〈第一〇章参照〉）。

ヤンソンの「報告」には、明らかに猪俣から得たと思われるデータがいくつか使用されている。

例えば、「ヤンソン報告」には、「農業における有業人口総数の約八〇％が半プロレタリア人口」という記述が見られる（前掲『資料集　初期共産党とコミンテルン』一三三頁）。

この点に関しては猪俣も、「農業に従事する『有業人口』総数一四〇〇余万人の約六〇％ないし八〇％は、セミ・プロレタリア層に属するものと見られる」と記している。ところが、この数値は「国勢調査の数字に基づいて私の試算したところによる」としているもので、猪俣が作成したオリジナル・データなのである（前掲「政治

的地位」『横断左翼論と日本人民戦線』所収一三頁）。

また、「ヤンソン報告」は、日本における地主の土地所有に関するデータも紹介していて、例えば、五〇町以上の所有者は「おそらく耕地総面積の七ないし八％を所有していると思われる」としているが、これは猪俣の「五〇町以上の大地主五〇〇〇人ほどの所有地合計は、全耕地面積の僅か七％足らずに過ぎない」という分析に符合している（同前一〇頁。この数値についても「統計が不備で精確な数字は得がたい」として独自の試算であることが示唆されている）。

さらに、「ヤンソン報告」には「政府が産業資本における払込資本総額の三〇〜四〇％を所有している」との指摘があり（前掲『資料集　コミンテルンと日本共産党』一三七頁）、これは猪俣が一九二六年初頭に執筆した「我がプロレタリア運動の現段階」の記述と重なっている（「我が国プロレタリア運動の現段階」『大衆』二六年三月号〔『横断左翼論と日本人民戦線』所収九八〜九九頁〕）。

しかし、こうした資料的な詮索以上に注目すべきなのは、ヤンソンがその報告の中で、自分と見解を同じくする者として猪俣の名前を挙げていることである。

ヤンソンは、「生産の増大。これは、一方における私および猪俣、他方における他の日本の同志たちのあいだの争点のひとつである」とした上で、「われわれは、今日の日本では、生産は一九一九年いらいの最高のピークに達しようとして……いると考えている」とのべている（前掲『資料集　初期共産党とコミンテルン』一五七頁）。

報告の冒頭で示された、上向か衰退かという「日本共産党内」の論争は、構図としては「私と猪俣＝われわれ」と「他の同志たち」の対立として描かれているわけだ。

このことは、猪俣とヤンソンが、単なる資料の送り手＝受け手の関係にとどまらないことを示唆しており、「テーゼ」の方向性そのものに影響を与えていた可能性も考えられる。

同時に、「党内」論争の一角に猪俣を位置づけていることから——山川や荒畑にコミンテルンへの意見書を求めている点からも——、ヤンソンが、再建共産党という狭い枠を超えた視野で党改革を進めようとしていたことがわかる。そして、この視野は「テーゼ」本文にも引き継がれていくのである。

『プラウダ』社説の波紋

前述のように、この「テーゼ」が日本にもたらされるのは一一月下旬のことであるが、それ以前に「テーゼ」の概要が日本でも知られることになる。

八月一九日付『プラウダ』に関連記事が掲載され、それが九月初旬以降に日本に伝わるのである。これは、「『五月総会後におけるコミンテルン執行委員会の活動の概観』中『日本の問題』」と題された社説で、「コミンテルン執行委員会幹部会の決議」について、その一部を引用しながら紹介したものである。*

＊「コミンテルンに於ける日本無産階級運動の批判」蔵原惟人訳（『文藝戦線』一九二七年一〇月号）。『日本プロレタリアートの戦略と戦術』一九三～一九五頁に収録。

概要とはいえ「決議」について日本に伝えられた最初にして唯一の手がかりであり、それがどこまで忠実に要約していたかどうかはともかく、極めて重要な意味を持つものとなった。

社説の概要は次のようなものであった。

（一）日本はアメリカと同様、最大の帝国主義の一つに属し、昇りゆく資本主義国である。

（二）日本では封建遺制が極めて強く、国家政権は資本家及び地主の執行委員会をなしており、特に著しいのは国家が最大の資本家となっていることで、国家資本主義の特徴が発達している。

（三）封建日本に対する革命は、プロレタリア革命から厳然と隔離［分離］し得ず、ブルジョア民主主義革命は極端に急速にプロレタリア革命に進展する。

（四）日本では、他の強国よりもプロレタリアートと農民の同盟を、地主及びブルジョアジーの同盟に対置しなければならず、勝利を保障するのはプロレタリアートのヘゲモニーである。

（五）闘争の成功の第一の前提条件は、大衆と結びつけられマルクス・レーニンの戦略と戦術の方向を有する共産党の確立であるが、これまで日本共産党には、この初歩的条件が存在しておらず、二つの悪傾向が存在していた。

（六）一つは、労働運動における共産党の役割の過小評価（清算派的傾向）であり、もう一つは、党の宗派的性質の伝導（結合と分離の理論）であり、大衆から党を引き離し労働団体の分裂を慫慂《しょうよう》している。

これは、幹部会報告の形をとっており、その時の「ブハーリン報告」がベースになっている。先の「ヤンソン報告」と比べてみるといくつかの異同も見られ、例えば、「国家政権は資本家及び地主の執行委員会」の部分は、「ヤンソン報告」ではブルジョアジー・軍閥・封建的官僚の「三極構造」であり、「ブルジョア民主主義革命は極端に急速にプロレタリア革命に進展」の部分は、「ヤンソン報告」では「前哨戦」となっていた。いずれにしても、この「社説」が、日本資本主義没落説、絶対主義打倒論、そして「結合の前の分離」論を真っ向から否定するものであったことから、在モスクワ共産党幹部の「自己批判」を知らされていない国内の関係者に大きな衝撃を与えた。

他方で、ここでいう「二つの悪傾向」が具体的に何を示すものか、この社説では固有名詞が特定されていなかったため、さまざまな議論を呼んだ。福本が批判の対象となっていることは明らかであったが、山川も対象となっているかどうかは不明だったからである。

この衝撃は、「プラウダ社説」の翻訳と掲載をめぐる確執に発展した。荒畑によると、共産党サイドからの「妨害工作」が行われたというのである（荒畑「セクト主義の清算」（『労農』二七年一二月、創刊号））。

この点については、猪俣も「『プラウダ』紙がわざわざこの『批判』を発表したのは日本の無産階級によってそれが黙殺されんことを欲したのでないことは明らか」（後述のパンフレット「日本無産階級運動に対するコミンタンの批判を読む」（『文芸戦線』二七年一二月）に付されたリード文）と書いている。

結局、翻訳は『文芸戦線』と『大衆』に掲載されたが、この確執はさらに広がり、新たな雑誌の創刊にまで発展していった（両者の訳文を掲載し注釈を加えた小冊子も発行されている（無産社刊））。

反福本イズムの雑誌については、それ以前の五、六月頃から荒畑、山川、堺らによって計画されてはいたが、それが具体化されたのは、「九月の初め頃」（『労農』創刊号「後記」）のことだった。新たな雑誌は『労農』と名付けられた。

ただし、こうした発刊準備の段階において、共産党の戦略規定を批判していたのは、ほとんど猪俣一人であり、コミンテルンに提出された山川や荒畑の意見書でも明確な福本イズム批判は行われていない。

共産党側の受け止め

新しい雑誌の旗印が福本イズム批判だったとすれば、コミンテルンの批判によって福本イズムの誤りが明確になった以上、むしろ雑誌の発刊――社会主義運動の分岐は避けられたのではないか？

だが、事態はそう単純ではなかった。

共産党幹部が『プラウダ』社説をどう受け止めたかを物語るものとして、佐野学「コミンテルンの批判を読む」（『社会科学』二八年二月号）がある。

佐野は、共産党がとってきた方針（絶対主義の規定）、あるいは福本イズムの誤謬については、全面的に認めている。その上で、その誤謬を克服できるのは、「左翼分子」（共産党）か「折衷主義者」（山川ら）か、と問題を提起し、その資格があるのは左翼分子だけだと断定する。

佐野によれば、『プラウダ』社説の批判は、日本の左翼運動全体に対する批判を含んでおり（それ自体は正しい指摘である）、福本イズム批判だけだと解釈するのは間違っている。折衷主義者の主張は、資本主義的なものであり、自分としては福本の主張の誤りを知りつつ支援したのだが、それは、福本が山川批判を明確に打ち出したからだという。

こうして、福本イズムの誤謬を認めつつも、その批判をいわば独占することにより、矛先は山川ら「折衷主義者」に向かうことになる。

思い返せば、共産党指導部のセクト主義や独善主義は、政治研究会への介入に見られたように、福本イズムに端を発したものではなく、もともとあったものである。福本はそれを理論化し、合理化して見せたにすぎないとも言える。

そういう意味では、この若い才能は、共産党幹部によって用済みとなれば使い捨てにされる運命にあったのかも知れない。

『プラウダ』社説の福本批判によって、共産党のセクト主義は克服されるどころか、むしろ強化され、「折衷主義者」への批判もまた強化されるという結果をもたらしたのである。

「二七年テーゼ」と猪俣（その二）

では、『プラウダ』社説を、猪俣はどう受け止めたのだろうか？

「論文［現代日本ブルジョアジーの政治的地位］の執筆後間もなく、日本無産階級運動に対するコミンテルンの批判が公けにされた。この『批判』における見解は、客観的状勢、戦略、及び戦術に関する筆者の批判的見解と一致し、しかもそれは大衆に徹底せしめる為に特に公然とコミンテルンが発表したものであったから、筆者もまた自己の批判的見解を徹底せしめるに当って、従来感じ来たれる制限の除かれたことを知り、且つ此際に日本無産階級運動の禍の根源たる若干の悪傾向と誤謬の克服のために闘うことは筆者の義務であることを知った」（「労農戦線の進出的再建へ」『労農』二八年八、九月（『日本プロレタリアートの戦略と戦術』所収一五〇頁））

こうして、自らの見解との一致を見い出しただけでなく、それまでの制限が除かれたと感じた猪俣は、さらに積極的な活動の一歩を踏み出すのである。

一つは雑誌『労農』同人への参加である。これは堺利彦の勧誘によるものだが、最初に提案したのは足立克明のようだ（『山川均全集・第八巻』月報）。

伊藤好道の回想によると、「政治的地位」を執筆した頃、その原稿にもとづいて東京大学で公開講演を行い、その帰路で『労農』に参加する決意を明らかにしたとのことだが、山川の参加に対する期待を語っていたという（前掲・伊藤好道「猪俣さんの思い出」）。

『労農』の創刊号（二七年一二月号）に猪俣は「日本無産階級の一般戦略」と、新島一作の筆名による「日本無産階級運動に関するテーゼ」を発表している。

また、「政治的地位」に前記の『世界』『中央公論』の論文を加えた

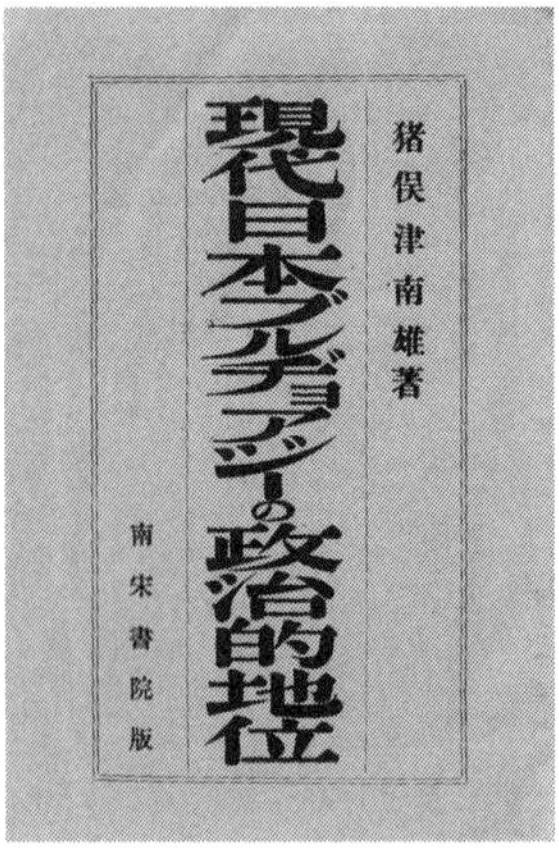

単行本『現代日本ブルジョアジーの政治的地位』（南宋書院）を刊行する。持論を展開したものとしては最初の単行本である。

他方で猪俣は、『プラウダ』の記事に対して「日本無産階級運動に対するコミンタンの批判を読む」（『文藝戦線』一二月号）を執筆して自らの見解を明らかにするとともに、それを別冊のパンフレット（『無産者パンフレット一六』（二八年一月一五日））として発行している。

「コミンタンの批判を読む」

この「批判を読む」は、『プラウダ』記事を一部引用しながらコメントを加えるというスタイルをとっているが、単なる内容紹介の域を超えて、自説を展開することに比重が置かれている。

とくに注目されるのは、コミンテルンの見解を無批判に受け容れるのではなく、いくつか注文をつけていることである。

第一は、「安定の型の積極面を見ただけでは不十分」であり「異常に深大なる矛盾を内包」しているなど「消極面」を見る必要がある、という指摘（『横断左翼論と日本人民戦線』三七頁）。

第二は、日本の政権が「資本家および地主の執行委員会」をなしているという記述に関して、とくに「地主がいかなる地位を占むるかの点にも言及すべきであった」、つまり「ロシアないしはドイツの場合とは本質的に異なる」という指摘（同前三八頁）。

第三に、日本の農民の極度の「窮乏化」に関して、それを主として「封建的遺制が極めて強い」ことの反映と見るならば、コミンテルンは未だ日本の客観的条件を「その具体的特殊性において把握していないものである」との指摘（同前四〇頁）。

これらの指摘は、猪俣がコミンテルンに対しても一定の距離を置いていたことを物語っている。当時のコミュニストとしては異例のことであり、この独自のスタンスはその後も一貫して堅持されることになる。

なお、問題の核心である革命戦略の規定（急速にプロレタリア革命に進展）について猪俣は特段の注文をつけていないが、両者の間には微妙な違いが存在している。この点については後段で検討することにしよう。

もう一点、注目されるのは、先に触れた「二つの悪傾向」について、「二つとも同一主体に属する」、つまり福本のものと解して論じていることである（同前四九頁）。

独自の組織論――横断左翼論

「批判を読む」を読み進めていて驚かされるのは、「プラウダ社説」の紹介とコメントに徹していた猪俣が、後段の「二つの悪傾向」の件に入るや、突如として自らの組織論を展開し始めることである――オリジナルの図解まで示しながら。

これは、コミンテルンの指摘に触発されて持論を披瀝してみた、という類いのものとは思えない。恐らくは第一次共産党の結成以来、そして政治研究会をめぐる確執などを通じて、ずっと胸に秘めてきたものの噴出であろうし、その内容自体は、ひょっとすると米国共産党時代にさかのぼるものかも知れない。

それは、あらゆる組織に存在している前衛分子が、先頭に立って独自の役割を発揮し、それらが横に繋がることによって楔《くさび》のように全運動を押し上げていくというもので、「党形成と統一戦線の交互作用」*とも表現されている。

＊これは後述の「何から始むべきか」を『現代日本研究』に収録する際につけられたタイトルでもある。

コミンテルンの「二つの悪傾向」への批判は、いわば批判にとどまっていたが、猪俣はそれらに代わる運動論

＝組織論を積極的に打ち出したものといえる。猪俣が「一般戦略」について論じる場合にも、常にこうした具体的戦術論が念頭にあったことを見失ってはならないだろう。

この構想は、年末に執筆した「何から始むべきか」（『改造』二八年一月号）に引き継がれ、無産政党の合同問題に即して全面展開される。いわゆる「横断左翼論」として知られることになるものである（主に第六章参照）。

「正統左翼主義」の立場から

以上のように、二七年夏以降の猪俣の執筆活動は、流動する緊迫した状況の中で展開されたものであった。

〈「テーゼ」をめぐる動き〉	〈猪俣の関連論文〉（脱稿日）
七月　コミンテルンの「テーゼ」策定	九月七日　「政治的地位」
八月　↓『プラウダ』社説	九月　「革命支那と英米と日本」
一〇月　『文芸戦線』に翻訳掲載	一一月一〇日　「無産階級の一般戦略」
一一月中旬　「テーゼ」が正式に日本へ	一一月一三日　「コミンタンの批判を読む」
一二月初旬　共産党が拡大中央委員会	一二月五日　「何から始むべきか」
一二月　『労農』発刊	

すでに見たように、モスクワでのテーゼ策定に向けて日本から発信を続けて来た猪俣にしてみれば、自己の見解への確信を深める過程であったに違いない。

「何から始むべきか」は、サブタイトルに「正統左翼主義の運動のために」と掲げ、文中では、「前衛部隊の性質、構成、その独自の任務に関して、一部の左翼分子がとった見解に含まれる根本的誤謬を明確に指摘することは、正統左翼主義の統一運動のために刻下の急務である」と強調している。

もちろん、ここで「正統」を持ち出すことには、コミンテルンの権威を利用するという意図が含まれているわけだが、そのことは「刻下の急務」が支障なく進むことを意味するわけでは、決してなかったのである。

第四章　『帝国主義研究』と『現代日本ブルジョアジーの政治的地位』

〈一〉世界革命の展望――『帝国主義研究』

「現段階」分析の方法と枠組

猪俣の『帝国主義研究』（二八年一月、改造社）は、主として高橋亀吉の「プチ・帝国主義論」を批判対象とした論文集であるが、実はそれだけではない。すでに見たように、二七年七月に執筆された「我国資本主義の現段階の問題」（『帝国主義論』の一章として収録されるにあたり、章のタイトルは「日本帝国主義の新段階の問題」と変更された）では、雑誌『マルクス主義』の見解を批判の対象としている。

ここで注目すべきは、共産党の戦略規定について「粗雑な歴史的類推」、つまりロシア革命の経験を無造作に日本に持ち込むという手法を批判しつつ（一七八頁）、自らの方法論を提示していることである。

猪俣が「歴史的類推」に対置したのは、「現段階」分析の「科学的基礎づけ」と、「世界資本主義体系における特殊性」であった。

この「科学的基礎づけ」という表現は、ブハーリンの演説からの借用であるが、ここでの力点は、普遍的な法則や真理にではなく、仮説・検証という具体的な分析作業に置かれており、実際に猪俣が産業労働調査所以来、

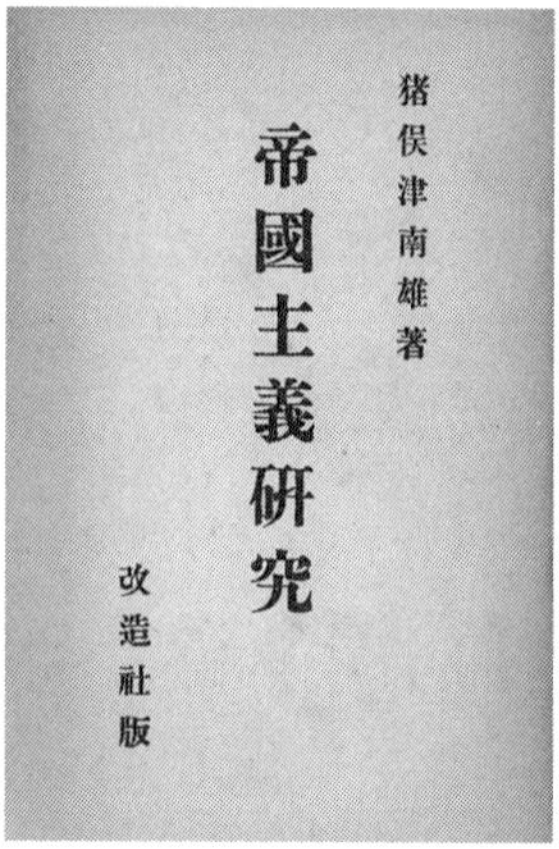

積み重ねてきたものである。

その際、分析といっても、さまざまに錯綜する現象をある概念に還元しようとしたり、あるいは概念や型に即して日本の現実をそのどれかに分類したり命名したりするのではなく、概念をあくまで分析の道具として用いることで、現実を諸力の相互作用の結果として動態的に見ようとする姿勢である。

そのことを猪俣は、「あらゆる概念は機能的に」（『帝国主義研究』一七六頁）、あるいは「機能的に概念する」（同前一三一頁）という言葉で表現している。この方法論は、その後の猪俣の活動全体を貫くものといっていいだろう。

もう一つの「世界体系における特殊性」も、上記の点と不可分の関係にあり、概念や型を前提とした「普遍性」や「一般性」から「特殊性」を規定するのではなく、具体的な関係の中でそれぞれの独自の位置を確認するという発想である。

それが、プチ・帝国主義論批判というよりは、共産党の戦略規定への批判として打ち出されたことに留意すべきであろう。

つまり、猪俣の帝国主義論は、共産党の戦略批判の重要な一環なのであり、「政治的地位」は、その枠組みを前提とした上で、国内の問題に限定したものとして読まれる必要があるわけだ。

因みに、当時の猪俣の分析の枠組みがどのようなものであったかは、例えば次のラフ・スケッチ（『帝国主義研究』二〇八頁以下）に見ることができる。箇条書きの原文からキイ・ワードを抜粋してみよう。

1　帝国主義の全体系：
世界大戦　↓　世界資本主義は没落過程に
帝国主義日本　↓　新たな対立関係へ　↓　直接関わるところは東洋及び南洋
①アジアでイギリスは退却しつつ死守
②日本　東洋における最強の競争者に
③日本の南進　米国との対立の尖鋭化
④全体系における対立抗争の重心が東洋へ　三大強国
⑤日本の戦需品　英米依存から独立へ
⑥日本　支那における特殊利権の維持と伸長　革命支那
⑦革命支那と労農ロシア　帝国主義にとっての対立力
⑧インドなどは独立を求める
2　没落過程に入れる世界資本主義の一環としての日本資本主義：
生産力と市場の矛盾の深大化克服の手段としての帝国主義政策へ
3　日本の帝国主義：新しい経済的基礎の上に
①重工業の台頭
②集積　独占　国家資本主義的トラストの機構
③工業と原料、工業と農業の矛盾　農民の窮乏化
④過剰資本の増大　資本輸出
4　国内政治：

①文武の国家官僚に対するブルジョアジーの優越
②大資本に対する商工資本、土地資本の独立の政治的結成
　労働者、貧農に対するブルジョアジーと地主、旧勢力の協同戦線
③労働者、農民の政治的協同戦線
④小ブル層の覚醒と動揺　政党の台頭
⑤新たなる経済的基礎、国際的対立による新たな政治反動

「闘争の体系」としての帝国主義

『帝国主義研究』を戦略論として読み解く場合に、まず目をひくのは、猪俣による「帝国主義」の再規定である。前述のように、世界経済に関するレーニンの「定義」を日本という一国に適用しようとした点では、高橋だけでなく、それを批判した野呂らも同じ誤りを犯していたわけだが、猪俣は、それに代わる「政治的＝経済的な範疇」としての帝国主義を、「特殊な闘争の体系」（同前一九二頁）、あるいは「搾取と略奪の全世界的体系」（同前二〇四頁）として再規定する。

この「闘争の体系」は、具体的には、次のようなものとして描かれる（同前一九二頁）。

目的＝市場、資源、放資域の独占
競闘者＝既に多かれ少なかれ独占的地位を獲得
犠牲者＝搾取、隷属の無産階級、農民、半開未開の諸民族
享有者＝金融資本
武器＝近代的陸海軍

この体系は、単にいくつかの「帝国」が覇を争うことではなく、これまでなかった新たな舞台の成立を意味している。

この体系がひとたび成立すると、どの国も地域も否応なくこの体系に巻き込まれ、何らかのポジションに組み込まれることになる。

猪俣は、そのポジションを次の三群に区分けしている（同前一〇四頁）。

第一群＝帝国主義に能動的原動的なもの（代表的な金融資本主義国及びこれに準ずるもの）。

第二群＝被動的なもの（植民地又は半植民地化されつつあるもの）。

第三群＝中間的乃至派生的なもの。

第一群の帝国主義国は相互に競合しつつ対外進出を敢行し、ある国・地域は第二群の植民地と化す。これが世界規模で拡大することによって、第三群の国や地域もほどなく第一群か第二群に転じていく、という構図である。ある国や地域がどのポジションに区分けされるかは、当然のことながら経済力や軍事力に依存するわけだが、一律の指標があるわけではない、というのが猪俣の立場である。

つまり、レーニンが（世界レベルの経済的指標として）掲げたような、金融資本、独占、資本輸出といった指標は、個々の国や地域の区分けにとっては必ずしも有効ではない、ということになる。

高橋は、上記のレーニンの指標によって日本を第二群ポジションにあると主張したわけだが、そういう論理では、「フランスもプチ・帝国主義になる」と猪俣は指摘している。

だとしたら、帝国主義国とは何なのか？　猪俣の規定はこうだ。

「帝国主義国とは、帝国主義の世界体系の構成部分として、それぞれの範囲及び程度において多かれ少なかれ独占を享有しつつ、自己の独占的地位の維持と強大化の為めに戦争を賭して抗争せざるを得ないとこ

ろの、また抗争する力あるところの、資本主義国の謂いである」（同前二〇六頁）

国内における条件が整っているかどうか、ということより、体系において「いかなる地位に立つ」かが問題になるのだ（同前三一一頁）。

そうなると、それぞれの国や地域は、その「地位」によってそれぞれに「特殊性」を持つことになり、前述のように、何らかの「普遍」や「一般」を基準として「特殊」になるわけではなく、「世界体系における特殊性」として把握されるのである。そして、この視点もまた、猪俣のその後の活動全体を貫くことになる。

帝国主義国日本の特殊性

こうして、第三群に属していた国や地域は、第二群に転ずるのを避けるために、国内的条件が成熟していなくても、第一群に這い上がることがあり得るということになる。

日本がまさしくそうであった。

帝国主義体系における日本の「地位」について猪俣は、日清戦争前後から既に第三群に属し（同前一九六頁）、日清戦争は特殊な意味での「国民戦争」（同前一九五頁）であったが、「日露戦争によって、近代帝国主義国としての自己を、決定的に立証した」（同前二〇六頁）と述べている。

ここで注目されるのは、猪俣がこの変容について、「必然ならしめられた」として次のように強調していることである。

「極東に進出し来たれる各国資本との対抗において、当面の『経済価値』の為めというよりは寧ろ爾後の膨張への足場の為めに、先取し得べき略奪物を先取せずにはおられなかった」（同前二〇七頁）

さらに猪俣は、資本輸出についても、帝国主義の時代に入ると「政治的意義」を持つようになり、「放資域の先取」、「他国の先取、独占を妨害すること」を目的として行われることになる、と指摘する（同前三一二頁）。

こうした資本輸出の顕著な例が、日本が朝鮮半島で行った京仁、京釜鉄道の建設であり、その資本は、商業資本でも産業資本でもなく金融資本であったが、猪俣が強調しているのは、それが国家資本だったことである（同前三一三頁）。

このように、猪俣が日本における国家資本の著しい発達を強調しており、それが「二七年テーゼ」にも書かれていることはすでに指摘した通りである。*


*ただし、このことは旧勢力＝官僚軍閥の物質的基礎が根強いことを意味しているわけではない、と注意を促している。

世界革命の視点

戦略論としての『帝国主義研究』の眼目は、高橋や共産党に対する批判を通じて、独自の帝国主義観を提示したことにあるのではない。

猪俣の戦略規定における「主要目的」が「帝国主義の打倒」を掲げていることでも明らかなように、世界大の「闘争の体系」「搾取と略奪の体系」を打倒すること、つまり「世界革命」の視点に立った闘争方針を提示したことにある。

猪俣は、『労農』創刊号に寄せた「日本無産階級の一般戦略」でこう述べている。

「帝国主義ブルジョアジーの支配下にある日本プロレタリアートが、その全闘争の焦点を帝国主義に置かずして、如何に世界革命におけるその任務を果たし得るであろうか」（『日本プロレタリアートの戦略と戦術』所収六頁）

また、同じ号に新島一作名義で発表した「日本無産階級運動に関するテーゼ」では、こう強調している。「全世界における〔革命的〕諸勢力と、帝国主義勢力との対立的交錯は、その集中的表現の一つを日本帝国主義に見出している。それと闘争する日本プロレタリアートこそは、世界解放の鍵の大いなる一つを握る」（同前二三頁。ただし、これは戦略の枠組みの問題であって、「世界革命」が現実に差し迫っていることのメッセージではない）。

したがって、「吾々の分析にあっては、世界資本主義の一環としての我国の資本主義的発展の、現在における特殊性が昂揚されなくてはならぬ」（『帝国主義研究』一七四～五頁）とされる。

帝国主義体系の「弱い環」

猪俣が描く帝国主義体系というのは、前述のように、矛盾と対立が日々渦巻く世界であり、しかも、第一次大戦とロシア革命を画期として「没落」の過程に向かっているとされる。

「世界資本主義は、明らかに没落期に入り込んでいる。……わけても、帝国主義的経済の基礎たる植民地、半植民地が反抗を高めつつあることが、全体系の没落過程に至要の役割を演じている。印度を見よ、支那を見よ。支那革命の世界的意義はそこにある」（「金融資本と帝国主義」改造社『経済学全集』第二六巻二三二～三頁）

つまり「民族革命もしくは反帝国主義運動としての成功が東洋乃至全世界の植民地及び半植民地諸国に及ぼす影響としての意義」である（『帝国主義研究』一一一～二頁の注）。

猪俣は、レーニンの不均等発展論を踏まえてこう強調する。

「資本主義の崩壊は、自働的に生ずるのではない。独占や金融資本の最も高度に発達した国において先ず生ずるのでもない。一つの連鎖をなす世界資本主義体系における『最も弱い一環』が先ず崩壊し、多かれ少

なかれ間歇的に生ずる崩壊の連鎖によって、全体系に及ぶのである」（上掲「金融資本と帝国主義」一二三頁）
その意味で、蔣介石によるクーデターは、世界革命全体に関わる重大な意味を持っていたといえる。

「革命中国大衆の味方に」

革命中国について猪俣は、「革命支那と英米と日本」（『太陽』一七年九月号）と「反革命の徒　蔣介石」（『中央公論』同年一一月号）を執筆している（ともに『猪俣津南雄研究・第五号』に収録）。

とくに前者は、タイトルにあるように、体系全体の構図の中で、換言すれば「世界革命」の展望の中で中国革命と日本無産階級の関連を論じたものである。

この論文で猪俣が試みているのは、中国国内の階級分析と英米及び日本帝国主義の動向分析である。この中で猪俣は、蔣介石のクーデターによって「支那革命はその第一段階の終わりに達し……これからが真の民衆の力の発揮される時である」と指摘する一方、「ブルジョアジーは、帝国主義に対する徹底的闘争を敢行し得ず……支那を真に民衆の国たらしめる時にのみ真の解放がある」と強調している。

続けて猪俣は、「かかる展望の下に、わが日本の民衆は如何なる自覚を必要とするか？」と問いかけ、次のようにのべる。

「吾々民衆は、……支那民衆が敵とする帝国主義ブルジョアジーの支配の下にある。……支那問題は、彼等ブルジョアジーにとって死活問題である。まさにそれ故にまた支那問題は、彼等の支配から自己を解放せんとする我国の労働者農民その他一切の被圧迫大衆にとって至要なる問題である」

「真の親善と有無相通は、搾取者のない民衆の社会と社会、政府と政府の間においてのみ可能である」

「吾々は、自身の解放運動において支那大衆に遅るるの観あるを恥ずべきである。そして吾々は、飽くまでも彼等の味方であらねばならぬ。吾々の戦いは、支那大衆の運動を阻止せんとする××××××××に向けられねばならぬ。その闘いこそが、吾等自身の解放の日を早めるであろう」

このように、日本と中国の民衆が手を携えて帝国主義ブルジョアジーに立ち向かわなければならない状況において、その先頭に立つべき共産党が日本無産階級の闘争目標を「絶対主義」と規定する――その乖離は猪俣にとって耐え難いものであったに違いない。

〈二〉日本革命の展望――「現代日本ブルジョアジーの政治的地位」

「政治的地位」はどう読まれてきたか？

「政治的地位」は、これまで一般的には、後の『労農』グループの見解を代表する基本文献の一つとして扱われることが多かった。

例えば、小山弘健は前掲『日本民主革命論争史』において、「政治的地位」を「『労農』派戦略の登場」の見出しのもとで紹介している。＊しかし当然のことながら、この執筆時点で『労農』の発刊が約束されていたわけではない。

＊因みに、石河康国『労農派マルクス主義』（二〇〇八年、社会評論社）では、この時期の猪俣に言及しているものの、なぜか「政治的地位」はいっさい登場しない。

他方、天皇制国家を強調する立場からは、「政治的地位」の中で、国家論に関わる部分のみが着目されることになる。

これらに共通するのは、後の論争における論点、あるいは「一段階革命か二段階革命か」といった二者択一の枠組みで「政治的地位」を読もうとする姿勢である。

その枠組みの源流はコミンテルンの「二二年テーゼ草案」にあり、第一次共産党の石神井会議でも「第一か第二か」が議論の焦点となったことは前述の通りである。

内在的批判としての「政治的地位」

だが、「政治的地位」を正確に理解するには、こうした後づけ的な枠組みによってではなく、この文章の執筆事情に即して読み解く必要がある。

一つは、著者自身が強調しているように、「政治的地位」は帝国主義論との強い結びつきを前提に書かれたということである。

単行本『現代日本ブルジョアジーの政治的地位』に収録された際のとびらには、「『帝国主義研究』に収めた諸論文で扱ったものとの綜合に於いて、やや包括的な研究をかたちづくっている」と述べられている（二頁）。

つまり「政治的地位」の議論には、「世界体系としての帝国主義」や「世界革命」の視点が前提に置かれているのだが、実際に論じられているのは、先のラフ・スケッチの枠組みからすれば、国内政治に関する項目に限定されていることになる。

もう一つは「政治的地位」は、すでに雑誌『マルクス主義』の見解（絶対主義権力打倒説）を批判していた猪俣が、同誌への掲載を意図して執筆したものだという点である。

つまり単に自説を展開するというのではなく、『マルクス主義』の見解の誤謬が正されることを意図した内在的批判だという点である。

さらに重要なことは、「政治的地位」が、（よく誤解されるように）日本ではブルジョアジーが権力を掌握していること、したがって当面する革命が社会主義革命であることを結論づけたものではないということである。「政治的地位」は一読すれば明らかなようにブルジョアジーが権力を掌握していることを自明の出発点としたうえで、そこから(1)絶対主義と見誤るような政治反動が、ブルジョア政権下でなぜ生じているのか？ (2)物質的基礎を欠いた封建的政治勢力がなぜ存在し得ているのか？――という疑問に答える形で論を進めていくのである。

その中で猪俣は、『マルクス主義』が「誤謬」に陥った事情として、次の二点を指摘する。

（一）現象的・表層的な二、三の出来事に眩惑されて絶大な絶対主義勢力が実在するかのように幻影を起こし、それを過般の反動の原因と見なしたこと。

（二）一九〇三～一七年のロシア革命の一般戦略から無造作に類推したこと（前掲「政治的地位」（『横断左翼論と日本人民戦線』所収二八頁））。

帝国主義ブルジョアジーの反動化

政治反動があれば、その原因としての反動勢力が実在する――あるいは、政治反動は反動勢力の強さに比例する――という発想は、一国レベルでの素朴な下部構造・上部構造論に依拠したものと考えられる。政治的現象を、その「物質的基礎」や「人的要素」に還元しようとするものに他ならない（同前三四頁）。そして、いったん絶対主義を闘争目標に設定してしまうと、「絶対主義的傾向の責任者として封建的絶対主義勢力なるものを絶えず創作し宣伝することになる」（同前三〇頁）と猪俣は指摘する。

こうした発想に対して猪俣が対置するのが、すでに何度も強調してきた「世界帝国主義における特殊性」としての政治反動である。

「結語」骨子（一）で明記されていたように、国内外の「背腹両面の敵」に直面した帝国主義ブルジョアジーが、封建的勢力と「決定的闘争」を敢行し得ず「妥協」を余儀なくされた結果であり、反動は「反動化した帝国主義ブルジョアジー」によるものだ、というのが猪俣の主張である（同前三二頁）。

なお「反動」の分析に関して、猪俣は次のように強調している。


「反動は、金融資本や絶対主義勢力と固定的機械的に結びついているのではない。一定の時処における反動の性質は、経済的政治的情勢に含まれる矛盾対立の特殊の特質によってのみ決定される。従って、反動に対する抗争、政治的自由の闘争において、何を目標として如何に闘うべきかもまた、同じ矛盾対立の特質によってのみ決定されねばならない」（同前二六頁）

これは、猪俣の基本的な思想方法・分析方法を示したものとして、注目する必要がある。

イデオロギー装置の重視

そこで重要となるのが、「結語」骨子（五）が指摘する「反動イデオロギーとの闘い」である。

猪俣が、日本における封建遺制には物質的基礎がなく「制度・イデオロギーとして存在する」（同前一五頁）というのは、「イデオロギーにすぎない」として政治反動との闘いを軽視するということではない。逆である。「政治にあっては、特にイデオロギーが重要である」（同前三三頁）と猪俣は強調している。とくに、農村共同体を基盤とした伝統的な社会が近代的な社会に移行していくためには、共同体から離れた一個人が、首尾よく国民として統合され得るか、あるいは勤労者として工場に動員され得るか、が退っ引きならない政治課題となる。

イデオロギーは、そうした統合や動員のための有効な装置に他ならない。

旧勢力との妥協を通じて政権についたブルジョアジーは、「好んで封建的絶対主義的イデオロギーを利用」（同前三四頁）しようとするわけだが、ここで猪俣は重要な指摘を行っている。


「中世的絶対主義は、イデオロギーとして根強く残っている。――日本ではまことに異例的根強さをもって。だが、その点についても吾々は、絶対的支配服従のイデオロギーの組織的詰め込みが、画一的普通教育の根本義として確立強行されたのは、明治の初年以来の事ではなく、帝国主義ブルジョアジーの誕生以来のことであるのを忘れてはならない」（同前二一頁）

これは、「根強く残っている」とされる絶対主義的イデオロギーが、旧勢力の残存によるものではなく、新たに登場した帝国主義ブルジョアジーによって再編・再構築されたものであることを物語っている。反動イデオロギーとの闘いは「重要な闘い」であるが、その場合にも、「支配的ブルジョアジーに対する闘いであるという認識……をもって闘う時にのみ、小ブルジョア改良主義と闘うことができる」（同前三四頁）と猪俣は強調するのである。

歴史的類推に対する批判

雑誌『マルクス主義』の「誤謬」を招いた事情の二点目である「無造作な歴史的類推」は、ロシア革命の経験の普遍化・一般化という方法論と不可分の関係にある。

これは、ロシアにおける革命が二段階の革命を経たということを基準として、日本の現状がどの段階に該当するか——第一段階か第二段階かという二者択一的選択を問題にする発想である。

猪俣が、ロシア革命の直後にその「型」の普遍化に懐疑的だったこと、さらに、「コミンタンの批判を読む」において、日本におけるブルジョア民主主義革命は社会主義革命と「切り離せない」と強調していたことは、すでに見た通りである。

これは、先の二者択一的な問題設定に、そもそも与していないことを示している。*

＊第一次共産党の石神井会議で「第一か第二か」が議論された際、議長だった猪俣は自身の見解を表明していないので、そ

の時点の猪俣のスタンスは明らかではない。

ロシア革命を基準とした問題設定ではなく、日本における独自の戦略規定に向けて猪俣が設定するのは、次のような問題群であった。

（一）日本の無産階級は（「何に向かって」にとどまらず）「何とともに」闘うべきなのか？
（二）日本における革命戦略はロシア革命のそれとどう違うのか？
（三）日本のブルジョアジーの戦略はどういうものか？　それに立ち向かう戦略はどういうものか？
（四）日本における革命闘争においては何が勝敗を決するのか？
（五）日本におけるブルジョア民主主義革命と社会主義革命の関係は？
（六）日本におけるブルジョア民主主義革命の特質は何なのか？　プロレタリアートにとっての意義は何なのか？――等々。

これらは、机上の想定問題ではなく、具体的な闘いの渦中で直面する実践的・戦術的課題に他ならない。「政治的地位」の独自性は、主張の内容以前に、これらの問題設定に求められると言っても過言ではない。

「何とともに」闘うか

猪俣は、戦略規定において重視するのが「何とともに」闘うかという問題であり、それを正しく認識し得ないということが『マルクス主義』批判の一つの論点であった（同前二三頁）。

言うまでもないことだが、階級闘争といっても、現実には中間的な諸階層が複雑に絡み合い、どの階層を味方につける、あるいは中立化できるかどうかが、勝敗の行方を左右することになる。そして、そのことは対峙するどちらの階級にとってもいえることである。

猪俣によれば、ロシア革命当時、政権をめざすブルジョアジーにとっては、支配者たる地主・貴族に反抗する農民の獲得が戦略的課題となっていたのに対して、ブルジョアジーに対立するプロレタリアートにとっては、ブルジョアジーを農民から切り離し孤立させることが課題となっていた（同前二八頁）。

では、日本はどうか。

猪俣は、「歴史的類推」について、次のようなロシアと日本の質的差異を見落としていると指摘する。

（一）ロシアでは絶対主義勢力が政治的実権を握っているのに対して、日本ではブルジョアジーが握っている。

（二）ロシアでは、ブルジョアジーと絶対主義勢力が基本的対立関係にあるのに対して、日本の絶対主義勢力は統一勢力として実在せず物質的基礎がない（同前二八頁）。

従って、農民と切り離すことでブルジョアジーを孤立化させるという戦略は通用しないことになる。「類推」によらずに「何とともに」闘うかを、独自に規定することが求められる。

戦略点としての小ブルジョアジー

そこで猪俣が行うのが、本質規定や経済決定論的な階級論ではなく、各階層の〝政治的地位〟に着目した具体的な階級分析である。

中でも着目するのが、「農村セミ・プロレタリアートの反抗」と「都市小ブルジョア層の分化と反抗」であった。

猪俣は、「日本の農民の六〇～八〇％はセミ・プロレタリア層である」と述べる一方、日本の小ブルジョアジーの反抗は、「先進諸国の資本主義的発展の初期に見られる小所有者階級の運動とは全く本質を異にする」と指摘し、小ブルジョアジーを二つの層に区分けする。

（一）上層小ブルジョアジー＝小経営の所有者。上級サラリーマン、自由業者。大資本に依存し改良主義的幻影に基礎づけられており、プロレタリアートの革命主義に反対。一九一四～一五年のデモクラシーの指導勢力。ブルジョアジーの政治的支柱に。

(二)下層小ブルジョアジー＝プロレタリア化すると同時に、家族主義によって失業者の収容機関として窮迫を深め、借家人運動など反抗も。下層サラリーマン＝有業者の三分の一はセミ・プロレタリアート層。米騒動として現れた大衆的反抗の担い手であり、プロレタリアートの政治的戦線に加わる可能性。*

*同前一三頁。なお、ここで猪俣は、高橋亀吉が「農民及び小ブルジョア階級に含まれるセミ・プロレタリア層を全く無視していること」を批判している。

この区分けが重要なのは、それがブルジョアジーと無産階級の闘いの戦略点となるからである。猪俣によれば、ここから導かれるブルジョアジーの戦略は、地主・中農を通じて貧農を、上層小ブルジョアを通じて下層小ブルジョア層を自己の陣営に獲得することによって、「プロレタリアートを孤立せしめること」にある(同前一四～一五頁。併せて三二～三三頁も参照)。

したがって、「プロレタリアートとしては、この〔貧農以下のセミ・プロレタリアート〕大衆の支持こそが勝敗の数を決するものである。実に、プロレタリアートの戦術よろしきを得れば、上層小ブルジョアジーをさえ中立せしめ得るであろう」と猪俣は強調するのである(同前三三頁)。

「政治的地位」の「最終結論」

では、貧農や下層小ブルジョア層の獲得をめぐるブルジョアジーとプロレタリアートの闘いは、具体的に何をめぐって展開されるのか。

猪俣によれば、それこそがブルジョア民主主義革命であった。

その課題は、二つに大別される。

（一）土地問題の解決

（二）封建的遺制の一掃と政治的自由・デモクラシーの実現

ところが、これらの要求はブルジョアジーの手によって実現できないばかりか、「却って頑強に反対する」と猪俣は指摘する。「大衆的闘争の展開を恐れるからである」と（同前三四頁）。

絶対主義勢力に対するブルジョアジーの勝利を意味する「普通選挙」も、同時に、「小ブルジョア層の獲得によって無産階級を孤立化せしめんとする戦略の必然の出発点を意味する」と猪俣は強調する（同前三四頁）。

したがって、この時点の日本においては、土地問題の真の解決や徹底した政治的自由を求めるブルジョア民主主義革命は、プロレタリアートの「歴史的使命」とならざるを得ないことになる（同前三二頁）。

こうして、ブルジョア民主主義革命の課題は、プロレタリアートにとっての副次的とはいえ自らの任務となるわけだが、そのブルジョア民主主義革命の課題の闘い方が、プロレタリアートの闘いの勝敗を左右することになる。

猪俣が、帝国主義に対する闘争と結合して「一先ずブルジョア民主主義革命にカルミネートする「ピークを見出す」」というのは、まさしくこの問題の指摘なのである（同前三四頁）。

そして、猪俣は、この革命の「無産階級的意義」を次のように強調する。

「貧農以下のセミ・プロレタリア層とプロレタリアートの強き結合を実現し、上層小ブルジョアを中立化せしめ、もって支配的ブルジョアジーを孤立におとし入れ得るところにある」（同前三五頁）

実は、この一節こそが「政治的地位」の最終結論に他ならない。

絶対主義権力打倒説への批判として展開されてきた「政治的地位」が、単なるプロレタリア革命の主張ではなく、ブルジョア民主主義革命の闘い方とそれを通じたブルジョアジーの孤立化の主張で終わるのである。

もちろん猪俣が強調したのはプロレタリア社会主義革命であり、『労農』創刊号の「日本無産階級の一般戦略」ではこう述べられている。

「我がプロレタリアートは、その『政治闘争』を、民主主義獲得の為めの闘争に限る事は出来ない。主力をそれに集中してさえもならない。かかる闘争は、帝国主義に対する闘争――此の至要なる闘争――のうちに統合される時にのみ、プロレタリアート自身の闘争となるであろう」(『日本プロレタリアートの戦略と戦術』所収五〜六頁)

冒頭で、「政治的地位」の読まれ方に言及したが、多くの場合、この「最終結論」は無視され続けてきたように思われる。

例えば、戦前期の国家論や戦略論争に関するアンソロジーを編集した青木考平が、「政治的地位」の主張について、「天皇制国家の超然性は、もっぱら内部が未成熟なまま早期に帝国主義化した日本資本主義の国家資本的性格に求められ、金融資本(……財閥)の国内制覇・再編とともに、変質するはずのものとみなされているのである」(『天皇制国家の透視』一九九〇年、社会評論社二八四頁)と要約している。

この「変質」論が猪俣の主張とほど遠いことは言うまでもないが、それ以上に、「政治的地位」が全体として意図したものとの乖離に驚かされる。

それもそのはずで、この『天皇制国家の透視』には、猪俣の「政治的地位」も収録されているのだが、その肝となる後半部分が無惨にもすべて削除されているのである。

このことは、論争当時の枠組みは現在にまで脈々として引き継がれ、問われているのが、その主張内容そのものというより、それ以前の「方法の問題」であり「問題設定」のあり方であることを物語っているといえよう。

第五章　戦略論争と組織論争の展開　一九二八（昭和三）〜二九（昭和四）

〈一〉戦略規定をめぐる論争の展開

共産党批判の公然化と猪俣の立ち位置

一九二七年一二月の『労農』発刊は、共産党を支配してきた福本イズムに対する宣戦布告であった。創刊号に山川は「政治的戦線統一へ！」を、猪俣は「日本無産階級の一般戦略」と新島一作の筆名による「日本無産階級運動に関するテーゼ草案（一）」を発表した。

この「テーゼ草案」はその後三回にわたって連載され「未完」のまま終わったもので、その性格は明らかではない。『労農』スタッフだった橋本敏彦によると、ある日、猪俣の家で鈴木茂三郎、大森義太郎を含む何人かの会合があり、奥の座敷から出て来た猪俣の手にあった草稿は鈴木が書いたものだったが、「原文が一行も残らない位に訂正しました」――それが「テーゼ草案」だったという（前掲「聞き書・猪俣津南雄七」『図書新聞』一九七四年九月七日）。つまり、文責は猪俣にあったとしても、その内容は合議の結果であることが推察される。

いずれにしても、この山川と猪俣の文章が、『労農』グループのその後の方向を決定づけるものとなったのである。

猪俣は、その政治経済分析と戦略規定をすでに「現代日本ブルジョアジーの政治的地位」（『太陽』二七年一一月）で展開しており、この「一般戦略」はその要約版といえるものだが、ここでは戦略規定を次のように定式化している。

（一）主要目的――帝国主義［の打倒］

（二）［革命の］主要勢力――プロレタリアート

（三）第一予備隊――貧農

（四）第二予備隊――（a）都市のセミ・プロレタリア層、（b）［植民地］及び［支那］の［革命的］大衆

（五）主要努力の方向――民主主義的小ブルジョア層の無力化

（六）勢力配備の眼目――プロレタリアートと貧農の鞏固なる同盟*

＊『日本プロレタリアートの戦略と戦術』所収四頁　この定式化については後述。

この定式化でとくに猪俣が強調しているのが、「プロレタリアートと貧農との鞏固なる同盟」である。その理由として猪俣は、①貧農が広大な社会層を形成していること、②プロレタリアート自身は未だ多数者でないこと、③下層農民の嚮背《きょうはい》のみが帝国主義ブルジョアジーの［権力を脅かす］*、という三点を挙げているが、この点は、後に見るように、山川の協同戦線党論が「一切の反資本主義勢力」の結集を訴えているのとは大きく異なるといえるだろう。

＊この部分は伏せ字のため正確なところは明らかではない。

また、雑誌『マルクス主義』の主張に対する批判は、それまでのものとほぼ同様だが、ここでは批判の対象者の氏名（筆名）が明記されている。これは、『プラウダ』社説を受けて共産党に対する批判を公然化したものと考えられるが、同時に留意すべきは、猪俣がこの文章の「註」でこう書き加えていることである。

「私が『現代日本ブルジョアジーの政治的地位』の後半に展開した批判は、『的なきに矢を放ったもの』

であり、その意味に於て『虚構である』という批判があると聞いたから、本稿では特にその『的』を明らかにしておいた。但し、その『的』となった諸家の意見を批判するに当っても、『同一陣営内の見解の相異』としてそれを扱っている点においては、私のこれまでの態度と少しも変らない」*

＊『日本プロレタリアートの戦略と戦術』所収一〇頁　ただし、この「註」は、後に『現代日本研究』に収録される際には削除されている。

この「註」は、明らかに共産党の内部に向けられたものである。『労農』発刊による批判の公然化によっても、「同一陣営内」という態度に変わりはない、という表明は、単に「変らない」というだけでなく、テーゼが策定されたことで、党の方針転換＝福本イズムの克服の可能性が高まるという、期待の現れであったとも考えられる。しかしながら、この微妙な立ち位置をとり続けることは容易なことではない。「猪俣はしばしば苦悩にみちてこの時期を回想した」と高野は後に書いている（『日本プロレタリアートの戦略と戦術』序文ⅳ頁）。

テーゼを受けた共産党の軌道修正

では、「二七年テーゼ」を受けて、共産党の方針はどう変わったのか？

モスクワから帰国した代表団によって「テーゼ」が日本にもたらされたのが二七年一一月初旬。共産党がそれを議論するのは翌月に日光で開かれた拡大中央委員会である。

その結果、役員人事の交代（福本の辞任→渡辺政之輔が書記長に）とともに、いくつかの軌道修正が行われた。具体的には、（一）日本資本主義没落説の撤回、（二）日本の国家権力の規定の変更（絶対主義国家→資本家・地主のブロック）、（三）ブルジョア民主主義革命の位置づけの変更（ブルジョアジーの政治的支柱の打破→政治的自由獲得と土地制度改革）、（四）無産政党に関する方針の変更（日本労農党や社会大衆党に対する攻撃→労農党からの合同申し入れ）などである。

ところが、戦略規定の闘争目標に関しては、従来の「ブルジョア民主主義の徹底」がそのまま維持された。これは、猪俣たちからすれば、権力規定に関する軌道修正と矛盾するものであったが、後述するように、共産党の立場からすれば、「二七年テーゼ」の書きぶりは、戦略規定に軌道修正を迫るものではないと解釈され、この立場から、『労農』創刊号に対する批判が開始されたのである。

なお、「軌道修正」といっても、それは非公式の会議で確認されたものであり、それらは、その後の雑誌論文や具体的な行動を通じて初めて明らかになることであった。前述の通り、「二七年テーゼ」の全文翻訳が公表されたのは『マルクス主義』二八年三月号においてである。

『マルクス主義』による『労農』批判

雑誌『マルクス主義』二八年一月号は、渡辺政之輔「一般戦略の決定的重要点について」、佐野学「歴史的過程の発展」を掲載した。これまでの論争とは異なり、「二七年テーゼ」の確定と共産党の再々建、そして『労農』の発刊という、新しい局面を迎えての論争の展開であった。

渡辺は「一般戦略の決定的重要点について」の冒頭で、『労農』同人の一部の先輩に対して敬意を示しつつも、二六年末の理論闘争において逃避的な態度をとり、二七年夏のコミンテルン執行委員会の日本問題に関する決定に「急に力を得て、武者振いをはじめた」と指摘。その決議内容については「いま私の直接関するところではない」とし、『プラウダ』社説（「テーゼ」要約）の公表をめぐる悶着にも言及したうえで、『労農』による『マルクス主義』批判について「コミンテルンの権威を乱用することは断じて日本の労働者階級および世界の労働者階級が許さない」と強調している。

もちろん渡辺は、モスクワでの「テーゼ」策定に「直接関わる」メンバーの一員だったわけだが、帰国して目の当たりにしたのは、あろうことか、その「テーゼ」に依拠しながら非共産党員たちが『労農』を起ち上げ、本家本元の共産党に刃を向けているという光景だった。これは、「テーゼ」を日本に持ち帰った渡辺たちにしてみれば、まさしく「権威」と沽券に関わる大問題であり、「許さない」という感情がわき起こったのもある意味で当然だったといえるのかも知れない。

渡辺がこの論文でとくに強調したのは、次の点であった。

（一）今日の我が国が独占的金融資本の時代にあることに異論はないが、見逃してならないのは、日本において農村の資本主義化が極めて遅れ、封建的搾取関係が依然として存在していること、それが国家機構の中に強く反映されていることであり、我々が闘う政治権力は資本家と地主のブロックでなければならない。

（二）我が労働階級は、封建的搾取関係につながれている農民に土地を与え、封建的遺制に縛られている大衆に政治的自由を与えるために、ブルジョア的民主主義を徹底的に戦いとらねばならない。それでなくては、資本主義制度の廃止はできない。

（三）我が無産階級は、当面の闘争目標を徹底的デモクラシーにおかねばならぬ。一足飛びに帝国主義の打倒を遂行しようと考える『労農』同志の見解こそ笑うべき左翼小児病である。

一方、佐野は「歴史的過程の発展」において、山川の見解に対して次のような点を指摘した。

（一）わが資本主義にまつわる具体的、特殊的事情を認識せず、歴史の普遍的進行をただ抽象している。

（二）金融資本の政策は、ただちに政治の全像と見誤られている。

（三）帝国主義ブルジョアジーを直接の闘争対象とすることは、必ずしも純粋のブルジョア独裁が行われていることを意味しない。

（四）生産関係・政治関係における現実の地主の地位・役割を完全に見落としている。
（五）土地問題が、たんに公式的に理解されるにとどまり、その深刻な歴史的意義が見落とされている。
（六）農民の地位が正当に理解されず、その役割がたんに副次的に理解されていたにすぎない。
（七）プロレタリアートが何ゆえに農民とブロックを結ぶことを強制されているかの必然的根拠を正当に理解されていない。
（八）民主主義的要求が、必然的な根拠にもとづかずして勝手にとりだされている。
（九）直接の闘争対象が資本であることも当為的に説明されているにすぎない。

また佐野は、ブルジョア民主主義革命は「内的発展の必然」によってプロレタリア革命に発展するので、まずは前者を闘いの主要目的とすべきだ、とも主張している。

猪俣による反批判

これに対して、猪俣は『労農』二八年二月号と三月号に掲載された「日和見主義的戦略か『戦略的』日和見主義か」で反論を試みている。

猪俣はこの中で、「政治的地位」などの従来の主張を要約しているが（『日本プロレタリアートの戦略と戦術』所収四〇～四二頁）、率直に言って冗長とも言えるこの論文で、とくに目新しい主張を展開しているわけではない。

つまり猪俣は、指摘された批判については、これまでの論文ですでに説明済みだという立場から、渡辺や佐野が権力規定を修正しながら戦略規定は旧来のままである、という論理的な矛盾を衝くという論争戦術をとるのである。

政治支配の実権が、絶対主義勢力ではなく帝国主義ブルジョアジーの手中にあると軌道修正をしたのに、闘争の主要目標が、なぜ帝国主義ブルジョアジーではなくブルジョア民主主義の獲得なのか――この点について猪俣はこう茶化している。

「真理は氏等をさし招いている。だが、何物かが氏等の袖を押える――『まあ待て、とにかく労農一派をやっつけなけりゃ』（？？）真理を掲げて無産階級の勝利の道を明示せんよりは、先ず『労農一派を叩きのめす』（船橋氏）に如かず矣!!」（同前四八～四九頁）

というわけで、闘争目標に「労農一派」と同じものを掲げるわけにはいかず、かといって絶対主義とするわけにもいかず、苦し紛れに持ち出してきたのが「ブルジョア民主主義の獲得」だった――これが猪俣の推測である（同前四九頁）。

この論文で全体として目立つのは、他の論文では見られないスターリンやレーニンの引用の多さである。

この点に関連して猪俣は、後年、人民戦線事件（一九三七年）で逮捕された際に提出した「上申書」の中で次のように述べている。

「この分裂主義並に［無産政党の――引用者］合同反対の論拠たる戦略論を覆す為には最も効果的論争方法をとる必要があり、それには彼等が盲目的に信奉するスターリンの公式*を一応正しいものと仮定しその公式を日本の場合に適用すれば日本無産階級の戦略は必然に彼等の戦略と異なることを論証するという方法をとるのが最も効果的でありました。若し、其他の方法をとるならば、彼等一流の論法を以て批判者を攻撃し、それはブルジョア的批判（或いは小ブルジョア的批判、社会民主主義的批判）に過ぎないと一概に排撃し去ることは必定で、而も此種の排撃が当時の無産運動の活動分子の容易に受容れる所となり批判の目的を達し得ない結果となるのでありました」

*スターリンが『レーニン主義の基礎』の中で示したもの。それを日本に適用する最初の試みは和田叡三［＝村山藤四郎］「議

会請願運動について」(『マルクス主義』二七年四月号)であり、猪俣がこの定式を「無産階級の一般戦略」で用いていることは前述の通りである。

ここで「覆す」といわれているのは、単なる論破ではなく、スターリンの定式を借用しつつ軌道修正を促す姿勢と解される。

すでに指摘した「同一陣営内」の批判という姿勢を、ここでも読み取ることができるのである。この長い論文を締め括るに当たって猪俣が投げかけたのも、自己の主張の繰り返しではなく、再考を促すために不可欠の問いかけのリストであった——①政権転移の問題を如何に解決するのか? ②ブルジョア民主主義の獲得を主要目的とした場合の「主要努力の方向」は? ③帝国主義の打倒なくして、如何にしてブルジョア民主主義の獲得を遂行し得るのか? ④「内的発展の必然」とは、一つの革命段階の完了がおのずからなる次の段階への発展を意味するのか? ⑤一九一七年三月のロシア革命によって、封建的残存物はすべて除去されたのか? それ故に帝国主義の打倒が主要目的になり得ないというのか? 等々。

論争はその後も続くのだが、これらの問いかけに対する答えが示されることはなかった。猪俣のいう「同一陣営内」の論争は、いわば〝片思い〟に終わったといえるだろう。

〈二〉 混迷深める無産政党合同問題

労農党の合同提起とその波紋

一方、「二七年テーゼ」は、分岐していた無産政党の合同に向けた方針を提起しており、それまで日本労農党や社会大衆党を攻撃していた労農党の方針転換を促すことになる。

猪俣の労農党入党申請に対して「暫く遠慮」を申し渡されていた件については、その後加入が認められたものの、それは「形式的な」ものにとどまったという（「労農戦線の進出的再建へ」『労農』二八年八月号、九月号〈『日本プロレタリアートの戦略と戦術』所収一五〇頁〉）。

共産党が一一月一五日付『無産者新聞』に論説「すべての労農政党合同協議会を提唱す」を掲げると、事態は次のように推移した。

労農党が日本労農党に合同協議会を提唱することを決定（一一月一八日）→日本労農党は「宗派的分裂主義・福本主義、同主義者の徹底的排除」を単一絶対条件とする「統一に関する提議」を決定（二〇日）→労農党の大山、細迫が日本労農党を訪れ、「指導精神にこだわらざる」を主張（二五日）→話し合いは物別れに終わる。

つまり、政党合同に関する路線転換は　わずか一〇日で挫折してしまうのである。こうした動きは、当然のことながら労農党内の路線対立を呼び起こすことになった。

猪俣は、一二月五日に執筆の「何から始むべきか」（『改造』二八年一月号）で次のように指摘している。

「宗派的分裂主義……の一派は、自己のいわゆる『戦闘的統一』への指導方針……の完全なる破綻の到来に脅かされ、なんらの準備もなく、なんらの成算もなく、急遽、合同を提起することによって、自己の危うき立場を有利に転回せんと試みた。……この誤謬を公然と清算してもって真に左翼的指導分子たるに恥じざる自己を立証せんとする代わりに、『情勢の変化』に藉口して従来の『戦闘的統一』主義の誤謬を覆わんとしているかに見られる」（『横断左翼論と日本人民戦線』所収一一九頁）

だが、同時に猪俣は、この合同提起が「分裂主義の放棄を意味する限りでは絶対に正しい」とし、労農党の先進分子、大衆の任務として、「速やかに、直接に日労党および社会民衆党の先進分子、大衆と結びつくこと」を訴えている（同前）。

さらに猪俣は、『労農』二八年一月号に寄せた「階級的政治新聞の役割」の中で、日労党との合同を提起した『無産者新聞』の読者に対して、セクト主義の克服に向けて立ち上がるよう呼びかけている（『日本プロレタリアートの戦略と戦術』所収一七〜三二頁）。

ここにも、先に見た「同一陣営内批判」というスタンスが貫かれているのを見ることができ、この点は、山川らとの基本的な違いといえるだろう。

共産党弾圧と再建への模索

以上のように、前衛党再建に向けた猪俣の苦悩に満ちた模索が続いていたわけだが、二八年三月になって事態は急変する。

言わずと知れた、共産党大弾圧である。

二月二〇日に実施された日本最初の普通選挙において、無産政党は八議席を獲得し、民政党と政友会の議席がほぼ同数となったことから、議会運営におけるキャスティング・ボートを握ることになった。

それから間もない三月一五日、共産党に対する大規模な弾圧が強行され、逮捕者は二〇〇〇人にも上った。

さらに、四月一〇日には追い討ちをかけるように、合法組織である労農党、日本労働組合評議会、無産青年同盟に対し、解散命令が下される。

普通選挙と治安維持法は、ともに一九二五年に制度化されたものだが、まさしくその施策の発動であり、猪俣が「政治的地位」で指摘していた、小ブルジョアジーの獲得を通じたプロレタリアートの孤立化という戦略の発動であった。

こうして、無産政党の合同どころか、政党そのものを再建し、しかも並行して共産党の建て直しを図るという、二重の課題がのしかかることになったのである。

ところが、この危機的な局面に至っても、旧労農党内の対立はそのまま持ち越されていた。

つまり、『労農』グループ（弾圧で入獄した荒畑に代わって猪俣が世話人に就任した）が、弾圧への抗議を単なる抗議に終わらせず、政治的日常闘争の休止を避けるために、あらゆる合法的可能性を利用し、労農党の大衆を、急速に労働者と農民の合法的大衆的共同戦線党に組織しなければならないと主張した（「共産党受難の政治的意義」『文藝春秋』二八年六月号（『横断左翼論と日本人民戦線』所収一五四頁参照））のに対し、共産党系グループは、「百度解散・百度結党」を叫び、「戦闘的政党の戦闘的獲得」に向けた新党準備会を結成した。

後者の主張は、合法的無産政党の結成の可能性を放棄するものであったため、猪俣は新党準備会の有力幹部に「労農党を守るために協力したい」と会見を申し入れたが、受け入れられなかった（『日本プロレタリアートの戦略と戦術』一五〇頁）。

無産大衆党結成とその意義

こうした状況を打開すべく、黒田、鈴木、大道らは、全国的に連絡をとりつつ、まず千葉、秋田、神戸などで無産政党を立ち上げ、七月二二日に地方政党と東京の諸団体が合流して無産大衆党を結成した。

猪俣は、『労農』八月号、九月号（号外）に「労農戦線の進出的再建へ」を執筆し、この無産大衆党結成の意義を高く評価するとともに、その先の課題について、各党の先進分子に訴えかけた。

猪俣は、まず冒頭で「二七年テーゼ」の一節を引用し、戦略的課題遂行のための「貧農との結合」を強調する。そして、今日までに日本の無産階級がかち得た「最大成功の一つ」として「農民階級との政治的『共同戦線』の樹立」「労働者農民政党の結成」をあげ、この無産政党は「必然に前衛党ではなく合法的大衆政党として存在する」と指摘する（『日本プロレタリアートの戦略と戦術』所収一三四頁）。

その上で、三月の共産党弾圧、四月の労農党などの解散という危機に直面して、いま求められているのは単なる再建ではなく「進出的再建」でなければならないと強調する。

猪俣は、無産大衆党の結成を「危機克服への躍進的巨歩」とした上で、こう述べる。

「すくなくとも無産大衆党は、合法性奪還の幟旗であり、右傾潮流への堰堤であり、政治的日常闘争の大衆と左翼分子とを結ぶ靱帯であり、あらねばならぬ」（同前一五二頁）

このように、合法性に力点が置かれるのだが、それは決して「当為」として主張されているのではない（同前一四三頁。「当為」は「（無条件に）かくあるべし」の意）。

猪俣は「合法主義」を「反動支配への屈服」として批判するとともに、「左翼分子を排除するものであってはならない」ことを強調する（同前一五二頁）。

猪俣が合法性を強調する根拠の一つは、当面する情勢が、日常的闘争以上に飛躍するまでに傾いていないことである（同前）。

だが、それと同時に強調されているのは、大衆の「右傾化」という現象が、経済的根拠をもたず、弾圧や左翼勢力の戦術的誤謬という政治的なものであり、「右傾化」の中にさえ「反発の力が内包されている」という可能性である（同前一五五頁）。

ここから、合法政党の即時獲得が、「大衆闘争の進出的再建のための唯一の戦術的端緒」として位置づけられる（同前一五二頁）。

つまり、「端緒」の先にあるのは、現時点では不在とされる「真の階級的指導勢力の形成」である。

これまでの宗派主義を克服して、統一戦線と前衛結成の「交互作用」の回路を獲得すること――それこそが「進出的再建」に他ならない（同前一五六頁）。

その意味で、無産大衆党は、あくまで「緊急的、過渡的な組織形態」ということになる（同前一六三頁）。

猪俣はこの論文の末尾で、次のように結論づけている。

「すべての無産団体の先進分子、前衛分子は、共同の闘争と運動とにおける同志的接触と結合によって強められる横断左翼運動を展開しなければならぬ。これらをして、全戦線を統一にまで押上げる桿扞《かんかん》たらしめると同時に、自己の階級的影響力を拡大せしめねばならぬ。この方向において、反動支配及び之と協力する社会民主々義者と戦い、大衆の右傾化と戦い、『左翼排除』と戦わねばならぬ。孤立に陥るな。大衆と結びつくために有らゆる合法的可能性を利用せよ。しかして、この弾圧に抗して統一戦線を獲得せんとする闘争の戦術的端緒は、奪われた左翼党下の労農大衆を即時政治戦線に動員するために不可欠緊急な、新しき左翼意識で武装した合法的大衆政党の即時獲得であらねばならぬ。／労農戦線の進出的再建へ！」（同前一六四頁）

こうして、猪俣は、新党準備会を「新党を結成する準備会」の方向に転換させていくことを、無産大衆党のみならず、新党準備会の先進分子に対しても訴え続けるのである。

新党準備会に対する反批判

その新党準備会は、無産大衆党の結成に際して声明を発し、「官許党」「合法主義」「社会民主主義」などのレッテルで批判した。

弾圧後の対立状況からして、こうした批判は折り込み済みであったとしても、新党準備会による新党を含めた戦線統一を展望していた猪俣にとっては、放置できないことであった。

猪俣は、先の「労農戦線の進出的再建へ」でこう指摘する。

「新党準備会は、本来、無産大衆党がすでに遂行し、また遂行せんとする任務と同一の階級的任務をもっていた。新党準備会は、その私的な昂揚や面目や縄張り意識に囚われ、戦術的な陣容転換を拒み、新党を組織し得ざる新党組織準備会としての存在を続けんとすることによって、無産大衆党と対立せんとする」（『日本プロレタリアートの戦略と戦術』所収一五三〜四頁）

また、「社会民主主義」というレッテルについては、それとの戦いが「小ブルジョアジーの無力化」という戦略上の「主要努力の方向」から来ていることを強調し、ブルジョア民主主義の獲得を主要目的とする一派は上層小ブルジョアジーと同盟することになり、「何故に戦うべきかの特殊具体的な理由を知らず、どこにあるかも知らない」と反批判している（同前一五四〜五頁）。

猪俣は、共産党や労農党などに対する弾圧に際して、「共産党受難の政治的意義」（『文藝春秋』二八年六月号）などの論文で厳しく抗議しているが、同時に共産党に対して、その「未熟」さや「ブルジョア的個人主義、自己中心主義、……反階級的利己主義」などを指摘し、こう述べている。

「したがってまた彼らは、かかる短所の自己克服の必要を意識してそのために努力することなしに、いたずらに当面の指導欲、支配欲に駆られやすい。だが、それに駆られてひたすらに浪漫的英雄主義や左翼崇拝主義に訴えつつ、一気に『前衛』的指導体をつくろうとする自己中心主義の運動は、必要以上の対立闘争にとらわれて大衆と結びつかないセクトをつくるのみであろう」（同前（『横断左翼論と日本人民戦線』所収一五八頁））

猪俣にしては手厳しい表現だが、これらは相手を貶めるためのレッテル貼りではない。これらの克服なしに「再建」はあり得ず、「同一陣営内批判」の立場で批判を展開してきた猪俣にとって、まさしく「自己克服」が突きつけられていたからである。

それにしても、大弾圧に直面した最中におけるこうした指摘は、「自己克服」がいかに困難かつ深刻な課題であるかを物語るものといえるだろう。

政党合同の具体化と『労農新聞』の発刊

無産大衆党の結成は、一時は頓挫していた無産政党合同に向けた動きを加速させた。

猪俣がとくに注目しているのは、日本農民組合と全日本農民組合の統一による全国農民組合の結成、労働運動における全国労働組合準備会の動きであり、中間派組合、右派組合内における先進的労働者や青年労働者たちの活発な動きである。

それに連動して、日本労農党、社会民衆党の統一推進派の動きも活発になり、一二月五日に、五党による統一準備会が開催され、一二月二〇日には、さらに二党を加えて日本大衆党が結成される。

こうした動きの渦中である一一月、新たに発刊されたのが『労農新聞』であった。タブロイド版、当初は毎月、後に隔週で発行された。

鈴木茂三郎はこのように回想している。

「……それ［山川と猪俣の意見の相違］がそのまま放置されているうちに、猪俣は「労農」の「労農新聞」（昭和三年一一月一五日発行、月三回）を発刊することになった。……

「……「新聞」とその活動のいっさいの経費は猪俣の稿料、印税でまかなわれた。彼の努力はすばらしかった。戦線の現場指揮にもあたり、やがて「労農新聞」は「労農」より先行するかたちとなった。彼はこうして健康を損ねたのではなかろうか」（『鈴木茂三郎選集・第四巻』一二六頁）

猪俣は、自らの運動＝組織論の具体化に向け、各党、各組合の先進分子の相互の結びつき、大衆との結びつきという課題を遂行する手段の一つとして発刊に踏み切ったと推測されるが、その紙面が、後に物議を醸し出すことになる。

新党準備会の玉砕戦術

では、新党準備会の方はどうなったか？

無産大衆党の結成は、それを批判していた新党準備会内にも大きなインパクトを与えずにはいなかった。政党合同に向けた気運の高まりと具体的な動きの進展の中で、新党準備会内にも新党結成の主張が強まり、一二月に新党の結成大会を開く段取りとなった。

ところが、コミンテルン第六回大会（七～九月・モスクワ）に出席していた市川正一らが帰国すると、方針は再転換する。

このコミンテルン大会で決議された「植民地半植民地における革命運動のテーゼ」では、「労働者農民党は、その性格がある時期にどんなに革命的であっても、容易に通常の小ブルジョア政党に変質するから、共産主義者はそのような政党の組織を勧告してはならない」とされていたからである。つまり、「植民地半植民地」に関する規定が、そのまま日本に持ち込まれてしまったのである。

一二月二四日に開かれた労働者農民党結成大会では、君主制廃止を除く日本共産党のスローガンすべてを掲げるという玉砕戦術がとられ、新党はその場で解散を命じられてしまう。

市川は、後にこう記している。

「この［新党結成の］流れを共産党の大衆化のために利用しようという方針をとった。大衆は単にこの時も宣伝のみによっては一般の労農政党のもつ傾向をすてさせるということはできない、わが党に一挙にして参加するということはできない、この革命的結党に向かって進んでいる大衆をして、その結党運動を押し進めてブルジョア政府と衝突せしめ、かれら自身の経験によってブルジョアジーの国家権力と抗争しうる真の党は、かくのごとき労働者農民の寄合世帯での党ではない、そういう党にはもとむることはできない、共産党でなければならぬということを学ばしめること、これがその当時において我々のとった根本方針であったのである」(市川正一述『日本共産党闘争小史』一九四五年、暁書房一七五頁)

幹部の「自己陶酔」「面目」や「当為」が「大衆の日常闘争組織」を奪ってしまう——猪俣がもっとも怖れていたことが起きた瞬間であり、同時に、「左翼排除」に抗して全戦線の統一を実現するという構想が挫折した瞬間でもあった。

日本大衆党における清党問題

日本大衆党の結成は、新しい時代を画する「無産階級の勝利」(猪俣)と目された(「劃《かく》時代的闘争の展開へ」『中央公論』二九年一月号(『横断左翼論と日本人民戦線』所収一八三頁))。

中央執行委員には、黒田寿男、鈴木茂三郎、加藤勘十らが名を連ね、猪俣も堺利彦とともに中央委員に就任した。

ところが、ここに新たな問題が発生した。新党の幹部の麻生久と平野力三にまつわるスキャンダルである。

一つは、平野がこの合同に際して、皇室社会主義を綱領に入れることを約束し、宇垣一成陸軍大臣から五〇〇〇円を受け取ったというもの。

もう一つは、麻生と平野が、総理大臣で海軍大将でもある田中義一と会い、張作霖問題に関する政府案について議会で「合流すべき約束」と引き換えに多額の金品を受け取ったというもの。

二九年一月に、福田狂二が主宰する『進め』と、高畠素之が主宰する『やまと新聞』がこの問題を報じた。事実とすれば大問題であり、党内からも批判が巻き起こった。

ただし、福田狂二は曰く付きの人物で、この暴露報道の信憑性も疑われていたこともあって、猪俣自身は当初、この問題に対して慎重な構えであった。

二八年の大晦日に福田の来訪によりこの件を知った猪俣は、年明けに改めて面会し、その場で自らの見解を示した。

その内容は、『進め』社が一月一八日に実施したアンケートへの回答として公表された。

それによると――この問題は事実が存在すれば「階級的立場から見て議論の余地ない問題」だが、「単に情況証拠によって事実を推定し得るというだけでは、運動としては失敗する性質のもの」であり、推定をもって排撃を始めるならば、「最も善意の運動が、むざむざ敗北し、かえって階級的損失を招く」と断定している。その上で、「十分な準備」「実証を握ること」「党内革新（分裂防止）」などの点を強調し、「拙劣な運動方法」に対して警鐘を鳴らすとともに、革新運動が結果として党の破壊運動になってはならず、「僕は、そういう方向をとる運動を推し進めるわけにはいきません」と明言している（「清党問題に関するハガキ回答」（『横断左翼論と日本人民戦線』所収一八七～八頁））。

だが、猪俣が主宰する『労農新聞』の論調は、批判的なトーンを強めていく。

第四号の「主張」は、「先進分子の任務」の一つとして、「旧諸党に纏綿《てんめん》せる好ましからぬ伝統が急速に清算されること」「党内に批判の自由を確立し、少数派の見解と雖も、階級的に正しきものは最大限度に党の実際の行動に反映されること」（『労農新聞』二八年一二月二一日号）を訴える。

それに続く『労農新聞』の主な見出しを拾い出して見よう――。

・「平野麻生君等に関する疑惑は大衆の面前で糾明」「党の機関によって堂々と事実の調査から」(二九年二月五日)

・「統一政党の階級性の為にダラ幹分裂主義と戦え」「平野等がモミ消せばモミ消すだけいよいよ深まる疑惑」(二月二〇日)

・「売渡されんとしつつある日本大衆党の階級性」「平野一味の醜取引は暴露された　大衆の力で裏切者をタタき出せ」(二月二〇日号外)

・「汚辱と密謀の泥沼から日本大衆党を救上げろ　即時臨時大会の開催だ!」(三月五日)

・「大阪に島根に　党刷新の声挙がる　婦人同盟も徹底的大衆的糾明を要求」(三月二〇日)

・「動脈硬化症に陥れる日本大衆党の危機　党大会即時開催!　ダラ幹放逐!」(四月一〇日)

・「見ろ!　臭幹平野はこんな策謀をやっている!」「党員大衆よ起て!　臭幹一味を掃蕩しろ」(四月二五日)

・「たたき殺しても尚足らぬ　臭幹平野を除名しろ」(五月二〇日)

・「分裂の危機に面して労農大衆に檄す　最初の統一党の階級性を守れ」「大衆党分裂反対同盟　全国実行委員会開催」(六月五日)

・「河野、田所の策謀を排して分裂反対の旗は挙る」(七月一五日=最終号)

清党運動の帰結

このように『労農新聞』の紙面は日増しにエスカレートしていったが、清党運動の広がりが猪俣の〝主導〟によるものだったかというと、必ずしもそうとは言い切れない。

第一に、猪俣自身は、二九年の年明けから体調が悪化し、三月には『労農新聞』の編集を退くとともに、* また、

『労農』をはじめとする雑誌への寄稿も一一月まで中断している。

＊『労農新聞』の編集会議が堺利彦の自宅で開催されていた記録も残されている（大原社会問題研究所蔵の『労農新聞』ファイルにある会議開催通知）。

第二に、上記の『労農新聞』見出しにもあったように、五月一日に結成された日本大衆党分裂反対統一戦線同盟は堺利彦を委員長とし、黒田、鈴木も加わるなど、『労農』グループ内で一定の広がりを見せていた。

すでに見たように、猪俣は警鐘を鳴らしていたわけだが、批判の声が強まっていく中で、これを抑制したり、押しとどめることはもはや困難な状況になっていたのであろう。

この運動の結末は、日本大衆党からの平野の除名にとどまらず、猪俣、黒田らの除名であった（五月一八日）。猪俣は、後に荒畑にこう語ったという。

「清党問題はやむにやまれぬ成り行きであった。結果から見れば失敗であったに違いないが、右翼幹部の反階級的行為が暴露された以上、われわれとして黙過することは許されなかった」（『新版　寒村自伝・下巻』一九六五年筑摩書房一六五頁による）

この問題は、『労農』グループ内にも波紋を呼び起こし、山川の同人脱退を誘発していくことになる。

〈三〉労働戦線再建の試みと『労農』脱退

挫折した「全産」結成

一方、労働組合運動においては、評議会解散後の再建が課題になっていた。

ここで論点となっていたのは、無産政党再建の議論と同様、新たに作るべき労働団体を合法的なものとするか否かで、共産党系の一部が非合法組織とすることを主張したのに対して、高野実ら『大衆』や『労農』の系統に属する労働者は、合法と非合法の両面作戦を主張した。弾圧が激しくなれば非合法にならざるを得ないかも知れないが、できる限り合法性を追求するという方針である。

この後者の主張は、一九二九年になって、山川、荒畑、鈴木、猪俣等の協力を得て、「全産業労働組合全国会議」（全産）の結成として具体化していった。

高野によると、この組織の名付け親は猪俣で、規約、綱領、運動方針案に手を加えてくれたのも猪俣だった（『高野実著作集・第5巻』四七八〜九頁）。

運動方針案は高野が起草したものだが、「情勢分析が、福本イズムのお経文句でないばかりか、合理化の具体的事例をあげ、『搾取の型に副う』闘い方を強調し、合法、非合法の両刀使いで、職場全員の統一方式を強調し、地域の『左』勢力の共同をも主張していた」ことで、「猪俣からほめられた」という（同前）。

『労農新聞』第一六号（七月一五日）は、結成大会が七月二一日に開催されることを報じ、こう訴えかけている。

「吾が左翼労働組合の公然たる姿が労農大衆の前に毅然として立つ日が遂に来た。白色テロが荒狂う三月に暴圧と奸計をハネのけて旧評議会再建旗押し立てた関東全産業労働組合を主体として、今や、全国到るところの実体ある左翼労働組合の結集はなろうとして居る。新たなる頑強な戦列が布かれ様として居る。関東東北関西九州に亘って、二十四個の労働組合を以て、来る二十一日東京協調会館に、左翼労働組合創立萬歳の歓声が挙るのだ」

このように、全産結成の動きは、関東だけでなく、東北、関西、九州でも着々と準備されていた。

ところが、ここで予期せぬ事態が起きた。

大会前日になって山川の態度が急変し、大会当日、会場に現れた山川は即座に退席した。『労農』社の名前で

「全産は『二重組合主義』の偏向をもつから解体せよ」というビラが撒かれた。さらに、山川の命により、鈴木、小堀、岡田らが影響力をもつ俸給者組合と新聞配達夫組合などが議場封鎖を行ったとされる。

こうしたグループの主張は大会に持ち込まれ、議論は紛糾した。この時の武田徹と岡田宗司のやりとりが議事録に残されている。

岡田：他の組合内にフラクションをつくって、なぜにこれを統制せんとするか。

武田：大衆運動だからといって、左翼的闘争の影響と組織を、他の団体に持ち込んではならぬという理由は一つもない。……これ［争議を売り戦かわない右翼幹部――引用者］に対して、いっさいの当面の大衆の要求をつねにもっとも勇敢に、百パーセントに戦かいぬくものは左翼労働組合のみである。だからかかる現実においてわが左翼労働組合が、徹底的に労働大衆の要求を代表し、闘争し、全体としての全労働階級の闘争力を高めるためには、かかる堕落幹部の組合内に積極的にわれわれの指導と、影響とをもちこむことがぜったいに必要である。……［右翼幹部の組合に――引用者］われわれの戦闘的闘争を組織的に持ち込めば、あるいは組合を混乱させ、除名による分裂をひきおこすかもしれない。……この混乱、分裂をおそれてわれわれの必要な闘争を拒否するがごときは、〝分裂〟よりもより以上の日和見主義といわねばならぬ。

岡田：私はこの闘争方針に絶対に反対するものである。第一に闘争方針は二重組合主義であること。第二に旧評議会の誤謬を、そのまま踏襲するものである。第三にフラクションを他組合に入れることは、分裂主義であり、他の組合の統制を破壊し、組合戦線を攪乱するものである（社会文庫編『無産政党史史料戦前後期』九二～九四頁）。

運動方針の提案を行った高野は、説明が終わるか終わらないかのうちに検挙され、三ヵ月間勾留されてしまう。高野はこう書いている――「その間に、労農派同人と系列下の地方団体と衝突した幹部と労働者はチリヂリになった。私が九月に出てきたとき、大半は『全協』に走っており、文書によると、私は除名されていたのである」(『高野実著作集・第5巻』四七八頁)

ここで議論の焦点となっている「二重組合主義」というのは、高野の説明によれば、さまざまな系統の組合から「有志参加を認め、二重加盟させ、……[情勢分析などの——引用者]専門部をおく、担当者をおく。……会費をとる」というものであった(同前四七九頁)。

ここで提起されているのは、単なる左派組合の再建でもなければ、単なるフラクション活動でもない。先進的な活動を展開する有志が、右派的組合を含め、系統の違いを越えて結集し、運動全体に対して影響力を広げていくという構想であり、その具体策であった。

そうした戦略構想が、フラクション活動の是非としてしか受け止められなかったところに、運動=組織観の根本的なズレの存在を認めざるを得ない。

大会前日の山川の豹変について、高野は「無礼者、裏切り者」と言ったと鈴木は伝えているが、新聞労組の委員長としてこの動きに加わっていた鈴木自身も、「なぜもっと早くいってくれない」「山川さんの養成してきたのは労働組合の主任で全産にはいっている」「えらい人はわれわれにはわからぬ」と不信感を露わにしている(『鈴木茂三郎著作集・第三巻』一四三頁)。

猪俣たちにしてみれば、労働組合再建の道は、非合法主義を貫く共産党だけでなく、『労農』グループの内側からも阻まれたことになる。

『労農』同人からの脱退

以上のような三・一五大弾圧後の無産政党と労働組合の再建に向けた挑戦は、所期の目的を果たせなかっただけでなく、『労農』同人内部の意見の相違を露呈する結果となった。
鈴木茂三郎は回想の中で、荒畑宅近くの大久保駅のベンチで猪俣としばらく話し、「『労農』を維持するため猪俣に脱退をすすめた」（『鈴木茂三郎著作集・第三巻』一五九頁）と述べているが、鈴木の説得が引き金になったというわけでは必ずしもなく、この回想は、鈴木と猪俣の間にも『労農』の位置づけについてズレがあったことを示すものとなっている。

こうして、猪俣は九月二三日付で雑誌『労農』同人から脱退する。

奇しくも、猪俣の代表的著作の一つである『現代日本研究』（改造社）の発行（九月一八日）と時を同じくするものであった。

『現代日本研究』は、猪俣の二六〜二九年の主要論文を網羅したもので、「経済情勢」「政治情勢」「戦略」「戦術」の四部構成。『帝国主義研究』（二八年一月刊）と併せて、猪俣の思想方法が結実した作品であった。

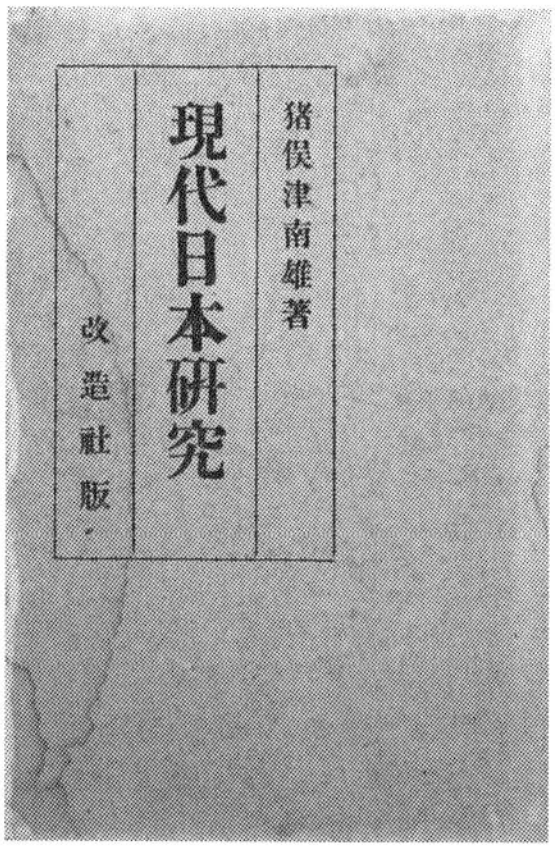

このように、一九二九（昭和四）年秋は、一九二一年以来活動を続けてきた猪俣にとって大きな転機となったが、ニューヨークの株価暴落に端を発した世界恐慌の勃発により、世界規模での転機でもあった。

この重大な危機に直面して、無産政党においても、労働組合においても、先進分子が一定の影響力を発揮し得る有力な合法的組織が再建されていないこと、そして、それらの活動と密接に結びついた前衛組織の結成が実現していないことが、その後の日本の社会運動にとって決定的な弱点となることは、誰の目にも明らかだった。

第六章　戦略的思考と横断左翼論

〈一〉戦略的思考――戦略論争が提起するもの

「第一か第二か」という枠組み

戦略論争というのは、いうまでもなく日本における革命戦略をめぐる議論であり、革命の指導勢力あるいは前衛を自認するかなり限られた人々による議論である。

事実、議論の出発点は、コミンテルンによる党綱領草案をめぐる共産党内における議論であった。

そして、その後、党が事実上「分裂」した後の議論も、旧第一次共産党メンバーを中心に、コミンテルンのテーゼを軸に展開していくのである。

議論の争点も、出発点の問題設定である「第一が第二か」――実際には単純な二者択一でなかったのだが――が引き継がれたといってよい。

そうした問題設定の前提にあるのは、一つは、革命というものが、第一義的には国家権力の階級間の移動／奪取として捉えられているという点である。

しかもその権力移動は、当時において支配的だった唯物史観にもとづき、生産力の発展に伴って古代→封建→

資本主義→社会主義と継起的に発展していく歴史的必然性によって起こるとされ、その革命を担う主体もその発展段階に対応した階級だとされていた。ここから、今の日本社会がどの段階にあるかによって、革命の目標も主体も自ずと決まってくることになる。

そして、もう一つは、一九一七年に起きたロシア革命が世界各国の革命運動に与えた多大な影響である。本書の「緒言」で見たように、初めての社会主義革命としてのロシア革命の成功によって、世界革命の指導部としてのコミンテルンの設立（一九一九年三月）、そしてロシア革命を雛形とする革命の定式化が進められていた。こうして、日本における戦略の議論も、コミンテルンのテーゼにもとづく「第一か第二か」の議論として開始されたのである。猪俣のいう「歴史的類推」（「日本帝国主義の現段階の問題」『帝国主義研究』所収、本書第四章参照）は、議論の出発点そのものだったわけだ。

「あいまいな」戦略規定？

戦略論争といわれるものは、一般的には闘争目標の違い――「ブルジョア民主主義の徹底」か「帝国主義の打倒」か――をめぐる論争とされるわけだが、猪俣が問題にしていたのは、そうした二者択一ではなかった。猪俣はこう強調する。

「ブルジョア民主主義革命をやるかやらないか、――そんなことは初めから吾々の問題ではなかった。ブルジョア民主主義のための闘争は、それが徹底せしめられるまで一貫して戦われねばならぬ。吾々の問題は実に如何にしてそれを戦うかにあった」（「プロレタリ戦略におけるブルヂョア民主主義闘争の役割（二）」『労農』一二八年一二月号（『日本プロレタリアートの戦略と戦術』所収一一四頁））

猪俣の戦略規定も、「定式」として単純化し切れるものではなかった。「定式」化を行った同じ「無産階級の一般戦略」（『労農』創刊号二七年一二月）の中で、猪俣は次のように規定している。

「日本に与えられた歴史的条件の下においては、ブルジョア民主主義［革命］の端緒は直ちにプロレタリア［革命］の端緒であろう。言い換えれば、プロレタリア［革命］はブルジョア民主主義［革命］の形態をとるであろう。両者は、二つの段階に引き延ばされる代わりに、一つの段階に圧縮されるであろう」（『日本プロレタリアートの戦略と戦術』所収一〇頁）

「二者択一」の視点でこの文面を読むと、およそ理解し難いものとなるに違いない。

かつて、『日本のマルクス主義経済学』という概説書で猪俣の章を担当した林健久は、この戦略規定を「二段階的一段階」と評してその「あいまいさ」を指摘するとともに、猪俣の政治経済分析に即するのであれば、後の「三二年テーゼ」のような「一段階」革命の規定になるはずだ、と述べていた（日高晋、林健久他著『日本のマルクス経済学者（下）』一九六八年青木書店四一頁）。

だが、それは猪俣の真意と程遠いばかりか、当時の論争の性格そのものを見誤ったものといわざるを得ないだろう。

「二七年テーゼ」の戦略規定

猪俣が強調した「ブルジョア民主主義革命を如何に闘うか」という点について、「二七年テーゼ」はどう規定していたか？

「二七年テーゼ」における戦略規定は、次のようなものであった。

「日本国家の民主化……の闘いは、不可避的に、封建遺制との闘争から資本主義そのものとの闘争へ成長発展するであろう。日本におけるブルジョア民主主義革命は、急速なテンポで社会主義革命へと成長転化するということである」

「日本ではブルジョア民主主義革命が社会主義革命に急速に成長転化する展望があるからといって、ブルジョア民主主義革命それ自体の問題を取り下げるわけでは決してない。……大地主的所有は、国の政治・経済生活の非常に重要な、独立の要因であり続けている」

「……日本では、ブルジョア民主主義革命の客観的前提……も、その社会主義革命への急速な成長転化の客観的前提……も存在する」（前掲『資料集　コミンテルンと日本共産党』一九八頁。因みに、ヤンソン報告も「急速な発展」「プロレタリア革命にそなえた準備」を指摘している。）

このように、ここでの革命の「成長転化」は、闘争目標の変化（封建遺制→資本主義そのもの）であり、「客観的前提」の存在として語られている。

もちろん「テーゼ」は「主体的な革命情勢」にも言及し、「日本革命の推進勢力」という節では、貧農との結合や、闘争のヘゲモニーの問題も指摘しているのだが、それが革命の「成長転化」とどのように連動しているかは明確ではない。

先に触れた林健久は、「テーゼ」の規定を「一段階的二段階」と評し、猪俣の規定とは異なるものとして理解している。

だが問題は、猪俣が再三にわたって共産党に投げかけていたように、ここでの「転化」が政権の移動を伴うか否か、である。政権がすでにブルジョアジー主導の地主とのブロックの手にあるとすれば、政権移動はあり得ない――というのが猪俣の主張であった。

だとすれば「テーゼ」のいう「転化」は何を意味するのか？　それが問われることになる。

共産党のブルジョア民主主義革命理解

では、『労農』グループを批判した第二次共産党は、どのようなブルジョア民主主義理解にもとづいていたのだろうか？　体系だった説明がなされているわけではないが、先に触れた『マルクス主義』二八年一月号における渡辺と佐野の主張を改めて整理すると、おおよそ次のようになる（渡辺政之輔「一般戦略の決定的重要点について」、佐野学「歴史的過程の発展」）。

（一）革命段階は、歴史的必然性に従って展開していくもので、前の段階がすべて完了して初めて次の段階に発展する。実際に、一九一七年三月のロシア革命でも、一九一八年一一月のドイツ革命でも、封建的残存物はすべて撤去された。

（二）従って、封建的残存物が少しでも残っていれば、まずはそれを除去しなければならず、「一足飛び」に帝国主義の打倒を闘争目標としてはならない。

（三）日本の現状は、ブルジョアジーと地主のブロックが権力を握っているが、ブルジョアジーが地主を倒して単独で権力を握っているわけではない。

（四）「地主のブルジョア化」といっても、農村の生産関係は、農業資本家と農業労働者で構成されているわけではなく、地主による小作人の封建的搾取が根強く残っており、それが国家機構にも反映している。

（五）日本における革命の目標は、まずはブルジョア民主主義を徹底することでなければならならず、その完了によって初めてプロレタリア革命に発展する。具体的には、①封建的残存が撤廃される、②プロレタリアートと農民の「政府」が樹立される、③徹底的ブルジョア・デモクラシーが出て来る、④ブルジョアが極度に弱くなる、⑤プロレタリアートが決定的な力を持って来る――という経過を経て、次の段階へ推移し得る前提条件が作られる。

（六）プロレタリアートが、その固有の要求でもないブルジョア・デモクラシーの徹底を急ぐのは、貧農の革命力をプロレタリアートの目的のために利用し、プロレタリアートと貧農の緊密なる同盟を結成するためである。

このように、①革命の段階をめぐる基本的な枠組みと、②日本の現段階に関する事実認識、という二つのレベルの問題が含まれていることがわかるだろう。

猪俣は、上記の革命段階の理解について「幾何学的」と評している（「日和見主義的戦略か『戦略的』日和見主義か（二）」『労農』二八年三月号（『日本プロレタリアートの戦略と戦術』所収六六頁））。

猪俣のブルジョア民主主義革命観

こうした雑誌『マルクス主義』の主張に対して、猪俣はさまざまな文章でブルジョア民主主義革命に言及しているが、再整理すると次のような特徴が明らかになる。

（一）ブルジョア民主主義革命は、政治権力の獲得にとどまらず、日本の現状においては、①国家機関の民主主義化と政治的デモクラシーの獲得、②土地問題の民主的解決、が主要な課題となる。

（二）そういう意味でのブルジョア民主主義革命は、一回の（政治）革命で完了するわけではない。

（三）日本の現況においては、ブルジョア民主主義革命は、帝国主義ブルジョアジーとの闘い、あるいはその打倒なしには実現し得ず、その任務はプロレタリアートに託されている。

（四）当面する革命は、中農を含む全農民とともに進められる必要があり、その闘いはブルジョア民主主義革命の段階である（従って、二重の性格を併せ持つことになる）。

（五）そこで重要になるのが、中農層や上層小ブルジョア層の中立化である。
（六）それと同時に、プロレタリアートと貧農、下層小ブルジョアジーとの結合が強められなければならず、それと共にプロレタリア革命への発展・転向が始まる。
（七）このプロレタリア革命への転向は、ブルジョア民主主義革命の終わりを必ずしも意味しない。
（八）当面する革命戦略においてブルジョア民主主義革命は、極めて重要だが、帝国主義ブルジョアジー打倒の闘いの「副次的・派生的」な闘いと位置づけられる。

このように、問題は「第一か第二か」ではなく、第一から第二への「転化」――それも主体的条件のそれにあり、なおかつ、それは第一の終わりを意味しない、というわけである。

因みに、先に触れた「二七年テーゼ」が規定した「転化」は、『プラウダ』社説で紹介された際には「ブルジョア民主主義革命がプロレタリア革命に直接に発展」と表現されていたのだが、猪俣は「批判を読む」の中でこの部分を次のように解説している。

「プロレタリアートのヘゲモニーが完成に近づき、広汎な人民わけても貧農との同盟が急速に強大化し、ブルジョアジーがその『政治的支柱』――小ブルジョア層――を失いかけるからである」（前掲「日本無産階級に対するコミンタンの批判を読む」（『横断左翼論と日本人民戦線』所収四〇頁））

これは、これまで何度も紹介してきたように、「政治的地位」の最終結論そのものに他ならない。つまり、「テーゼ」＝『プラウダ』社説のいう革命の「転化／発展」について、猪俣は、自らの問題設定に即して自己流に解釈していたとも考えられるのである。

このことは、当時の労働組合、農民組合、そして無産政党の戦線が広がっていく中で、猪俣にとっては、プロレタリアート＝貧農のヘゲモニーの確立がどれだけ切迫した課題であったかを物語っているといえよう。

なお、『プラウダ』社説が二つの革命の関係について言及した部分を、『文藝戦線』では「封建日本に対する「革命」は、プロレタリア革命から厳然と隔離し得ない」と訳されていたことに対して猪俣は「ミスリーデング」だとし、原文は「万里の長城をもってするも……引き離し得ない」となっていることを指摘し、「『分離し得ない』と訳すべきだ」としている（同前、『横断左翼論と日本人民戦線』三九〜四〇頁）。

これは些細な違いのように見えるが、二つに分かれているものが「隔離」し得るかどうかではなく、そもそも二つに「分離」し得るかどうかという問題であり、根本的な違いというべきであろう。

最大の分岐点は「天皇制」？

このように、〝論点整理〟をしてみれば、両者の違い――その拠って立つ基本認識の違いが鮮明になるわけだが、猪俣の主張や論争戦術が功を奏したわけではなかった。

これに関連して興味深いのは、三・一五事件で検挙されて以来、いわゆる「獄中一八年」を闘い抜いたとされる志賀義雄の回顧談である（「半世紀にわたる天皇制との闘い」（聴き手・安東仁兵衛）『現代の理論』一九七二年一〇月号）。

志賀はこの中で、一九一七年二月のロシア革命でツァーリズムが倒れたことを受けて、新聞論調なども天皇制に対する批判を喚起していったことを指摘し、若い学生も含めて「『来るものが来た』ということになれば、時間がかかるにせよ、天皇制が問題になるのも当然ですね」と述べ、二二年の共産党結成時の綱領論議においても、天皇制の廃止は「わかりきったこと」であると強調している。

志賀によれば、「二二年綱領草案」も「二七年テーゼ」も君主制の問題を出し、「三一年テーゼ草案」でも天皇制の廃止を出しているのであって、「二転、三転」の「一面ばかり見てはいけない」ということになる。

聴き手である安東の、「労農派と講座派……とを分かった最大の分岐点は、ブルジョア革命かプロレタリア革命かという争点の前に、天皇制を攻撃目標として掲げるかどうかにあった」のでは、という問いかけに志賀も「賛成」と述べているように、「天皇制」がすべての尺度とされるわけだ。

因みに、『日本共産党の五十年』（一九七二年）には、「絶対主義的天皇制にたいする態度こそが、戦前の日本における革命運動の試金石である」（七〜八頁）と明記されている。

この二つの革命の関係について志賀自身は、「二つの革命が一つのプロセスとして理解することが重要だ」としているのだが、「一つのプロセス」がどういうものであるかは語られてはいない。

二七年の山東出兵という事態に続く「二七年テーゼ」の性格について、志賀はこう述べる。

「こうして侵略戦争と階級闘争と関連して、どうしても正面衝突をしなければならないような情勢が刻々と近づいていた。ついては、天皇制に対して今までのような生ぬるい、組織的には解党主義的なことをやっていてはいかん。さりとて福本主義のような観念的なセクト主義でもダメである、ということが二七年テーゼで、ハッキリしました」

では、具体的にどういう闘いなのか。

志賀は、二七年の『無産者新聞』や『マルクス主義』が「専制政府との闘争」を掲げたことを「半歩の前進」としつつも、「非合法的形態ででもはっきりとやるところまでは踏み切れなかった」と指摘する。

そして、とくに、幸徳事件などを知らない世代は、「『当然のことではないか』ということでしたね。ただ、天皇制との闘争で敵がどれほど歯をむいてくるのか、その結果どれほどの乱暴な弾圧と、それへの対抗の中でひるみと混乱と困難が起こるかということは未だ良く分からなかったですね、正直に言って。……だから或る意味ではドン・キホーテ式にぶつかったのです。……こうしたことはぶつかる前に、理論的にすっかり測定してからとりかかるものではないです」と強調している。

こうして天皇制廃止を掲げて怯むことなく「ぶつかって」いき、弾圧にも屈することなく獄中で「非転向」を貫いた姿勢は、猪俣のいう「浪漫的英雄主義」と認め、敬意を払うこともできるかも知れない。だが、目の前の敵に闇雲に「ぶつかって」いく「ドン・キホーテ的」闘争であれば、あえて「戦略」を持ち出すまでもないだろう。

いわゆる戦略論争と呼ばれているものも、猪俣の立場からすれば、「戦略的なもの」と「戦略的でないもの」の応酬ということになり、実際に猪俣は、先の「日和見主義的戦略か『戦略的』日和見主義か」（『労農』二八年二月号〈『現代日本研究』所収〉）の冒頭で、多くの頁数を費やして、「戦略とは何か」から説き起こさざるを得なかったのである。

組織論争としての戦略論争

「戦略的」であるかどうかは別にして、天皇制に対して「ぶつかって」いくことは、この時期の個々人の闘い方として十分にあり得る選択肢である。

だが、それが革命運動を指導すると自認している組織の公式の方針になると、まったく別の問題になってくる。それは、組織のあり方――具体的には、前衛党と無産政党のあり方の問題に直結してくるからである。

前章で見たような労農党内の組織方針をめぐる対立と、戦略規定をめぐる対立との関係について、猪俣は次のように指摘している。

「その一つによれば、労農党は、当面の［革命段階］における戦略的闘争の主要目的として『ブルジョア民主主義の徹底』を戦いとるための政治闘争の主体である。言い換えれば、……前衛党……の役割を演ずべきであり、……したがって、労農党は、かかる役割を演じ得ざる他の無産政党……に対しては、ただ徹底的な対立闘争の一途あるのみで……、コッパ微塵に粉砕するか、……労農党の旗の下に『統一』せんのみである」

「これに対して……われわれは次のように主張した。――……『ブルジョア民主主義の徹底』……は、派生的・副次的目的に過ぎず、帝国主義［の打倒］こそが主要目的である。……労農党は、その本質において、日本無産階級の戦略的闘争の主要目的を戦いとるための全政治闘争の主体たり得るものでは決してない。かかる主体たり得るものは、ただ前衛党あるのみである。労農党は、前衛党ではなくて合法的大衆政党であり、……労働者分子よりも多くの農民分子を包含しているところの、労働者・農民の共同戦線党である」(「新労農党の樹立を評す」『中央公論』二九年一一月号(『横断左翼論と日本人民戦線』所収一八八～九頁))

先に引用した「上申書」の中でも「合同反対の論拠たる戦略論」(第五章「猪俣の批判」の項参照)と指摘されていたように、戦略論争という形態をとって争われていたのは、共産党のセクト主義、分裂主義をめぐる組織論争だったのである。

同時に留意しておく必要があるのは、志賀の回顧談が次のように指摘していることである。

「猪俣も労農派として天皇制よりも帝国主義ブルジョアジーが主敵という考えになった。それはただに戦略目標をハッキリさせなかったというだけではなしに、組織上は解党主義を作り出した大きな契機になるでしょう」(志賀、同前)

志賀の立場からすると、共産党を維持し続けることと、天皇制廃止を掲げて「ぶつかって」いくことは、一体のものということになる。

だが、それは同時に、無産政党に前衛党の役割を担わせることによって、合法政党としての可能性を自ら奪い去ることを意味していたことは、すでに前章で見た通りである。

猪俣が戦略論争において相手としていたのは、このような合法政党の可能性を自ら奪う、という意味での「解党主義」だったのである。

「農民運動の根本問題」

以上のような猪俣の論争戦術は、その後に『労農』に発表された論文でもほぼ踏襲されるのであるが、もちろんそれだけに終始したわけではない。

雑誌『マルクス主義』が『労農』批判の眼目の一つとしていた農業問題については、『改造』二八年四月号に「農民運動の根本問題と当面の問題」を執筆している。

猪俣は冒頭で、近年の農民運動の「最重要な傾向」は「プロレタリアートの闘争のうちに巻き込まれてその一分野となる」ことだと述べるとともに、「この傾向をいかに促進すべきであるか」という問題は、「根本問題の解決に寄与するごとき仕方においてのみ解決されねばならぬ」と強調する。

そこで猪俣がまず指摘するのは、農民の「社会的地位が『中途半端』なこと」である。

猪俣によれば、資本主義の発展に伴い、農民は「本来的に」都市プロレタリアートか農村プロレタリアートになるものだが、日本では「極めて多くが今なお、プロレタリアへ落される坂の中途にもがいている」という。

猪俣は後年、『農村問題入門』（一九三七年四月）の中で、日本で「階級分化」が進行せず、農村に足場を残したままの労働者が数多く存在することについて分析しているが、この段階では次のように説明する。

「種々なる特殊性を有する後進国日本の資本主義は、農業生産をも資本主義化してその生産力を高めるとともに農村人口の大多数をプロレタリアに変ずべき固有の歴史的使命を果たすにさきだって早くも没落期資本主義の世界的連鎖の一環となってしまった。おくれて世に出た日本資本主義は、［専制的］政府の諸政策の下に、農民が造り出す剰余価値を横奪してのみ伸びねばならなかった。資本の利益の大小にしたがって侵入の方向を決定する資本主義は、社会的重要性の最大なる農業を、未だに神代的な技術水準に置く。／わが農民問題の特殊の内容はそこから生じた」（「農民運動の根本問題と当面の問題」（『横断左翼論と日本人民戦線』所収五九頁））

猪俣は、五五〇万の農家のうち、三六〇万は一町歩に足らず、一六〇万は一坪の土地も持たないという「土地の分配」の状況を示し、「土地を所有しながら、鎌一つ動かさぬ地主というものがあるから生ずる。日本全国の耕地全体の四割はたった五万――この少数の地主が取っている」としたうえで、こう述べる。

「百姓は土地に飢えている。土地私有制の下に生きんとすれば、自らも土地を持たなければならぬ。『神州』の田畑の半分は、なにゆえに、働く百姓に与えられていぬか？　すべての土地をすべての百姓に平等に！　それは、農民の根本的ブルジョア民主主義的要求である」（同前）

そして、「百姓に土地を与え得る」のは、ブルジョア政府でも地主でもなく「ひとりプロレタリアートの政府のみ」だとしている。

だが、猪俣の議論はここで終わらない。

猪俣は、仮に全耕地が農民に平等に分配されたとしても一戸辺り一町一反歩にしかならず、「現在の経済関係の下においては決して百姓を生かし得ない」として、こう結論づける。

「問題の真の解決は、単なる分配の変更よりも、ヨリ多く農業生産力を増すことにかかっている。そしてそれこそ、資本のために生産せずして社会のために生産する［社会主義社会］によってのみ実現され得るのではなかったか。資本主義はもはや農業の生産力を増加せしむる能力を欠き、ただ［社会主義］のみが

これをなし得ることもまた、……世界の農民の前に立証されつつある」（同前六〇頁）

こうして、猪俣は、農民運動がプロレタリアートの闘争の「一分野」となっていることを、単なる「傾向」としてではなく、日本資本主義が農業の資本主義化と農業生産力の増加を実現し得ない特殊性と、そこから脱するための方向の両面から捉え、以下の点を指摘する。

（一）地主は農業資本家にならず、封建的特権をブルジョア化して持ち越し、貨幣資本家として都市プロレタリアートの搾取者でもある。

（二）高利地代の原因は、資本主義の発展が過剰人口を吸収できず、土地の借り手が余っていることによる。

（三）地主とブルジョアジーの強固な同盟の経済的基礎は、地主のブルジョア化であるが、それは地主の消滅を意味せず、社会的生産力を抑止する土地所有制は厳然として残る。

（四）この社会的矛盾の解消は被搾取農民のブルジョア民主主義的要求と闘争以外にないが、中途半端な農民は独力ではその政治的役割を演じ得ず、プロレタリアートと結ばねばならない。

（五）農村労働と都市労働の密接な交錯は日本の特徴であり、労働者と農民を打って一丸とする政党の急速な進出も、世界に例のない日本の特徴である。

（六）プロレタリアートは、貧農のブルジョア民主主義的要求を、社会的政治的進歩の一段階であると認めるが故に自己の任務の一つとするのであり、貧農を「利用する」ことではない。

ここでは一切明記されているわけではないが、雑誌『マルクス主義』への批判として書かれていることはいうまでもない。

『労農』の諸論文では、『マルクス主義』による（引用の際の）「文書偽造」や曲解への反批判が前面に出ているのと比較すると、この『改造』論文において猪俣の基本的な考え方をヨリ理解し得るといえるかもしれない。

そこで改めて浮き彫りになるのは、渡辺や佐野との問題設定の違いである。

例えば佐野は、前述の論文「歴史的過程の発展」(『マルクス主義』二八年一月号)の中で、「ブルジョア的農業革命の基礎的経済内容」として、①封建領主的大地主の土地分配、ブルジョア的土地私有の成立、②農村における完全な自由なる商品生産制の発生、③資本主義的農業経営の発展、④農奴的地位から解放された自由な農民の発生、⑤農業資本家の発生、⑥農業賃銀労働者の発生――などの項目を掲げている。これらの条件が満たされなければ、「農業革命」は「未完」であり、封建的な段階であるというように、封建的な段階か否か、が最大の問題であり、しかもそれをこれらの尺度で現状を計ろうとしているわけだ。

猪俣は、これらの尺度を「ゾンバルト張りの公式主義」だとし、「佐野氏は……戦略という自身の課題を忘れて『農業経済史』の講義の立案」をしていると揶揄しているが、戦略の全体像の中で「農民運動の根本問題」を論ずる猪俣との落差は明らかだろう(「日和見主義的戦略か『戦略的』日和見主義か(二)」『労農』二八年三月号(『日本プロレタリアートの戦略と戦術』所収六一頁))。

猪俣は(上記の要約では省略したが)地主から富農、中農、貧農、セミ・プロレタリア層に至る階級分析を具体的に行い、そこから戦略の眼目となる「中農の中立化」を導き出しているのであるが、決して概念的な規定から導き出しているわけではない。

また、佐野らが地主—小作人の封建的関係の根拠として強調する地代の性格については、それが高い搾取率の現物納付(年貢)という封建的特権を持ち越していることを認めつつも、それは経済外強制によるのではなく、私的土地所有制の下で限られた土地を求めて競争を余儀なくされる結果として生まれる「高利地代」であることを強調している。

そして、この問題は後年の『農村問題入門』に至るまで、猪俣が固執し続けるテーマとなっていくのである。

「支那革命の発展と日本帝国主義の運命」

もう一点、猪俣が雑誌『マルクス主義』への反批判で触れていない重要な論点がある。それは、先に引用した「日本無産階級の一般戦略」の戦略の定式化の中で、「第二予備隊」として「[植民地]及び[支那]の[革命的]大衆」を掲げていたことである。

猪俣が日本の革命戦略を、世界革命の一環として位置づけていたことはすでに指摘したが、戦略論争の只中に「支那革命の発展と日本帝国主義の運命」(『改造』二八年八月号〔『猪俣津南雄研究』一三号所収〕)を執筆している。

猪俣がまず問題にするのは「支那革命の基本方向」で、その「指導権」がプロレタリアートに帰すべきであり、農民大衆の更正のための闘争は、革命的プロレタリアートの指導の下に、支那ブルジョアジーの顛覆による農民解放の達成にカルミネートする[ピークを見出す]、という構図を示す(それは「農民本位のブルジョア民主主義革命」とされている)。

ただし、現局面は革命的勢力の一時的退潮によって特徴づけられ、その盛りかえしは、現在の国民政府が、国民革命の目的を裏切っていることを、時局の進展が暴露しはじめると共に始まるであろう、という観測が示される。

第二に指摘されるのは、すでに大衆はアジア民族の解放にむかった、という点であり、米英日仏の四大強国の協調による支那の占領・統治・分割は不可能であり、唯だ一国による独占的所有への企てこそ、致命的な世界戦争なくては止まらぬであろう、という見通しを示すと同時に、支那大衆の革命的勢力は余りにも旺盛である、と強調している。

第三に指摘されるのは、「日本帝国主義の運命」であり、日本帝国主義は革命的支那プロレタリアートの最頑強な[敵]であり得る、とした上で、隣接する支那こそが日本帝国主義の殆ど唯一の侵入地であること、今日まで日本帝国の主たる強所が武力的優越に有ること、そこに日本帝国主義の特質があったとしている。かくして、支那は日本資本の帝国主義的侵入のために残された唯一の地域であるばかりでなく、すでに市場・投資域・原料資源として、日本資本主義経済そのものの最重要な構成部分をなしている、としている。

そして、猪俣は最後にこう述べる。

「支那の革命的大衆の日本帝国主義に対する闘争――その不可避的な勝利の一歩一歩は二つに一つの運命に日本帝国主義を導く。一方では、日本資本主義における生産力と市場の矛盾をさらに深大ならしめ、没落への傾向を切迫せしめることにより、［恐慌の勃発］を必然ならしめる。だが他方で、それに先だってすでに、我が帝国主義ブルジョアジーをして必死の×××に敢進せしめるであろう。それは世界を再び［戦火の海］と化さねばならないであろう。だが、その時こそは、「×××××××××」そこに、日本帝国主義の運命がある。／蓋然性は後者にあろう」（『現代日本研究』所収七一頁以下、『猪俣津南雄研究』第一三号二三頁）

最後の部分では、肝心なところが伏せ字で判読不明だが、「支那の革命的大衆の日本帝国主義に対する闘争の不可避的な勝利」とともに、第二次世界大戦の勃発が予見されていると考えられ、この「運命」を前にして問われてくるのが、日本の無産階級の任務と役割である、ということになるのであろう。

猪俣は、ほぼ同時期に書かれた「わが戦略におけるブルヂョア民主主義闘争の役割」（『労農』二八年九月号）の中で次のように書いている。

「現に最も強力に日本帝国主義と闘争しつつあるものは［支那］プロレタリアートである。［革命支那］プロレタリアートは、日本中心に言えば日本プロレタリアートの予備勢力である。だが［支那］中心に言えば、日本プロレタリアートこそ却て［支那］プロレタリアートの予備勢力である。［支那］プロレタリアートは［国際的］プロレタリアートとの結びつきにより、今や日本無産階級よりも遙かに強大な［革命］勢力として日本無産階級の積極的［決起］を待ちつつある」（『日本プロレタリアートの戦略と戦術』一〇二頁）

日本プロレタリアートが「予備隊」としてアジアにおいて期待される役割を発揮できるか、そのために前衛組織がそれまでの誤謬を克服して陣形を整えることができるか――そもそもコミンテルンの「テーゼ」が意図していたのも、そうした切迫した課題だったはずである。

そういう意味で、猪俣の中国革命論は、一国主義的な枠組みにとどまっていた戦略論争そのものに対する批判として読むこともできるのである。

〈二〉横断左翼論――統一戦線と前衛結成の交互作用

第一次共産党以来の宿題

猪俣は、前節で見たような戦略を具体化すべく、無産政党や労働組合、農民組合の運動強化に向けて積極的に関与し続けてきたわけだが、その中で提起されたのが「横断左翼論」といわれる独自の運動＝組織論であった。

それは、端的に言えば、共産党を支配し続けてきたセクト主義、分裂主義を克服するために対置されたもので、戦略論争が形を変えた組織論争だったことからしても、猪俣にとってはこちらの方が本命であった。

ただし、「共産党を支配し続けてきたセクト主義、分裂主義」といっても、これもすでに指摘したように、福本イズム批判で済む問題はなかった。もちろん、福本の誤解からレーニンを救い出せば済むという問題でもなかった。

第一次共産党の経験、それに続く政治研究会をめぐる確執などを考えれば、あるべき前衛党論の対置だけでは、何の効力も持たないことは明らかだった。

猪俣は、運動＝組織に言及したものとして「現下の階級的至要争点と所謂左右両翼の対立」（『改造』一九二六年四月号）などの文章を発表はしていたが、新たな提起に向けた自身の問題意識を公にしたのは、第三章に登場した「我国資本主義の現段階の問題」（『社会科学』一九二七年八月号）においてであった。

猪俣はこの論文で雑誌『マルクス主義』の戦略規定を批判するのだが、それにとどまらず、「科学的に基礎づけられねばならない若干の重要戦術は何か？」と問い、次のように述べている。

「国内的には、それは例えば、一般戦略を遂行すべく、次の如き諸目的を達成せんが為の一般方策でなければなるまい。

［前衛］の結成、強大化、影響力の拡大 ｝ ｛ 大衆的、政治的共同戦線／労働組合、農民組合の統一／未組織労働者農民の組織 ｝ 大衆動員による勢力集合

これらの目的を闘いとらしめる諸戦術は、言うまでもなく、互いに密接に関連し、相互制約的であると同時に相互補完的である。今、そのおのおのを、それぞれに成功的に、遂行し得んがために捉えねばならぬ契機は何々か、――だが力点はなかんづくどの戦線に置かれねばならぬか、いずれに主力を傾注することによってわれわれは事件の歴史的連鎖の『かの一環』を掴むことができ、それを掴むことによって全運動をわが物となすことができるか。たとえば、……かかる勢力集合の一手段一形態としての政治的経済的

協同戦線の範囲は、前衛分子の機械的統制、絶対的指導の及ぶ程度に局限すべきであるか、ないしはまた、遙かにその程度を越えて拡大し、……闘争の発展の各段階において常に前衛それ自身の絶対的かつ相対的なる増大、強化の実現を期すべきであるか、――これに対するマルキスト的解答は、『現段階』の分析究明によってのみ決定的に与えられるであろう」(『帝国主義研究』所収一七九～一八〇頁)

ここで特徴的なのは、「前衛の結成・強化」や「協同戦線」の形成が、単独の課題としてではなく、当初から「相互制約」「相互補完」の関係にあるものとして想定されていることであり、同時に、「全運動をわが物とする」ためにどこに「力点を置く」べきかは、何かの原理や原則によってではなく、「現段階分析によってのみ」決定し得るとされていることである。

同時に留意すべきは、この問題提起がなされているのが、モスクワでテーゼ策定の議論が行われている時期と重なっているという点である。つまり、テーゼがどういう結論を出すかわからない時点において、戦略論だけではなく、運動=組織論についても、猪俣が深刻な問題を抱えていたことを示している。

そして、自らの問いに最初に一定の解答を示すのは、前述のように「日本無産階級運動に対するコミンタンの批判を読む」(『文藝戦線』二七年一二月号)においてであった。

「批判を読む」(その一)　組織論の図解

「批判を読む」は、『プラウダ社説』の提起を順番に引用しながらコメントを加えて行くというスタイルをとっていて、運動=組織論については「二つの悪傾向」を指摘した部分に登場する。

「二つの悪傾向」は、日本の革命運動における「清算主義」と「分裂主義」のことであるが、前述のように、それが具体的に何を指すのかは明示されていなかった。後にテーゼ本体が公表されることで、前者が山川批判、後者が福本批判であることが判明するが、猪俣はどちらの「悪傾向」も「同一の主体」に属する、という思い込みの下で議論を展開していく。

猪俣は、『プラウダ社説』から「悪傾向」の前者の部分を引用しつつ、「A〔前衛党・共産党〕をいかに組織建設すべきであるか？　またAをしていかなる役割を演ぜしむべきであるか？」（『横断左翼論と日本人民戦線』五〇頁）と問いかける。

そして、前衛分子の役割として、①労働者の闘争組織の強大化を阻止しようとするブルジョアジーの一切の努力との闘争、②労働者自身の自然発生的傾向、労働者組織の分裂破壊の傾向及び組合運動の閑却による未組織労働者放置への傾向の克服を強調しつつ、次のように述べる。

「右のごとき現段階における前衛分子の諸任務は、彼ら自身の結合の形態を決定する。その形態は、Aを直ちに、全プロレタリア戦線の拡大のため、統一のための全闘争、全運動の楔《くさび》であらしめるものでなければならない」（同前五〇～五一頁）

これは極めて重要な指摘である。前衛党は、前衛を自認し自負する者が集まって名乗りを上げさえすれば結成されるものなのか――それは第一次共産党以来、問われ続けてきた問いであった。簡単に答えが見つかるものでもないだろう。

そこで猪俣が投げかけたのが、前衛党の「形態」という問題であった。しかもそれは「楔」型でなければならないという。

猪俣はこの楔型の説明を、次のような図解を用いて行っている（再現に当たって詳細を一部省略した）。

図解1において、縦線で区切られた縦長の長方形（イ、ロ、ハ……）は、個々の組織（労働組合、農民組合、政党等）を示していて、濃い斜線部分は先進分子・前衛分子を、薄い斜線部分は支持層を示している。

この図では、先進分子（とその支持層）は、左派組織から右派組織に至るすべての組織に見出すことができる。先進分子は、セクト主義・組合利己主義と闘いつつ、階級を代表して、運動全体の先端を担う者として、運動の拡大と統一をめざす。

先進分子は、各組織の大衆と結びつきながらも独自の行動を展開する。その横断的な結合は、全運動を押し上げ広げていく楔、梃子《てこ》として機能する。

前衛党は、大衆と結びついたこうした運動を通じて結成されていく——。

これは、前衛分子が、すべての組織を「横断」して結びつくという意味で、「横断左翼論」と呼ばれる。

これに対して図解2では、先進分子は左端に近い組織（左派組織）の中に立て

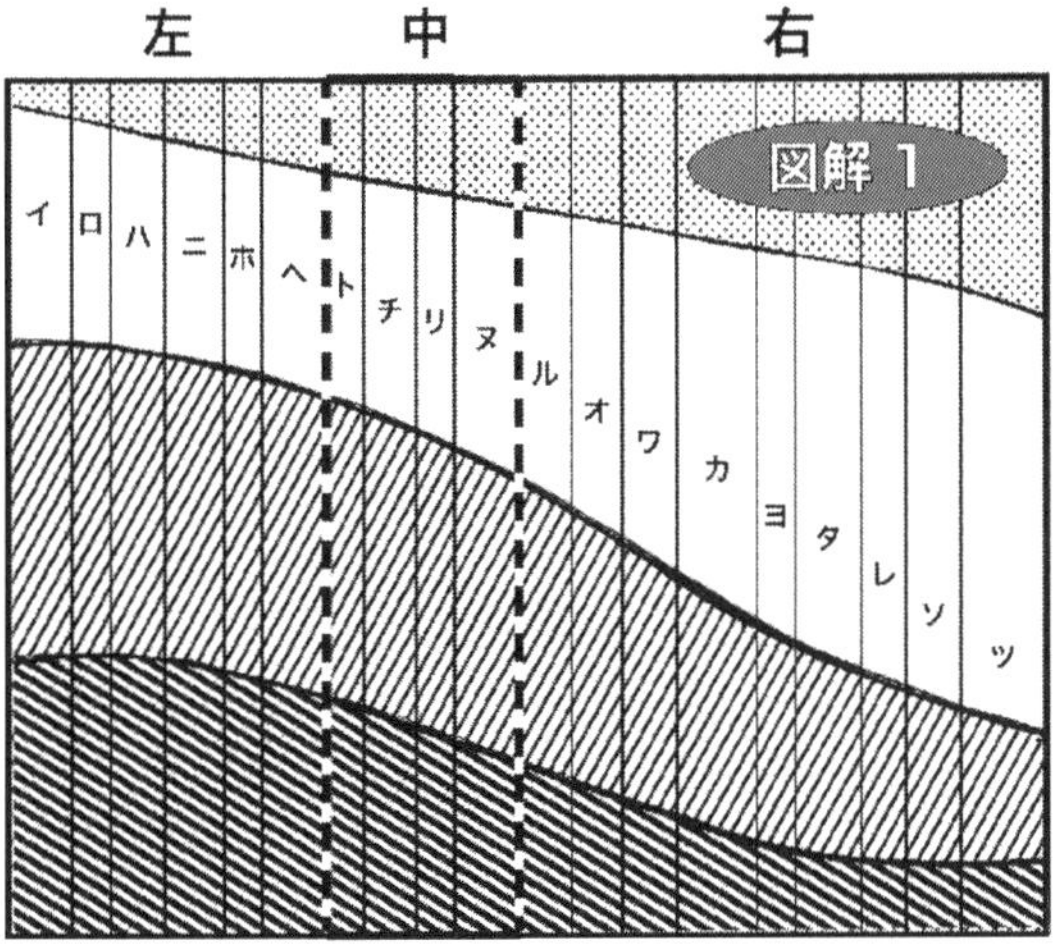

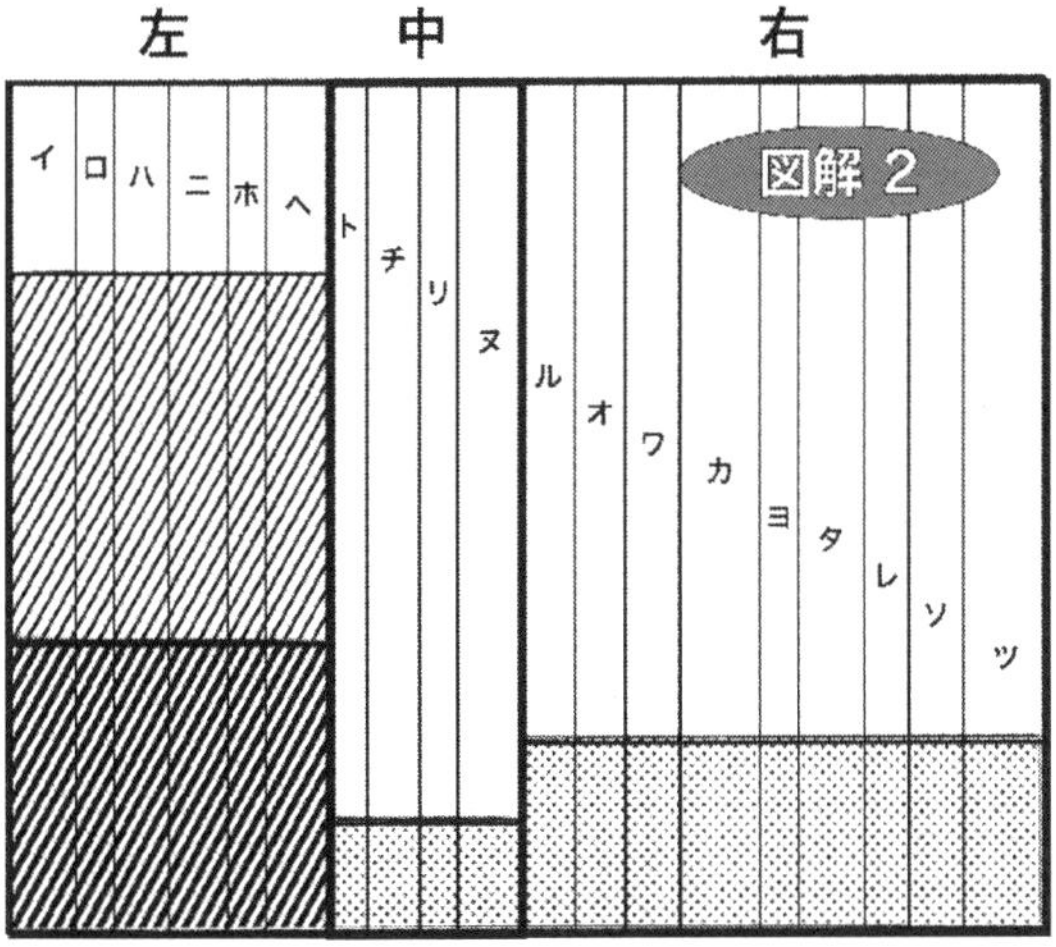

籠もっており、中央から右端寄りの組織（中間組織、右派組織）に対しては、批判・排除するだけで、それらの組織の組合員大衆との接点は持てていない。

自らの組織（左派組織）だけが階級的・戦闘的だとする組合利己主義・セクト主義に陥ることから、組合や政党の分裂を促進する結果になる。

先進分子の活動は、左派組織の活動として展開されることから、先進分子としての独自の活動は見られず、したがって、前衛組織の独自の活動もまた失われることになる――（『横断左翼論と日本人民戦線』五一～五四頁）。

これは、言うまでもなく、福本イズムの考え方を図解したものであるが、こうした形で示されると、とくに福本イズムに限ったことではなく、左翼主義に共通して見られる一般的な傾向として理解することもできるだろう。

いずれにしても、この単純な対比によって、両者の違いが、前衛分子・先進分子の結びつきの形態・形状にとどまらず、大衆組織と区分けされた独自性や、全運動における役割といった基本的な問題であることが明らかになる。

「批判を読む（その二）　福本イズム批判

猪俣が「批判を読む」の限られたスペースの中で行っている福本イズム批判*は、およそ次のような点であった。

*ただし、前述のように『プラウダ社説』の「経済主義」も「清算主義」もともに福本批判に該当するという前提での書きぶりになっている。

（一）労組や政党を共産党に代えるということは、大衆的無産政党を前衛党と化すと同時に、前衛党の独立性を失わせることである。

（二）共産党たり得るのは、その成員の純一な「マルクス主義的意識」によってではなく、プロレタリア運動の各発展段階における独自の役割によってである。
（三）全運動の楔としての役割を演じ得なければ共産党たり得ず、（それを推進する者は）ただ左翼組合と左翼無産政党を残すのみであろう。
（四）それは、現段階の分裂への傾向を克服しようとする代わりに、これを是認し、理論づけ、正当づけることで、これに追随するものである。
（五）彼等も組織統一を唱えているが、全運動の楔たるものを持たない限り、統一のための努力――理論闘争と政治的暴露の共同闘争の持ちかけは、統一ではなく分裂をもたらすだけだろう。
（六）セクト（宗派）は、特定の信条（意識）の持ち主であることを条件として結びついた個人的な結合であり、その目的は信条（意識）の伝道によって影響力を拡大することにあり、一切の闘争はそのための手段である。
（七）セクトは、自己の組織を階級の上に君臨して、各組織組織に対し特定の意識を外部から注入してそれを「高め」る役割を演ずべく、階級組織の生成発展とは「独立に」生成発展する「主体」として認識する点において、パルタイとはまったくその本質を異にする。
（八）宗派的精神は、「結合」の形態を、「分離」によって生じた諸団体中の特定の一つを競争的排他的に拡大しゆく活動のうちに見出す。宗派的傾向は、「主体」を大衆から隔離し、その階級的性質を失わしめる（『横断左翼論と日本人民戦線』五五～五七頁）。
これは、もちろん『プラウダ社説』に触発されて書かれたものであるが、それよりも遙かに雄弁に語られている。

猪俣がかねてから抱いていた福本イズム批判が、『プラウダ社説』による批判の公然化という事態を受けて、一挙に噴出したものと考えられる。

しかも興味深いのは、『プラウダ社説』の「二つの悪傾向」の後半部分（福本批判に該当する部分）が引用されるのは、猪俣が持論を述べた後の文末においてである。つまり、この部分に関しては、猪俣の批判を後から『プラウダ社説』がフォローするという〝逆転〟が生じている。*

*引用に際して一部改訳されている。

「何から始むべきか」

猪俣が、「批判を読む」の図解1で提起した横断左翼の考え方をさらに具体的に展開するのが、第三章末尾で触れた「何から始むべきか——正統左翼主義のために——」（『改造』二八年一月号〈『横断左翼論と日本人民戦線』所収〉）である。

これは、運動＝組織論の原則としてではなく、当時大きな問題となっていた無産政党の合同問題に即して、各組織内の先進分子に対して呼びかけられたものであった。

猪俣がまず提起するのは、「あらゆる組織に見出される」先進分子が、「共同闘争において階級的誠意をもってイニシアティヴ」をとることであり、「団体利己主義の清算」を進めつつ、「お互いの闘争の応援、協議、連絡のためにとる行動」が「一つの新しき結合への端緒」になるとしている。

猪俣は、この結合は、プロレタリア運動の全体を貫いて真の左翼傾向を代表し、全運動を貫いて大衆的基礎を有するがゆえに、それは全戦線を統一にまで高めいく梃子であり楔であり得る、と強調する。

そして、この端緒的組織（合法的でなければならない）が、「幾多の困難な闘争を通じてそれ自身の発展と成熟を遂げる過程」が、「それのみが階級闘争の前衛、真の階級的指導勢力を結晶せしめる過程」だとされる。

猪俣によれば、現在の労働者農民の政党が演じ得る役割は限られており、帝国主義の反動支配に対する闘争を遂行し得るのは、階級的指導勢力の「独自の闘争」のみである。

さらに、「先進分子を結ぶ端緒的組織が真の階級闘争指導勢力を結晶させる過程」は、「プロレタリア戦線の統一拡大の過程の各段階」であるとされ、「結晶」と「拡大」がまさしく「交互作用」であることが強調される。

猪俣は最後にこう述べる――大衆的組織体にあっての左翼分子は多くの段階においてはなお少数派たるを常則とする。組織内少数派であるが、各段階における階級闘争全体のうちの最も明確なる階級意識の部分、最も確実にして献身的、階級的な部分として全運動に演ずる独自の役割のゆえに、着々と影響力を拡大するであろう、と（『横断左翼論と日本人民戦線』所収一一六頁）。

前衛が前衛たり得るのは「全運動において演ずる役割」にあるとする発想は、帝国主義国か否かは「世界体系における地位」によるという発想と通底している。

山川の基本姿勢（その一）　協同戦線党論

もちろん、前衛党とは区別された無産政党の独自性を強調し、福本イズムに対する批判を展開したのは猪俣だけではない。

山川均は、第一次共産党事件で検挙されなかったこともあって、比較的早い時期から自らの運動＝組織論を展開していた。

それが、山川イズムの代名詞と目される協同戦線党論であり、その提起は一九二三（大正一二）年末頃に遡る。

それまで普通選挙棄権論を主張していた山川が、同年一〇月の総同盟による議会活動利用の決定を受けて、「方向転換」を図ったことはすでに見たとおりである。その後、無産政党結成に向けて精力的に論文を執筆していくわけだが、そこでの強調点は、小ブルジョア・デモクラシーから独立した無産階級の政治運動の展開にあった。

とくに、二四年二月の共産党解党後は、合法的な単一無産政党結成の主張がより鮮明になっていくのであるが、山川の主要な関心は、無産政党が「どんな綱領をもつべきか」「どんな組織をもつべきか」に置かれていた。

その前提となる無産政党の性格について山川が主張したのは、「全無産階級を、あたうかぎりの最大限度において、そっくりそのまま独立した無産階級の政治勢力に結束すること」であった。

その上で山川は、「無産政党の当面の任務」として次の五点を掲げている（『無産政党の研究』一九二五年、叢文閣二一一頁）。

（一）都市プロレタリアと農村におけるプロレタリア的要素との政治的結合。
（二）組織せられたプロレタリアと未組織プロレタリアとの政治的結合。
（三）準プロレタリア的要素を組織されたプロレタリアの政治的指導の下におくこと。
（四）動揺不定な中間勢力の牽制。
（五）一切の反資本主義勢力の上にプロレタリアの政治的指導を確立すること。

無産政党は、こうした「指導の一形態」とされ、①階級的の政党であると同時に、②包括的な大衆的の政党でもあり、③二つ以上の要素を包容するもの、と性格づけられるのである（同前二一三頁）。

つまり、ある特定の綱領の下に結集するというのではない。「一切の反資本主義勢力」を「最大限度においてそっくりそのまま」包含することが出発点とされている。

そうなると、当然のことながら綱領も「妥協」の産物となり、かなりの幅をもった「最大限綱領」とならざるを得ない。

ここからどのようにして、「小ブルジョアと対抗」し得る階級政党に相応《ふさわ》しい綱領を獲得していくことが可能となるのか。

山川によれば　それを「指導」していくのは、階級意識をもった「組織された労働者」以外にはあり得ない。この勢力が、党内で影響力を発揮していくことが期待されることになる。

そのための方策の一つとして山川が提起したのが、政党に組織として参加する団体加盟であった。党内におけるさまざまな意見の違いは、党内の分派あるいはフラクションの間の活発な議論として展開され、それを通じて無産政党の綱領も、階級政党の綱領へと発展していくというのが山川の構想であった。

このようなフラクション活動こそが党の分裂を防ぐのであり、時間をかけて徐々に変えていくしかない——そこで問題になるのが、前衛党あるいは前衛組織の見通しを山川がどのように考えていたか、という点である。無産政党内のフラクション活動を展開した先に前衛党が展望されているのか、あるいは、前衛党結成への途は断念、あるいは放棄された上で階級政党の強化が叫ばれているのか——山川はこの問題に言及していない。

共産党再建の動きと山川の関係は必ずしも明確にはなっていないが、少なくとも福本イズム登場の後は、対立的な関係になっていたことは明らかであり、現実の問題として前衛党を展望することは困難な状況にあった。また、国内の政治情勢の下では、前衛党は非合法の組織としてしか存在し得ない、と認識されたとしても無理もなかっただろう。

いずれにしても、前衛形成の見通しについて「待機主義的」「自然発生的」などの評価がされてもやむを得ないといえるだろう。

「二七年テーゼ」のベースとなった「ヤンソン報告」は、山川の当時の考え方について、（一）その組合主義の遺物によって、政治闘争を十分に強調していない、(二) プロレタリア運動の前衛としての共産党を前面に押しだしていない、共産党を組織することが当面の必要事であることを強調していない、と批判していた(前掲『資料 初期日本共産党とコミンテルン』一四七頁)。

ヤンソン=コミンテルンにしてみれば、福本イズムの限界と問題点は明らかだったとしても、それに代わる途を山川が示しているとは理解していなかったのである。

山川の基本姿勢(その二) 福本イズム批判

山川が福本イズムについて言及している機会は少なく、『社会科学』二七年八月号(理論闘争批判特集号)に掲載された「私はこう考える――方向転換の過程について」が代表的なものとされる。

そもそも福本が山川批判で論壇に登場したのは二五年秋のことで、それは批判対象である方向転換論の発表から三年近くを経過していたわけだが、それに対する山川の反論も、福本の論文発表から二年を経過していたことになる。

山川の反論の大半は、方向転換論を提起した当時の状況とその提起の趣旨の説明および理論闘争に対する批判に費やされているのだが、例えば「理論闘争」については次のように批判している。

「……無産階級運動を全体として見た意識も、そのうちなる前衛的分子の意識の水準も、……実践の発展を通じて発展するものであり、……『理論闘争』によって完成されるただ一回きりの過程ではなくて、永久……にして不断の努力を必要とする過程である」(『山川均全集・第六巻』所収八~九頁)

ただし、理論闘争を全否定しているわけではなく、「……労働組合、無産政党などの」分裂の場合にいかに適用せられるべきかということを除けば……完全に正しい主張である」(同前二六頁)としている。

なお、これに続けて次のように強調しているのも、いかにも山川らしい信条の発露といえるだろう。

「無産階級の闘争と勝利とに必要なことは、ほとんどあますところなく、マルクスやレーニンがわれわれに教えてくれている。ただ残されていることは、おのおのの具体的な形勢と条件との下に、われわれはこれらの理論をいかに具体的に理解し、いかに実践に移すかということである」（同前）

この論文の後段において、山川はようやく福本イズムがもたらした現状について言及するのであるが、そのなかで、「前衛の結成」にも触れている。

「……大衆的な単一無産政党を真実に現実に実際に実現する――『闘い取る』――努力とこの努力の発展との関係においてのみ、この実践の発展を通じてのみ、前衛は真実に組織し、成熟するものだと信ずるものである」（同前二八頁）

この考え方からすれば、福本イズムの主張は真逆のものとなる。

「無産階級運動発展のあらゆることができないで、いっさいの問題を前衛党結成の問題と混同した（いっさいの問題を、前衛党結成の問題を中心として理解するのでなく）錯覚とX《ママ》計の狭小と、余裕のない心境とは、政治闘争と経済闘争とを対立的に理解する考えかたとあいまって……経済闘争の組織であるところの組合そのものを、政党化――なおその上に［革命］政党化――せしめようとする傾向となって現れた。……それはまた前衛党と、そのより広い意味での左翼運動一般についての意識の混乱をひきおこし、左翼運動の形態と任務についての誤った思想となって現れた。すなわち左翼運動は、あらゆる形態の大衆的な組織と運動を横に貫通するところの運動としては理解されないで、左翼分子を縦に並立的に組織する運動であるかのごとくに理解された」（同前二九頁）

それが、「組合運動内の左翼運動」ではなく「左翼組合主義（二重組合主義）」に、「大衆党の内部における左翼の形成」ではなく「左翼党」組織の主張につながった、と山川は指摘したのである。

ここに示された福本イズム批判は、ある意味で、数ヵ月後の猪俣の福本イズム批判を先取りしたものということもでき、「横に貫通」という指摘は、一見すると猪俣の図解と重なるようにも見える。

では、どこに違いがあるのだろうか？

山川の基本姿勢（その三）　戦略規定

戦略論争の大きな焦点の一つが、ブルジョア民主主義革命の捉え方だったわけだが、それは組織論をめぐる問題とも密接に結びついており、猪俣の横断左翼論と山川の協同戦線党論の違いも、それぞれの戦略規定のしかたと関連させて考える必要がある。

山川は『労農』創刊号（二七年一二月）に掲載した「政治的統一戦線へ！――無産政党合同論の根拠――」（『山川均全集・第八巻』所収）において、その革命論、組織論を全面的に展開しており、それは労農派の「綱領的文献」と評されているものである。

この論文で山川は、政治闘争の対象を「帝国主義的ブルジョアジーの政治権力」としているが、それは「わが国資本主義の現在の段階は独占的金融の時代である」ということによるとされている。

これは、素朴な下部構造反映論ととれなくもないが、それ以上に特徴的なのは、明治維新から五〇年を経て、官僚・軍閥などの封建的残存勢力はブルジョアジーに「同化」「抱合」されていき、「ほとんど何らの変革をも加えられないで、そのままブルジョア政権の一部を構成する要素に変じている」と指摘していることである。

この点は、（「同化」という表現を用いることもあったとはいえ）封建遺制の「強気残存」を認めた上で分析の対象とした猪俣とはスタンスを異にしているといえるだろう。

他方で、山川は地主階級についても、ブルジョアジーとの「同化」「同質化」を強調しており、農業問題への言及も極めて少ない。

しかし、だからといって単純に社会主義革命の遂行が提起されているわけではない。山川は、「ブルジョア民主主義闘争」という用語を用いているが、「社会主義革命への戦術的準備過程」と位置づけている（同前）。

つまり、ブルジョア民主主義闘争の過程を通じて、社会主義革命に発展していくとされていることになる。

ここで不思議なのは、山川はこの論文で、当時大きな焦点になっていたはずの、『プラウダ』社説を取り上げておらず、従って、そこで打ち出されていた、ブルジョア民主主義革命と社会主義革命の関係、あるいは発展について、何ら言及していないことである。

山川は、「ブルジョア民主主義闘争」は「社会主義革命」に付随するものと捉えていたのかも知れないが、「準備過程」からどのように発展していくか、について何も語っていない。

これは、この「発展」「転化」の問題を最大の眼目として取り上げ、その主体的条件の転換に向けた先進分子の独自の役割を強調した猪俣と、著しい対照をなしている。

つまり「横断左翼論」と「協同戦線党論」の違いは、革命段階の理解についての基本的な違いに根ざしていると考えられるのである。

福本・山川を超えて（その一）「交互作用」

このように見てくると、猪俣と山川の基本的なスタンスの違いとともに、猪俣の横断左翼論には、山川に対する批判も射程に入っていたことが明らかになってくる。

猪俣は、一九二九（昭和四）年末に発表した文章の中で、次のように述べている。

「真の前衛の結成・拡大に向って至要関心を有する前衛分子は、日本無産階級運動の現段階の特徴として、二つのことに最大の注意を向けねばならぬ。その一つは、日常闘争のための大衆組織——労働組合、農民組合および労働者農民の共同戦線党——が、今やようやく大衆自身のものとして定着し始めたに過ぎないことである。他の一つは、大衆組織の未発達なるに加えて、階級的前衛はそれにも増して未発達なることである。まず大衆組織を確立してしかる後に前衛を、という考えが誤りであるとすれば、まず前衛党を確立してしかる後に大衆組織を、という考えも劣らず誤りである。大衆組織の拡大強化と、前衛の結成および拡大強化とは、不断の交互作用の過程としてのみ実現される」(「前衛発展過程の犠牲」『改造』一二九年一二月号(『横断左翼論と日本人民戦線』所収二〇四頁))

猪俣が繰り返し強調する「交互作用」が、福本的な考え方、山川的な考え方の双方に対置されたものであることは、容易に読み取れるであろう。

前章で見た無産政党の合同問題について、猪俣はこうのべる。

「いま問題となっている無産政党の合同は、プロレタリア戦線の統一への運動の一形態にほかならない。戦線統一の運動は、(一)分散した闘争力を単一なものに集中し、(二)その過程において分裂主義その他のあらゆる反階級的な傾向と闘い、(三)真の階級的指導勢力を結晶せしめ、(四)かくしてプロレタリアの闘争を×××××政治闘争にまで高め行くことを任務とする」(「無産政党合同問題批判」『中央公論』一二八年一月号(『横断左翼論と日本人民戦線』所収一二二頁))

猪俣にとって、「合同」に向けた呼びかけは、前衛の「結晶」に向けた呼びかけに他ならなかったのであり、「政治的日常闘争の組織を、真実の前衛の結成および強大化のために積極的に利用すること」が絶えず念頭に置かれていたのである(「新労農党の樹立を評す」『中央公論』一二九年一一月号(『横断左翼論と日本人民戦線』所収一九九頁))。

こうした発想は、政党内における意見対立について、抑制すべきではなくむしろ活性化すべきだという考え方にも結びつく。

一九二八年末に猪俣は次のように述べている。

「意見対立とそれに基づく『内部的闘争』は、そんな団体においてこそ禁物であれ、無産政党にあってはまさにその発展の活力であり、生命であるのだ。……『内部闘争』のないような無産政党は、発展性のない団体である。大衆を引き上げ得ない団体である」(「劃時代的闘争の展開へ」『中央公論』二九年一月号(『横断左翼論と日本人民戦線』所収一八一〜二頁))

これは、社会大衆党の赤松克麿を批判したものだが、やがて起こる日本大衆党内の清党問題を想起すると、意味深長な指摘といえるだろう。

福本・山川を超えて(その二)「独自の役割」

一方、猪俣が繰り返し強調する前衛の「独自の役割」もまた、福本的考え方と山川的考え方の双方に対する批判を含んでいると考えることができる。

その対比を図示すれば、おおよそ次頁のようになるだろう。

図1において前衛分子は、大衆組織の外部(あるいは上部)から階級意識の注入を行い指導する立場にある。この前衛分子たる資格は主として「意識」に求められ、結果的に、左翼的と目される大衆組織は前衛組織と混同されてしまうことは、すでに見た通りである(猪俣は、こうした前衛分子が「自称前衛」(前掲「劃時代的闘争の展開へ」『横断左翼論と日本人民戦線』所収一八三頁)となる危険性についても指摘している)。

図2においては、前衛分子は、合法的大衆組織の統一をめざすとともに、大衆組織の内部におけるフラクショ

図1

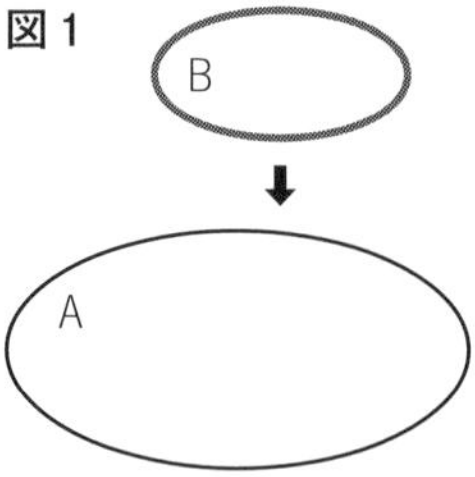

図2

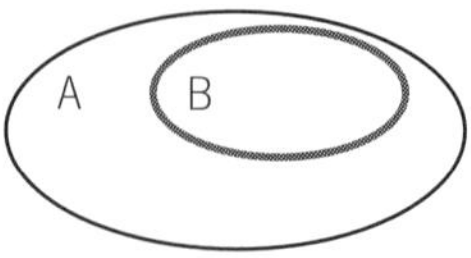

図3

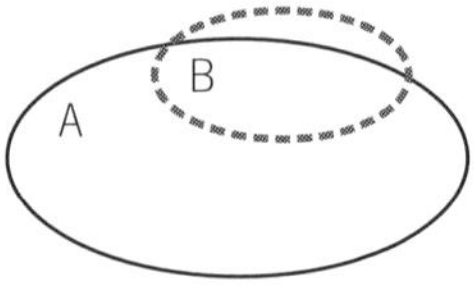

細線部分Aは日常闘争のための大衆組織　太線部分Bは前衛分子・先進分子

ン的な活動を通じて、組織の綱領や方針に対する影響力を発揮し、大衆組織が階級的傾向を強めていくことをめざす。ただし、前衛分子が大衆組織と区分けされた組織（前衛党）の結成のプロセスは明確に示されない。

図3における前衛分子は、大衆組織から「遊離」もせず、「埋没」もしないという絶妙な立ち位置にあり、*大衆組織の階級的先端を担いうる、大衆組織全体の活動とは区別された「独自」の活動を展開する。さらに、すべての組織における前衛分子の相互の結びつきを通じて、階級的指導勢力の「結晶」化を追求する――。

＊猪俣は、大衆の意識の程度やその組織の発展の程度が「前衛の行動を制約する」としている（『横断左翼論と日本人民戦線』二〇四頁）。

このように図式化することは可能なのだが、現実問題としては猪俣は大きなジレンマを抱えていた。それは、コミンテルン支部としての日本共産党がすでに存在していることである。

猪俣の現状認識が「真の前衛党はまだ存在していない」というものだったとしても、現存する日本共産党を無視するわけにもいかない。そこで猪俣は、労農党内の共産党グループも対象に含めながら、前衛の「結晶」化に向けた呼びかけを行うのである。

この「結晶」化をめぐって、より大きな問題となるのは、それを担う前衛分子の資格要件が、その役割・機能に求められていることである。つまり、求められる役割・機能が発揮できなければ、その瞬間に――どんなに立派な階級意識を備えていたとしても――前衛ではなくなるのである。

となれば、「結晶」はどのようにして達成されるのか、仮に達成されたとしても、そのまま維持され固定化されるとは限らない、ということになるだろう。

ここで改めて注目する必要があるのが、先の引用で示されていた「不断の交互作用」（前節「福本・山川を超えて（その二）」参照）に他ならない。

端的にいえば、交互作用に終点はなく、ずっと繰り返されるということであり、「結晶」そのものというより、絶えず「結晶化」をめざす努力にこそ力点が置かれていると考えるべきであろう。

前掲の図解において、前衛分子・先進分子のグループがあえて点線で描かれていることは、その限界を示しているのではなく、むしろその積極面を示していると解すべきである。

ここで興味深いのは、『労農』同人の中には猪俣と考えを一にする労働者グループがあり、『労農新聞』の活動に携わる人々もいたわけだが、そうしたグループも決して固定的な「派」を作ることはなかったということである。

こうした活動スタイルは、後述する三〇年代の運動だけでなく、戦後になって高野が呼びかけた「イニシアティヴ・グループ」（「二つの正攻法」『社会主義』一九五三年一月号（『高野実著作集・第3巻』所収二二八～九頁））の形成にも引き継がれていくのである。

「労農派」とは何だったのか？

では、あえて「派」を志向しなかった猪俣にとって、「労農派」はどういう存在だったのだろうか？

「正しい左翼意識の確立へ！　正しい左翼戦術の展開へ！」――これは、「『労農』発刊に就て」（山川の執筆とされる）に掲げられたスローガンの冒頭部分である。

ここには「宗派的分裂主義との闘争へ！」も掲げられているが、そこで強調されるのが「正しさ」であり「意識」であることが見て取れるだろう。

「宗派主義との闘争」といっても、それに対する「反」や「非」が単なる裏返しであり、「正しさ」や「意識」が基軸となれば、やはり「派」にならざるを得ない、ということなのであろうか。

鈴木茂三郎によると、雑誌『労農』の同人は、いくつかの流れを含んでいたという。

「……これらの顔ぶれがここに集まった経緯から色分けしてみると、

△堺・山川グループから荒畑、橋浦、足立、北浦、吉川

△『大衆』から大森、黒田、大西、野中、岡田、稲村、伊藤、鳥海、鈴木

△『文藝戦線』から青野、小堀、石井

△大森の『学者グループ』から向坂、高橋、『前進』になって塚本三吉

△猪俣津南雄の関係から高野実、萩原厚生（宇部原純）」＊

＊『鈴木茂三郎選集・第四巻』二二頁

発刊の経過からしても、ある「特定の信条」の下に集ったものではなかった。

高野はこう述べている。

「労農派とは、福本イズムの危険がいっそう拡大する真只中でとり急ぎ結ばれた文字通りの『反』福本イズムのカンパニアであった」（『日本プロレタリアートの戦略と戦術』序文Ⅳ頁）

高野のいう「労農派」は、「取り急ぎ」の「カンパニア」であって、後に「派」として固定化することも、まして「労農派マルクス主義」なるものが捻り出されてくることも、全く想定されていなかったはずである。

『労農』同人について、猪俣が「重要な問題に関して同人間に不一致がある」とのべ、山川が「かなり重要な点で意見の違った人もいた」と述べているのは、一時的なカンパニア組織であれば折り込み済みということになるが、その違いが、同人の性格や位置づけそのものをめぐるものであった可能性は十分にある。

高野は先の引用に続けて、こう述べている。

「しかし、共産党に弾圧が集中された三・一五、四・一六の時点で、すでに猪俣と山川の間に、労農派の存在について意見の違いがあらわれていた。それは、両者の組織理論における質的な差異――即ち、主敵の攻撃に対する共同は可能であり、不可欠であるとする猪俣と、それを拒否する山川らとの対立であった」

（同前Ⅳ〜Ⅴ頁）

つまり、「福本イズムの危険」が大きな課題であった段階に求められていたカンパニアは、共産党弾圧という新たな段階において、その「存在」そのものが問われても何ら不思議はない。

「横断左翼論」が提起するもの（その一）

「横断左翼論」という運動＝組織論、あるいは活動スタイルを獲得すると、いま展開しつつある運動、あるいはかつて展開された運動に対する捉え方、叙述の仕方も、自ずと変わってくるに違いない。

例えば、一七一頁で紹介した「図解2」の場合、運動の主役を演じるのは「左派組織」であり、それを導く「指導者」ということになるだろう。そこで目指されるのは、右派的組織に対する批判を通じた組織の維持・拡大であり、先進分子は左派組織の一員であり、その方針に従うことによってその資格を得ることになるだろう。

これに対して、「図解1」の場合、先進分子は、どの組織に属しているかを問わず、組織のワクを超えて相互にヨコのネットワークを張り巡らし、どこからかの指示を待つこともなく、また強固な前衛組織に結晶化せずとも、独自の役割を演ずることで全体を押し上げていく、ということになるだろう。

こうした活動スタイルのあり方として捉えると、後者は、とくに猪俣のオリジナルというわけでもなく、津村喬も指摘するとおり、自由民権運動の中にも見られたものに他ならない（津村喬『横議横行論』二〇一六年、航思社）。

また、「図解2」の観点に立てば、運動史の記述も、「組織」「指導者」「派」が主人公となり、「派」の正当性・正統性を誇るための記述という逆転現象すら生じかねないことになる。

他方、「図解1」の視点に立てば、さまざまな現場活動家たちの無定形なヨコのつながりと、時には挫折や失敗を含む、数々のドラマが描かれていくことになるだろう。

多くの現場活動家にとって、日本マルクス主義を二分したとされる「派」の存在は、どれほどの重みを持っていたのだろうか――という疑問さえ沸いてくるのである。

「横断左翼論」が提起するもの（その二）

最後に問題にしたいのは、革命のための組織と、革命後の社会のあり方についてである。

軍事モデルの組織によって遂行される革命は、軍事モデルのタテ型・集権的社会をもたらす――こうした議論もすでに五〇年代末から提起され、ソ連型に代わる自主管理型社会主義などの提起がなされてきた。

ここで問題になったのは、めざすべき社会は、政治革命の成功の後に初めて生まれるのではなく、すでに革命のプロセスに内包されている、あるいは革命組織のあり方そのものではないか、という論点である。

猪俣は、こういう形で明示的に提起しているわけではないが、早い段階に提起していた自治型社会は、大衆組織と遊離したタテ型組織によっては達成できず、ヨコのネットワークによって初めて可能だと考えていた可能性は十分にある。

もちろん、現実の闘争においては、激しい弾圧に立ち向かう場面も不可避であり、タテ型の非合法活動が求められる場合もあるわけだが、問題は、それが恒常的なものとなり、新たな社会形成の組織原理となってしまうかどうか、だろう。

これは、「革命の型」の問題にも直結するわけだが、少なくとも、猪俣が革命を、一回の政治革命に収斂し得ないプロセスと捉え、同時に、前衛分子の結晶化について、その端緒を合法的なものと考えていたことは留意されるべきだろう。

いずれにしても、横断左翼論の提起は、当面する運動＝組織論にとどまることなく、革命後の社会のあり方まで射程に入れていたものとして理解することが可能であり、必要であると思われる。

第七章　戦略論争の新展開

〈一〉「野呂・猪俣論争」再考

「謎」の人――野呂栄太郎

野呂栄太郎は「謎」の人である。

もう半世紀も前に最初に目を通したのは、猪俣の「政治的地位」に対する批判――「猪俣津南雄氏『現代日本ブルジョアジーの政治的地位』を評す」（『思想』二九年四月号（『野呂榮太郎全集・上』所収））であったが、その執筆時期（「政治的地位」の発表から一年半後）、執筆の動機・目的、そして内容（「国家最高地主説」）――どれもが謎に満ちていた。

その後、野呂の他の文献や解説書の類にも目を通すことになるのだが、謎は深まるばかりだった。

野呂が猪俣批判を通じて展開したものは、それ以前の戦略論争とその後の日本資本主義論争の間の時期に、後者の議論の土俵を準備するとともに、いわゆる「講座派」の主張を先取りしていた――というのが、これまでの一般的評価といえるだろう。

ところが、これも周知のように、野呂の主張は、「日本資本主義発達史（二七年六月刊）→「日本資本主義発達の歴史的諸条件」（二七年一二月）→「日本資本主義現段階の諸矛盾」（三〇年一月）と推移するのに伴い、地主についての規定だけを見ても、資本主義的→資本主義的地主と経済外的強制を有する封建的地主の混在→国家最高地主説へと変容していく。

この変化は何によってもたらされたのか。野呂自身の理論的深化の結果なのか——この点について説得力ある説明を得ることはなかなか難しかったように思うが、かつて抱いた野呂に関する妄想——根拠のない勝手な憶測が、今でも頭をよぎるのである。

思い起こすままに綴ってみよう——。

“妄想”の中の野呂栄太郎

一、「発達史」からの軌道修正

一九二七（昭和二）年末、野呂は、『日本資本主義発達史』を単行本として出版するため、同名の第一編に続いて収録する予定で「日本資本主義発達の歴史的諸条件」（第三編）の執筆を進めていた。

完成を間近に控えた矢先に公表された「二七年テーゼ」の衝撃は、極めて大きいものであった。

このコミンテルン文書が、野呂青年にとってどのような政治的意味を持っていたかはわからないが、その内容が「発達史」で示したものと異なることは明らかだった。

「発達史」の立場からこの「テーゼ」を批判的に検討することも、論理的には可能であったかも知れないが、野呂青年は別の道を選択した。

すでに完成間近かだった「諸条件」の内容を再検討し、大幅な加筆・修正を行った。

いわば「模範解答」に合わせて、それまで積み上げてきた答案を、慌ただしく書き換えるという道を選んだのである。

しかも、「テーゼ」の内容そのものが両義的に解釈できる部分を含んでいたこともあって、野呂の答案の書き換えも部分的なものにとどまった。

新たに加筆された部分は、地代について封建的なものと規定するとともに、それを引き起こす要因としての「経済外的強制」をも指摘していた。

その結果は、それ以前の見解と、新たに付加した部分が混在し、立場の異なる見解が混在する――中間的ではなく折衷的な――ものとなり、後世の研究者たちが真逆の方向から解釈し得るという事態となった。

この点を、当の野呂自身がどう認識していたかはわからないが、とにかく模範回答に反しない答案を間に合わせた、という意味での達成感はあったのかも知れない。

「二七年テーゼ」の作成と発表は、共産党と『労農』グループの新たな対立を生むことになるわけだが、両者の間で激しく展開された戦略や組織方針をめぐる論争には、野呂は加わっていない。

もちろん、この時点では論争に加わるだけの当事者性を欠いていたからであるが、共産党に対するシンパシーはこの間に強まっていったことは間違いないだろう。

二、猪俣批判の展開

そうした党派性を獲得していけば、当然のことながら、自らも論争に加わりたいという欲求も芽生えてくるに違いない。

時あたかも、一九二八年夏のコミンテルン世界大会（第六回）では、「コミンテルン綱領」が策定される一方で、運動内部の社会民主主義勢力こそが最も危険である、とする「社民主要打撃論」が打ち出され、共産党以外の勢力を叩くことが戦略的にも重視されていた。

こうした中で野呂が徹底批判の対象として選んだのが、他ならぬ猪俣であった。二九年四月号の『思想』に発表した前掲「猪俣津南雄氏著『現代日本ブルジョアジーの政治的地位』を評す」である。『労農』グループの中心的存在であり、しかもかつての職場における先輩である猪俣は、野呂にとって、自らの旗幟を鮮明にするための相手として打ってつけだったといえよう——かつて、福本が数年前の山川の「方向転換論」を批判することでデビューしたように。

野呂が批判の対象としたのは、もちろん「政治的地位」の全体ではなく、結論部分の戦略の規定ぶりでもなく、次の一節であった。

「日本のいわゆる絶対主義的勢力は、バラバラの諸勢力に総括的にあたえられた名称で、統一された一勢力が実在するのではなく、しかも肝心の物質的基礎——大土地所有制——を欠いている」(『横断左翼論と日本人民戦線』五一頁)

なぜ、この一節なのか。

それは、この一節が「二七年テーゼ」に反している、と野呂が判定したからである。

野呂は、テーゼの次の一節を引用して見せる——「ブルジョアジーと地主との融合過程がいかに進行していようとも、大土地所有は依然としてこの国の政治上並びに経済上の生活におけるきわめて重要にして高度に独立的な要因である」(『野呂榮太郎全集・上』所収二九三頁)

確かに、これは、先に引いた猪俣の一節とは符合しない。

つまり、野呂は、猪俣の「政治的地位」の長い文面の中から、テーゼ＝模範回答に合致しない箇所を探し当てたのである。

猪俣はテーゼと自分の見解が「一致する」と嘯《うそぶ》いているがトンデモナイ——というわけだ。

もともと「物質的基礎」という問題設定は野呂にはなく、「発達史」では、諸勢力の主導権＝ヘゲモニーが問題とされていた。*

＊このことを早くから指摘していたのは岡本宏「野呂榮太郎の戦略・戦術論」（『歴史と現代』一九六四年四月）である。

だが、野呂は、猪俣が持ち出してきた「物質的基礎」を逆手にとって、そこに問題を「集中」させていく（『野呂榮太郎全集・上』二九〇頁）。

そして、（一）日本には封建的絶対主義の「物質的基礎がある」こと、（二）それが専制国家の物質的基礎となっていること、を指摘していく。

その際に野呂が、「物質的基礎がある」としているのは、①地主が、必要労働からの控除部分までを主として生産物の形態で小作農から搾取していること、②それが「自由な」関係ではなく「経済外強制」に基づくものであること、である（同前二九二頁）。

これらは、封建時代からそのまま持ち越されているとされるのであるが、何をもって「経済外強制」とするのかは明らかにされていない。

三、国家最高地主説

ただし、こうした封建制の残存の指摘は、雑誌『マルクス主義』がかねてから行ってきたことであり、野呂が初めてというわけではない。

そこで野呂は、「物質的基礎」に通ずるオリジナルな見解を打ち出そうと模索を開始する。

そして、マルクスの文献を読み漁る中で、遂にその決定的とも思える論拠を探り当てることに成功する。

それは、『資本論』第三巻第二部の一節だった。

「土地所有者たると同時に主権者として直接かれら（農民）に対しているものは、私的土地所有者ではなく、アジアにおけるがごとく国家であるとすれば、地代と租税とは一致する、というよりもむしろその際にはかかる地代の形態と異なったなんらかの租税も存在しない。かかる事情のもとでは、従属関係は、政治的にも経済的にも、この国家へのすべての臣隷関係に共通なる形態よりも、なんらより過酷なる形態をもつことを要さぬ。国家がここでは最高の地主である。主権はここでは国民的範囲に集積されたる土地所有である」

野呂がこの一節を引用するのは、「『政治的地位』を評す」とほぼ同時期に書かれた「日本における土地所有関係に就いて」（『思想』一九年五、九月号）においてであったが、そこではこう述べている。

「このマルクスからの引用は、明治維新の変革によってもたらされた日本の土地所有関係の本質を、もっとも浮き彫り的に定式化したものといわねばならぬ。たしかに、わが国においては、国家は最高の地主であり、土地は国家的範囲に集積せられたる土地所有である」（『野呂榮太郎全集・上』所収三〇〇頁）

この点について「『政治的地位』を評す」では、マルクスの引用なしに「わが国における土地所有関係の特殊なる歴史的発展は……日本国家そのものにも一大地主たる性質を帯びしめている」と述べるとともに、それが「我が封建的絶対主義的国家機構の依然たる残存の物質的基礎」であると指摘している（『野呂榮太郎全集・上』二九三頁）。

ここで描かれるのは、封建時代の土地所有を、明治維新によって丸ごと国家が継承し、個々の地主はその代理人となって小作人から搾取を続け、地租として国家に納められる、という構図である。

また、野呂は、「発達史」の段階からその後に至るまで、「小農生産」という生産方法（様式）の問題を取り上げ、当初は、所有（私的土地所有）と生産方法の矛盾を問題としていたが、この新説の下では、この矛盾は解消されることになる。

野呂は、この新説を提起すると同時に、猪俣の戦略規定について、「ブルジョア民主主義革命の問題を、その社会主義革命への転化の一般的展望のなかに解消せしめてしまわれることによって、実は、社会主義革命のための闘争そのものを無限のかなたに押しやられるものである」と批判する（『野呂榮太郎全集・上』一九五頁）。

野呂は、これ以上の積極的な戦略規定を行っているわけではないが、この指摘も、野呂自ら引用しているテーゼの次の一節にもとづくものであった。

「ブルジョア民主主義革命の社会主義革命への急速なる転化の展望は、もちろん、けっしてそれ自体としてのブルジョア民主主義革命の問題を排除するものではない」

かくして、コミンテルンの「テーゼ」の権威に即して忠実に軌道修正した野呂は、今度はその権威を振りかざすことによって猪俣に立ち向かった、ということになる。

その後、野呂は、資本主義の現段階を巡って、猪俣批判のトーンをさらに強めていく。

共産党は、二九年四月の大弾圧で大きな打撃を受け、野呂自身も拘束されたが、旗幟を鮮明にした野呂は三〇年一月に共産党への入党を果たし、三三年五月には委員長の地位に上り詰めていくのであった——。

野呂の「再転換」

さて、以上のような〝妄想〟を妄想と自認しつつなお捨て切れないのは、やはり、それなりの理由があるからだろう。

第一には、「発達史」以降の野呂の変貌ぶりは、論理的には解明できないという点である。

第二には、この変貌がテーゼの権威に由来するということがかねてから指摘されてきたわけだが、それもテーゼの〝思想〟に即して、というよりは、「政治的地位」批判に顕著に表れているように、その文字面に即したもの、という印象を拭えないからに他ならない。

もちろん、変貌そのものに問題があるわけではない。「発達史」は若き日の作品であり、その後の自らの研鑽の末にたどり着いた結論が、封建的地代や国家最高地主説であったとすれば、その是非はともかくも、後の「三二年テーゼ」や、「講座派」の立場を先取していた、とする評価も十分に可能であろう。

ところが、事態はそのようには進まなかった。

「三一年テーゼ」草案が示された際に野呂がとった対応は、それまでの自身の立場から批判的な態度をとる、というものではなかった。

「講座派」の由来として知られる『日本資本主義発達史講座』は、当時すでに準備が進められていたが、野呂はその「内容見本」に「日本資本主義の基本的矛盾」(三一年六月)と題する小文を寄せ、冒頭でこう述べている。

「寄生地主的所有制の桎梏のもとになお残存せる半封建的農業生産関係は、日本資本主義のもっとも基本的な矛盾である。……それはもはや、資本主義制度のもとでは克服しがたき矛盾、資本主義制度そのものの止揚によってのみ解決せらるべき矛盾となった」(『野呂榮太郎全集・下』一三四頁)

この主張は、それまでのいわゆる「二段階革命論」からの転換であることは明らかだろう。

もしも、例えば、「三二年テーゼ」の策定がもう数ヵ月遅かったら、『講座』は、この「三一年テーゼ草案」のスタンスに沿って編集されていたのかも知れない。

それだけではない。

コミンテルンの「三一年テーゼ草案」が、猪俣らが主張してきたことをいわば「公認」したものと受け止められたことから、『中央公論』は三一年五月号で「猪俣イズムの検討」を特集した。

野呂は、この特集に「『没落への』転向期に立つ理論家」という一文を寄せているが、最後をこう締めくくっている。


「プロレタリア革命の前提条件が成熟している時に、どうして、『もっとも急を要する第一歩は能う限り、多数の大衆を合法的大衆党に組織することである』というような主張が出てくるのであろうか？　かかる主張は、合法的大衆党をもって〈共産党〉に代役せしめんとするものでなければ、『プロレタリア革命のための前提条件が成熟しつつある』とき、プロレタリア〈階級〉の〈前衛〉たるべき〈日本共産党〉のボルシェビキ化を妨げ、これをセクト的存在に閉じこめんとするものではないか？……これ等の問題に明確なる解決を与えて然る後にプロレタリアートの戦略論を口にすべきである」（『野呂榮太郎全集・下』一七七頁）

野呂はこの論文で「三一年テーゼ草案」に触れておらず、それに対する自身の見解も示していない。ところが驚くべきことに、（「テーゼ」に近いと目されていた）猪俣に対して、「テーゼ」の立場から批判して見せたのである。

こうなると、何が野呂の持論なのかすら、わからなくなってくる。*

＊風早八十二は「革命家野呂栄太郎のこと」（前掲『光を掲げた人々』所収）の中で、野呂は猪俣の「公式主義」とは違って「弁証法的論理の展開」であり、それは「然り、否、否、然り」だとしている。野呂の紆余曲折も「弁証法的」ということになるのだろうか。

また一年後に「三二年テーゼ」が出されたからといって、それで野呂が胸を撫で下ろしたのか、動揺したのか

――それは定かではない。

コミンテルンという権威に忠実な余り、二転三転するテーゼに翻弄され続けた若き秀才、という野呂像を描くことは十分に可能だろう。

他方で、お上の度々の方針転換にも動ずることなく、その転換の度に新たな方針を見事に敷衍《ふえん》し、裏付けてみせる、いわば「官僚」タイプの秀才、という野呂像もそれに劣らず可能だろう。

果たして、どちらが説得的といえるか――。

野呂が「先取り」していたもの

だが、問題は、野呂個人の資質にとどまるものではない。

先の「妄想」が――部分的にでも当たっているとして――端的に示しているのは、コミンテルンや聖典（資本論など）の「権威」という問題である。

かつて、B・ラッセルは、共産主義（共産党）をキリスト教（教会）に例えたが（B・ラッセル『ボルシェヴィズムの実際と理論』一九二〇年）、確かに、聖典―教祖―会派（セクト）といった仕組みは、左翼主義に永く付きまとってきたことは事実だろうし、権威に無条件に服するという意味では、天皇制にすら通ずるといえるかも知れない。

何か自分の考えを示す際に、マルクスからの引用でハクをつける、という作法は、実は現在でも一部のマルクス学徒に見られる傾向なのである。

そうした左翼主義の伝統的スタイルは、福本和夫に始まるのかも知れないが、野呂にも脈々と受け継がれているといえるであろう。

とくに野呂の場合、天皇制国家による弾圧の下で獄死したという悲劇が、「英雄伝説」のように語り継がれていったことが、野呂の足跡を客観的に評価する機会を奪ってしまい、そのスタイルまでが神格化されていったという面もある。

しかも、左翼主義のスタイルは、山川に始まる『労農』グループも決して無縁とはいえない。

そうなると、「論争」のスタイルもまた、ここから規定されてくることになる。

野呂の功績として、後の日本資本主義論争への橋渡し役、あるいはその礎を築いたことがあげられるわけだが、そこには、一方で、論争のスタイルを作り出したこと、他方で、その論点を設定したこと――具体的には、戦略論争から農業・土地問題や封建遺制をめぐる論争に移行させたこと、という点を特記すべきであろう。

もちろん、戦略論争とそれ以降の論争との決定的な違いを無視することはできない。

戦略論争は、無産政党や前衛党のあり方をめぐる路線対立の代理論争という性格を持ち、その当事者たちによる論争であったが、野呂・猪俣論争ではそうした性格は無くなったとはいえないまでも相当に薄れてくる。

それが論点の移行にも連動するのは、当然の成り行きであったといえるだろう。

猪俣の対応

一般に「野呂・猪俣論争」と言われてきたものをつぶさに見てみると、猪俣は野呂の主張を――国家最高地主説を例外として――一つひとつ取り上げて正面から批判しているわけではなく、激しく火花が飛び交ったというわけでもない。

例えば、野呂がもっとも強調した「物資的基礎」の有無をめぐる問題で、野呂が猪俣批判の拠り所としたのは「テーゼ」の一節（「独立した要素」）だったわけだが、すでに見たように（第三章「コミンタンの批判を読む」参照）、その一節こそ、猪俣がコミンテルンに対して警告を発していた部分であった。

猪俣にしてみれば、コミンテルンの理解不足ということになる。

なお、ここに登場する大土地所有について、野呂は、わざわざ『資本論』の一節を引きつつ、問題は大土地所有か否かではなく、直接生産者との関係であると強調するが（『野呂榮太郎全集・上』二九一頁）、この大土地所有が「農奴制」という生産関係のことであることはいうまでもない。

また、仮に封建的絶対主義勢力の「物質的基礎がある」ことが実証されたとしても、猪俣は「物質的基礎がない」から社会主義革命だ、と主張しているわけではないので、それが直接に猪俣の戦略批判の論拠となるわけでもない。

さらに、野呂が引用したテーゼのブルジョア民主主義革命についての指摘（それ自体の重要性）に関しても、猪俣自身がそのことを主張した上で、戦略的にはあくまでも副次的であることを繰り返し強調してきていた。

つまり、猪俣にとってこれらの点については、すでに折り込み済みのことであったわけだ。

猪俣が具体的に取り上げた唯一の論点――それが国家最高地主説であった。

猪俣は、後で詳しく触れる「土地問題と封建遺制」（『改造』三〇年一月号）の末尾で「封建遺制に関する謬見」という節を設け、「現代日本において封建的残存勢力と見ゆる政治的勢力を過大評価したがる者は、それに応当する物質的基礎の存在することを見出すに苦しんでいる。比較的最近にあらわれた一論者のごときは、現代日本の国家そのものを、『最高の地主』と規定するに至った」と指摘する（『横断左翼論と日本人民戦線』所収八五頁）。

そこで、野呂の主張を、その典拠となった『資本論』の一節とともに紹介し、こうコメントする。

「だがこれは、かなりに思い切った間違いであろう。右に引用されたマルクスの一節の前後の数行を『資本論』で読めばすぐにわかるように、マルクスの言っているアジアの国家は、封建社会以前の社会の国家であり、二、三千年前の国家である。……かつてそれ自身最高の地主たりえたアジアの国家と、いま帝国主義日本と呼ばれているアジアの国家とは、国家の歴史的発展における両極端にあるといえよう。……皮相な類推で満足し得る者は幸である」（同前八六頁）

ここでの問題は、「思い切った間違い」そのものよりも、結論先にありきで、「その物質的基礎を見出そうとする」姿勢にこそあるというべきだろう。

「土地問題と封建遺制」

先に触れた「土地問題と封建遺制」は、二八年執筆の「農民運動の根本問題と当面の問題」（『改造』二八年四月号）の続編ともいうべきもので、「土地問題」に関するまとまった考えが示されている。

野呂は「『政治的地位』を評す」の中で、「政治的地位」の「特徴的欠陥」として「農業生産に関してはほとんどなんらの権威ある分析をも試みていない」ことを指摘していたが（『野呂榮太郎全集・上』二九四頁）、それが少しは刺激となったのであろうか？

興味深いことに、猪俣は「土地問題と封建遺制」の書き出しでこう指摘している。

「日本無産階級の一般戦略を規定せんとする見地より見たる封建的残存勢力およびその物質的基礎に関する問題は、すでに一応解決されている」（『横断左翼論と日本人民戦線』所収七一頁）

その上で猪俣は、この論文の課題を「日本における土地問題のプロレタリア的解決の観点から、現代日本農業生産における封建遺制の歴史的特質を究明する」ことと設定するとともに、「農民運動の根本問題と当面の問題」などからいくつか文章を引用する（同前七二頁以降）。

猪俣は、それらからも明らかになる現代日本の土地問題を構成する諸要因の多様さ、複雑さを指摘しつつ、「農民に即して」みた場合の問題は、その「窮乏」にあると指摘し、その原因である「高利地代」と「法外に高い小作料」の問題に焦点を合わせる（同前七五頁）。

猪俣はまず次のように強調する。

「農業生産力の発展に対する障壁となり、農民窮乏の源泉となったところの、絶望的な高利地代・高利地価は、封建時代からそのまま受け継がれたがゆえにかかるものとして現存するのではなく、旧き過小農的生産法の基礎の上に新しく設定された私的土地所有の特殊の発展の極限を代表してそこにある」（同前七七頁）

続けて猪俣は次の点を指摘する。

（一）地租改正によって従来の封建的土地所有が撤廃され、私的土地所有が設定される一方で、地主階級は「解放されたる農業生産者」となった。その大多数は、農業生産に携わる「新興階級」として自由民権運動を担ったが、一部分は、農業生産に携わらず搾取によってのみ生活し、他の一部は農村小ブルジョアジーとなった。

（二）私的土地所有の排除、制限を条件とする「年貢」と、私的土地所有を条件とする高利地代とは全く異なる経済的範疇に属し、維新後に設定された新小作料は、生産そのものを不可能ならしめる高さの小作料ではあり得なかった。

（三）高利地代は、私的土地所有をかち取った過小農制生産が、日本の農業の生産力を発展せしめつくした時にのみ成立した。

（四）封建社会の農民搾取は、農民の生活資料と若干の蓄積の余裕を保証していたが、資本主義社会の農民搾取は、労働力以外には何物も残さぬまでに搾取する。

ここで強調されているのは、「年貢」と「高利地代」の間に厳然として存在する切断である。そこで猪俣が指摘するのは、次のようなメカニズムである。

「農業労働の生産性が増大すればするほど、各農家は、その家族の労働のためにヨリ多くの土地を得る必要に迫られる。この必要が切実になればなるほど、零細の土地を自耕しまたは借耕するものは、耕地の小作片を買い足すため、借り足すために、ヨリ高い地価、小作料を払わせられる。耕地の小片を貸し付ける一人の地主に対して、数人もしくは十数人の借り手・買い手が競争し、最も好条件に恵まれて最も高く支払う者のみがそれを得るから、かようにせり上げられた小作料や地価をもつ土地は、比較的劣悪な条件の下にある多数者にとってますます得がたいものとなる」(同前八一頁)

こうして猪俣は、高利地代を「強大な封建的政治勢力の残存のゆえ」と考えるのは「全く誤り」だとし、遺制は遺制でも、資本主義的発展と敵対的に維持されてきた遺制ではなく、一方が他方に適応し、他方が一方を同化しつつ維持されてきた遺制であると指摘している。

猪俣は、地主階級を敵として戦い抜かなければ土地問題の解決は不可能、という意味において、地主階級は「なお高度に独立的な政治的要因をなす」としつつも、「彼らの政治的勢力はすでにブルジョアジーに従位し、依存するものとなっている」と述べ、次のように結論づける。

「農民の地主層に対する闘争さえもが、必然的にブルジョアジーに対する闘争に転化する。そして地主がブルジョア政権に依存するのは、それは主として彼らが、半封建的な大土地所有者として封建的残存勢力を代表せずに、特殊の発展を遂げた過小農制の上に利子衣食者化した地主勢力としてそれを代表するからである。すなわち、物質的基礎の力弱さが、彼らの政治的勢力を薄弱ならしめている」(同前八五頁)

ここで展開された論点は、その後に『プロレタリア科学』で示される見解——過小農制と経済外強制——に対する先取り的な批判として読むこともできる。

また猪俣はこの論文の「最も重要なことの一つ」として、こう指摘している。

「封建的諸関係と戦って征服的に農業に侵入してゆく資本主義的諸関係がある程度までひろがらなかった間は、封建遺制と対立する農民をプロレタリアートに結びつかせる条件ができていなかったということである」（「戦略問題に関するノート若干」『日本無産階級の戦略』文藝戦線出版部三〇年五月一八五頁）

そこから猪俣が導き出すのは、戦略的見地からの「農民全体」は、「中農はもちろん富農をさえ含む」とともに、「専制支配に対してはなお『一階級』をなす」が、日本においては、富農の地主化、中農の小作化の下で、「利子衣食者化（その意味を含めてのブルジョア化）した『地主』層に対しての『農民全体』を考えねばならぬ」という点であった（同前）。

となると、この議論で念頭に置かれているのは、単に『プロレタリア科学』などの論争相手にとどまらず、「二七年テーゼ」であるという可能性も出てくる。

野呂は、「二七年テーゼ」の一節――ブルジョア民主主義革命の重要性など――を拠り所に猪俣を批判したわけだが、猪俣は「プロレタリア戦略論」（『中央公論』三〇年五月号）においてこう指摘している。

「［テーゼ］の――引用者］右の一節において『ブルジョア民主主義革命』とあるのは、……直接の革命情勢の当初に革命的諸勢力として登場してプロレタリアートの指導下に立つところの社会諸層（農民全体と下層小ブルジョアジー）およびそれの諸要求の性質に照応してかく呼ばれているものに過ぎない」（同前『横断左翼論と日本人民戦線』所収二二一頁）

猪俣にとって、こうした革命情勢の下に登場する社会的諸勢力の問題と切り離された「土地問題」は、存在し得なかったのである。

〈二〉「コミンテルン綱領」をめぐって

コミンテルンによる綱領採択

猪俣は、一九三〇（昭和五）年五月に単行本『日本無産階級の戦略』（文藝戦線出版部）を刊行している。かつての『労農』掲載論文三編と『改造』三〇年一月号に掲載した「土地問題と封建遺制」、それに三月執筆の「プロレタリア戦略に関するノート若干」を加えたものである。

この最後のものは、上記「プロレタア戦略論」と同趣旨のもので、革命戦略をめぐって新たに登場した論点に対応して書かれたものであった。

その論点というのは、コミンテルンが二八年夏に開催した第六回大会において採択した「コミンテルン綱領」である。

「綱領」*は全五章からなるが、その第四章「資本主義より社会主義への過渡期とプロレタリアートの独裁」の第八節「プロレタリアートの世界独裁を目指す闘争と革命の基本的型」の中で世界各国を三つの類型に分類した上で、それぞれの革命のタイプを示したのである。

＊外務省調査部『コミンテルン重要決議集』一九五一年

Ⅰ　高度に発展した資本主義国（アメリカ、ドイツ、イギリスなど）

・強力に発展した戦力と広範な生産の集中

・ブルジョア民主主義的政治体制

↓プロレタリア独裁への直接の通過

Ⅱ　中位の発展段階にある資本主義国（スペイン、ポルトガル、ポーランド、ハンガリー、バルカン諸国など）
・農業における半封建的関係の著大な残存
・社会主義建設のための物質的諸条件の最小限の存在
・ブルジョア民主主義的変革の未成就
　↓［二つのタイプに］
　　①ブルジョア民主主義革命の社会主義革命への急速な転化
　　②ブルジョア民主主義的性質の広範な諸任務を伴うプロレタリア革命

Ⅲ　植民地・半植民地（中国、インドなど）、従属諸国（アルゼンチン、ブラジルなど）
・経済及び政治的上部構造における中世的・封建的関係またはアジア的生産方法
・帝国主義グループによる産業や土地の支配
　↓ブルジョア民主主義革命の社会主義革命への転化

「綱領」はこのように各類型ごとに具体的国名を例示していたが、日本については言及していなかったこともあり、日本がどの類型に区分けされるかが問題となった。この問題を最初に取り上げたのは、一九三〇年になって発表された横瀬毅八［＝対馬忠行］「ブルジョア民主革命におけるプロレタリアートの社会主義的任務に就て」（『プロレタリア科学』三〇年三月号）であった。

これによって、一時中断していた戦略規定をめぐる議論が再燃することになった。

『プロレタリア科学』の見解

横瀬は「綱領」における中位の国の二類型の部分（上記の①と②）を引用した上で、「我が国に於けるソレは、……此処で云っている［中位国の中の――引用者］『後者』の範疇に入れて考えて差し支えないであろう」と主張した（『プロレタリア科学』三月号一二頁）。

更に続けて――

「かの右翼社会民主党の小伝馬船の如き『労農派』の諸公……は、上掲文に云う、前者の風のものとして……ソレを主張している。即ち、コミンテルンのかの画期的な日本テーゼ……とは、異って、『それ自体としてのブルジョア民主主義［革命］の問題』を抹殺しているが、……彼等は『ブルジョアジーは国家権力を握っている！』、ただそれだけに自らの認識を限り、異常に複雑な、所謂『二色を持っている』現実――同盟政権――を理解する可能性を自ら奪っているのだ！」（同前）

横瀬は、日本が「後者」に属するとする根拠を示しているわけではないが、「二七年テーゼ」が掲げているスローガン「労働者農民の政府」について、それが「労働者と農民の革命的民主的独裁」と「プロレタリアートの独裁」のどちらを意味するのか、という問題を提起し、「私は、前者を意味すると考える」と断定し、その根拠として、次の二点をあげている。

（一）我がプロレタリアートの当面の戦略的目標は、ブルジョア民主主義革命、即ち労働者階級のヘゲモニーの下に於ける労働者と農民の革命的民主的独裁にあること。

（二）文章上、「労働者農民の政府のスローガン、並びに、プロレタリア［独裁］のスローガン」とあること（同前二九〜三〇頁）。

このように、「綱領」を受けて、議論の新たな地平が開けてきたというよりは、「綱領」によって、「二七年テーゼ」はどう解釈できるか、という色彩が濃くなっている。

猪俣による反批判（一）——二つの革命の交互関係

これに対して、横瀬論文において名指しで批判された「労農派」からの反論は見られなかったが、直ちに公表されたのが、先に触れた猪俣の「プロレタリア戦略論」と「戦略問題に関するノート若干」であった。ただし、猪俣はすでに『労農』同人を脱退しており、これらの論文で『労農』グループを代表して反批判に立ち上がった、というわけではない。

新たに示されたコミンテルンの「綱領」について、猪俣は、「歴史的にも技術的にもヨリ広汎で正確な諸材料の集積に基づいてなされたところの、ヨリ全面的な考察・考究の所産」と評価している（「プロレタリア戦略論」（『横断左翼論と日本人民戦線』所収二一九頁））。

その上で、「無産階級の戦略の問題わけてもわれわれの論争の焦点となれる問題のうえに新しき光を投げかけるばかりでなく、われわれがすでに解決したと考えるその解決の正しさをますます明確ならしめる」と強調している（同前二二二頁）。

では、ここで言われている「新しき光」とは何なのか？「正しさ」とは何なのか？「社会主義革命」の主張の「正しさ」なのか？

猪俣がまず強調しているのは、次の点である。

「われわれの問題は、ブルジョア民主主義革命ならびにブルジョア民主主義的性質の諸任務と、プロレタリア革命との関係——両者の交互関係——である」（同前二二六頁、二二七頁も参照）

そして、この観点からすると、世界各国は二つの範疇に大別され、それぞれが更に三つのタイプに分かれるとしている（同前二一七頁）。
具体的には――
◇A型＝プロレタリア革命
ブルジョア民主主義革命は副次的
↓①重要な意味を持たない
②重要な意味を持つ
③その中間
◇B型＝ブルジョア民主主義革命
プロレタリア革命への転化
↓①急速に転化
②転化は極めて遅い
③その中間

ここに示された実質六類型と、前述の「綱領」の三類型を組み合わせてみると、おおよそ下のような区分けになる。

ここで示される、中位に属する国における選択肢は、

・ブルジョア民主主義の諸任務を伴うプロレタリア革命か

・社会主義革命へと「転化」するところのブルジョア民主主義革命か

<table>
<tr><td>Ⅰ</td><td>高度の帝国主義国</td><td rowspan="2">ブルジョア民主主義革命は特別の重要性を持たない
↑　（中間）
↓
ブルジョア民主主義革命の諸任務を伴うプロレタリア革命</td><td rowspan="2">プロレタリア革命</td><td rowspan="2">A</td></tr>
<tr><td rowspan="2">Ⅱ</td><td rowspan="2">中位の帝国主義国</td></tr>
<tr><td rowspan="2">プロレタリア革命への転化のテンポは急速
↑　（中間）
↓
プロレタリア革命への転化の条件はない</td><td rowspan="2">ブルジョア民主主義革命</td><td rowspan="2">B</td></tr>
<tr><td>Ⅲ</td><td>植民地、半植民地、従属諸国</td></tr>
</table>

というものとしている。

つまり、単純な二者択一ではなく両者の関係が問題とされていることになる。

猪俣が感じ取った「正しさ」というのは、その問題設定そのものだったと思われる。

猪俣による反批判（二）――「綱領」と「テーゼ」の整合性

猪俣は、問題は「理論的にはすでに解決された」ものとして、これまでの主張をなぞるように論を進めていくのであるが、ここで改めて論点として浮上するのが、「二七年テーゼ」の解釈であった。

先の横瀬の「綱領」理解が「二七年テーゼ」を踏まえてのものだったこともあり、「綱領」と「テーゼ」の整合性が問われることになった。

猪俣は、「テーゼ」で示されたいくつかの点について、「綱領」との関連で解釈を加えることによって、間接的に横瀬の主張に対する反論を行っている。

主な主張点は次のようなものであった。

（一）革命の「転化」

最初の問題は、「テーゼ」のいう「急速な転化」と、「綱領」の中位国の類型で示された「転化」との関係である。

用語の一致だけを見れば、日本は中位国の「後者」に区分けされることになるだろう。

だが、猪俣は、両者の「転化」は「同一の内容を持たない」と主張する（『横断左翼論と日本人民戦線』所収二一九頁）。

猪俣によれば、同じ「転化」でも、次の二つの場合が考えられるという。

a　権力を掌握せず、動揺し、プロレタリアートによって無力化され得るブルジョアジーの存在を前提とした場

合の転化

b　権力を掌握し、動揺せず、プロレタリアートによって無力化され得ないブルジョアジーの存在を前提とした場合の転化

「テーゼ」は、権力ブロックにおける「ブルジョアジーのヘゲモニー」を明記していることから、bに該当することになる。

これに対して、「綱領」における中位の国の「後者」は、革命の二類型のB型であることから、aに該当することになるだろう。

(二)「直接」か「間接」か

この両者の違いは、a労働者・農民による革命的・民主的独裁という中間間接的なものを経過するか、bそうしたものを経過せずに、「直接に」無産階級独裁へと発展するか、に求められることになる。

また、「テーゼ」は、「直接に」と明記しているので、ここでも日本はbに該当することになる。

(三)「労働者・農民の政府」

では、「テーゼ」が掲げているスローガン「労働者・農民の政府」は、a「労働者・農民の革命的民主的独裁」、b「無産階級独裁」のどちらを意味するのか。

この点について「綱領」は、資本主義が発達した国→b、未発達の国→aという区分けをしているので、日本はbに該当することになる。

(四)「ブルジョア民主主義革命」

すでに見たように、「テーゼ」は「日本におけるブルジョア民主主義革命の社会主義革命への急速なる転化の見透しは、ブルジョア民主主義革命そのものの問題をなくしてしまうものでは決してない」と強調していた。

一方、「綱領」における中位国の「後者」の類型では、「ブルジョア民主主義的性質の広範囲の諸任務」とされている。

猪俣は、「テーゼ」の「ブルジョア民主主義革命」について、革命当初に登場する諸勢力に照応してそう呼ばれているにすぎず、「そうした中間間節的なもの［労働者農民の民主主義的政府］にカルミネートす［ピークを見出す］べき『ブルジョア民主主義［革命］』を意味しているのでは決してない」と強調している（『横断左翼論の日本人民戦線』二二二頁）。

以上の四点の指摘によって猪俣が主張しようとしたのは、「テーゼ」の規定やスローガンは、「綱領」における中位国の「前者」に該当する、という点であった。

「中心的」な矛盾の把握

しかしながら、論争はこれ以上に発展することはなく、論点もこれ以上深まることはなかった。

そもそもの発端は、コミンテルンの「綱領」の公表であり、主たる争点は、それによる「二七年テーゼ」の「解釈」であった。率直に言って〝スコラ的〟との印象を拭えない。

論争に臨む猪俣にとって、問題はすでに「解決済み」であり、そこで論じたことは、それまでの主張を繰り返すという域を大きく超えるものではなかったといえる。

他方、共産党の側では、コミンテルン「綱領」を一つのきっかけとして党内に「解党派」が生まれるなど、組織問題を抱える状況に直面していた。

論争が発展しなかったのも、無理もないといえよう。

そこで浮かび上がってくるのが、すでに指摘した、二つの革命類型の「交互関係」という猪俣の独自のスタンスである。

しかも、このスタンスは、戦略規定を超えた、基本的な枠組みに関わる問題を含んでいた。

一般に、戦略規定の前提として、国家の性格規定——例えば、資本主義国家か絶対主義国家か——が問題となるわけだが、その実際の姿は、理念型通りの純粋なものとして現れるわけではない。

純粋の——『資本論』で描かれた通りの——資本主義国家を念頭に置くならば、現実の国家は、不純なもの、未完成のもの、遅れたものとして映るだろう。

猪俣が、コミンテルンの「綱領」の紹介に続いて、最初に指摘したのが実はこの問題であった。

猪俣はこう述べている。


「高度の資本主義的発展の諸国にあっても、ブルジョア民主主義的性質の諸任務はある。たとえばイギリスにおいてさえ、アンチ・モナアキー〔反君主制〕の闘争は必要であり、現に強力に遂行されている」（同前二一七頁）

さまざまな要素の混在——横瀬のいう「複雑」さは、日本に限ったことではなく、どこでも存在することは自明の前提である。

では、そこで問題になるのは、そうした二つの要素——例えば、農業における生産関係とそれ以外の産業の間の「矛盾」なのであろうか？

猪俣は、日本において深刻化しつつある「二つのグループの矛盾」——二つの生産関係の間の矛盾ではなく、それぞれの生産関係に内在する矛盾——を指摘している。

一つは、資本主義的関係における諸矛盾（没落資本主義の段階における日本の帝国主義的諸関係、農民の商品生産化による国内市場拡張過程の終了、資本主義的諸企業の独占化、堂々めぐりに終る産業合理化、政治的プロレタリアートの登場……）。

もう一つは、半封建的諸関係における諸矛盾（生産そのものを不可能ならしめるほどの高利地代、農業生産力の発展における停滞的傾向、地主の利子衣食者化、闘争的農民の登場……）。

ここで猪俣が強調するのが、それらの「比重」の大きさという問題であった。

「二つの矛盾のグループは『交互作用』においてそれぞれの発展を遂げはするが、それとともに資本主義的矛盾のグループの社会的『比重』はいよいよ増大する。この方が、全社会的発展の基線をえがき、ますます『決定を与える』力を強めつつ、他の諸矛盾はこれを自己に従属せしめてほとんど自己の物のごとくならしめる」（同前二三七頁）

猪俣が共産党グループの戦略規定を批判したのは、単にブルジョアジーによる権力の掌握や地主のブルジョア化といった観点からのものではなく、諸矛盾の把握の仕方そのものの問題であった。

猪俣は「戦略問題に関するノート若干」をこう締めくくる。

「われわれはあらゆる矛盾を見出さねばならぬ。だが、それらのうちの中心的な諸矛盾の歴史的特質を把握することが、正しく戦略を規定するための先要条件の一である。……その見さかいのない者にはすべての混乱は不可避的である」（同前二三七〜八頁）

この「中心的な矛盾」は、毛沢東『矛盾論』（一九三七年）の「主要矛盾」を想起させるが、これらは両者の戦略的思考そのものに他ならなかった。

猪俣の独自の思想方法

以上に見られる、相互関係と中心的矛盾の把握という猪俣の〝独自のスタンス〟は、その当然の帰結として、共産党グループのみならず、『労農』グループに対する批判的視点として現れざるを得なかった。
猪俣は、「プロレタリア戦略論」の冒頭で、「シエマ的」言い方にならざるを得ないが、とためらいを見せつつ、革命戦略を第一型・ブルジョア民主主義革命が完了しブルジョアジーが完全に権力を握っている場合のそれと、第二型・ブルジョア民主主義革命が遂行されず国家権力が地主貴族階級に握られている場合のそれに分けた上で、現下のプロレタリア戦略に関して「二つの誤った解答が可能である」と指摘し、こう述べている。
「ブルジョア民主主義［革命］の未完成という一面のみにとらわれた者は、前記第二型の戦略そのままを解答とするであろうし、反対にブルジョアジーがすでに政治的覇権を握っているという決定的条件はこれを妥当に認識し得ても、ブルジョア民主主義［革命］、わけても農民型のそれの未完成という条件を正当に評価し得ない者は、ただ前記一型の戦略をもって解答するのみで、その戦略を遂行するための極めて重要な前提条件を指摘することを忘れるであろう」*

*同前二一二頁。文中の「農民型」というのは、「資本家型」と対比され、農奴地主制からの解放、地主的搾取・支配からの解放をめざし、耕作者自身による土地所有をめざすもの、と規定されている（二一一頁）。

また、前述の「二つの矛盾のグループ」の指摘に関連して、「二つの空虚な公式主義」が批判されている。
「一つは農業の資本主義化しか考えることができない。そしてその反対の公式主義者にとっては、農業における封建制だけが問題の全部だ。ただ遺制が強ければ強いほど『矛盾』が深刻で、『対立』が深刻だと思い込んでいる」（同前二三六頁）
この指摘は、当時の戦略論争を表したものであるが、農業問題を中心に展開される後の日本資本主義論争に対する批判を先取りしたものと見ることができるだろう（次章参照）。
さらに、猪俣は、「テーゼ」が「大土地所有ないし半封建的土地所有……の特別の重要性と、高度に独立的な要因なることを強調した」ことについて、「とりもなおさず、プロレタリアートの二つの別箇の任務の一つを忘却または過小評価することを戒めたもの」という解釈を示している（同前二二二頁）。

ここで念頭に置かれているのは、資本主義への「同化」を強調する『労農』グループであることは明らかだろう。

こうした猪俣の独自のスタンスは以前から貫かれていたものではあったが、『労農』同人脱退によって、より鮮明にする可能性が広がったといえるかも知れない。

〈三〉その後の猪俣の活動

精力的な執筆活動へ

一九二九年の日本大衆党除名、『労農』同人脱退は、猪俣の活動歴において大きな転機となるものであったが、もう一つ大きな問題に直面していた。すでに触れた自身の健康問題である。

当時、猪俣の助手をしていた萩原厚生［＝宇部原純］は、後にこう述べている。

「先生の腎臓病はかなり古いもので、……先生が所謂『労農派』の第一陣から退かれたのも、一部にはこの病疾が原因になっていたのではないかと思う」（戦後版『農村問題入門』一九四八年、黄土社「あとがき」）

その後、病状が少し回復した猪俣のその後の活動を特徴づけるのは、何といってもその精力的な執筆活動である。そこにはもちろん生計を支えるためという事情もあったであろう。

病状がかなり悪化した一時期を除いて、『改造』や『中央公論』などに毎月のように寄稿し、単行本も矢継ぎ早に刊行された。

〈三〇年以降の単行本一覧〉

・『日本無産階級の戦略』　一九三〇年五月　文藝戦線出版部
・『没落資本主義の「第三期」』　一九三〇年九月　大衆公論社
・『日本の独占資本主義』　一九三一年一〇月　南北書院
・『恐慌下の日本資本主義』　一九三一年一一月　改造社（経済学全集）
・『金の経済学』　一九三二年六月　中央公論社
・『極東における帝国主義』　一九三二年六月　改造社（経済学全集）
・『インフレーションの基礎理論』　一九三三年三月　改造社
・『貨幣信用及びインフレーションの理論』　一九三三年一〇月　改造社（経済学全集）
・『統制経済批判』　一九三四年一月　改造社（日本統制経済全集）
・『窮乏の農村』　一九三四年九月　改造社
・『軍備・公債・増税』　一九三四年一二月　改造社
・『日本における農業恐慌と産業組合』　一九三五年一二月　学芸社
・『農村問題入門』　一九三七年四月　中央公論社

もちろん、これまでの分析がそうであったように、戦略・戦術を規定するための政治・経済・社会分析という視点は一貫していたが、単に研究や分析を深めるということだけではなく、また、かつての論争のように一部の論者たちを相手に議論を展開するのでもなく、多くの労働者・農民・市民に対して、直接語りかけるということに、重要な意義を見いだしていた。

前述の萩原は、次のように述べている。

「……先生は、マルクス主義普及のため『入門』書を書くことを今後の生涯の仕事にしたいという案を立て、私に示された。病気を気にしておられた先生が、この『生涯』という言葉にどういう意味を込められたかを私は知らない。然し生涯という言葉を使われたのは事実である。そして、差当たりの仕事として十冊ばかりの本を書くことを計画された。私も大いに賛成して助手役を務めることになった。

「私達の最初の意図はマルクスの学説をわかりやすく祖述することにあったのであるが、仕事を進めている中に、これを生涯の仕事とするのならばそれだけでは物足りないという気になられたのか、マルクスが未解決のままに遺した又は十分にはその理論を発展させずに終わった問題を積極的に取り上げ、これを世の批判の前に持ち出すことによって少しでもマルクス主義の前進のために役立たせたいという風に、最初の意図が変更され、後にはむしろ其処に重点が措かれるようになった。このようにして世に送り出されたのが（十冊の中八冊は先生の下獄、獄中に於ける病疾の悪化遂に永眠という事情の前に日の目を見るに至らず）この『農村問題入門』と『金の経済学』の二冊である」（同前）

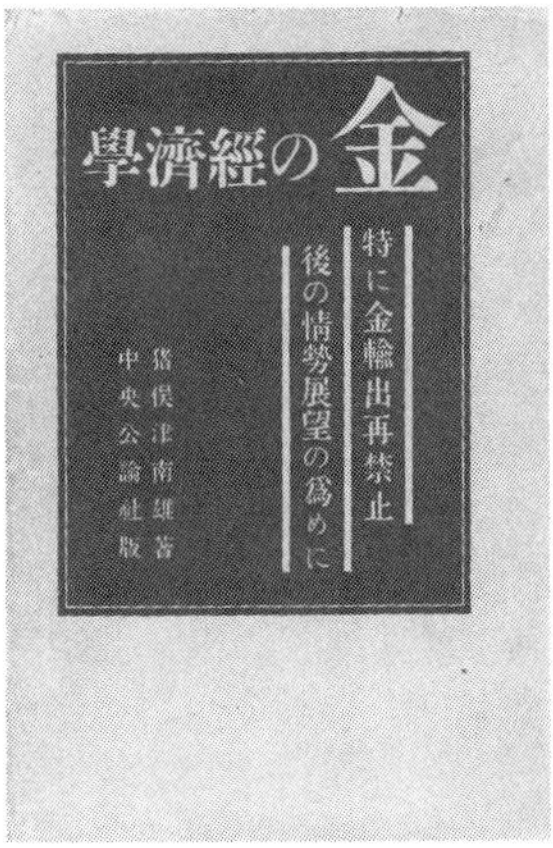

中でも、『金の経済学』は、九〇〇頁を超える大著でありながら、一九三〇年の「金解禁」の世情に訴えたこともあって、わずか一五日で九〇版を重ねるほどの大ベストセラーとなった。この本の広告が、街を走る市電の車体にまで貼り付けられていたというから驚きである。

萩原が当初の計画の変更に言及しているように、猪俣が世に送り出した一連の著作は（『インフレーションの基礎理論』など一部を除いて）、単なるマルクス主義普及のための理論書・解説書ではなかった。

「大衆の理解のために」というサブタイトルのついた『軍備・公債・増税』は、戦時経済へとまっしぐらに進む日本帝国主義の政策を具体的に批判するものであった。

また、「未解決の問題」を積極的に取り上げるに際しては、それを「解決」するのではなく、「提起」することによって、マルクス主義の前進のための「踏み台」となることをめざした、と萩原は指摘している（同前）。

こうした猪俣のスタイルは、脚注や出典などが示され、過去の研究との関係を明らかにする専門書・学術論文とは明らかに異なるものであり、そうした枠組みからすると「ジャーナリスティック」に見えるかも知れないが、このスタイルこそ、猪俣があえて選択したものであった。

猪俣がもっとも重視していたのは、「独立の思考」への誘いであった。


「もし本当によい書物であるならば、それを読む人の先入観に動揺をよび起こす。動揺と共に、自分で解決しなければならぬ問題が生じてくる。書物の言うことが正しいか、自分の先入観が正しいか、そしていづれがどの程度まで正しいか、それは吾々の独立の思考によってのみ解決される」（「読書について」『日本読書新聞』一九三七年八月一五日、強調は引用者による）

共産党との接点

猪俣が、執筆活動に軸足を移したとはいえ、当然のことながら、運動との関わりを断つことを意味するわけではなかった。

困難さが増していく状況下で、猪俣は猪俣なりに運動との接点を探ろうとし続けたのである。

もっとも困難を極めたのは、厳しい弾圧に晒されていた共産党との関係だろう。

共産党は、二八年のコミンテルン世界大会の方針にもとづき、「社会民主主義者」（猪俣らもここに分類された）に対する攻撃を強める一方、非合法路線を強めていた。

それでも、三一年一月にコミンテルンが日本に関する「政治テーゼ草案」をとりまとめた際には、一つの転機が訪れたかに見えた。

このテーゼが、一部を除いて、猪俣らの考えと同様の方針（ブルジョア民主主義革命の任務を伴う社会主義革命路線）を掲げていたからである。

猪俣は、「マルクス主義の前進の為に」（『改造』三一年四月号）の中で、これを受けた共産党の方針転換を「一歩前進」と評価するとともに、「この再規定は、決して『七月テーゼ』〔「二七年テーゼ」〕の修正ではありえない。『七月テーゼ』ははじめからこの意味にのみ理解されねばならなかったのだ」と強調している（『横断左翼論と日本人民戦線』所収二六七頁）。

また、すでに触れたように『中央公論』五月号は「猪俣イズムの検討」を特集し、次号でそれに対する猪俣の反批判を掲載するなど、論壇においてにわかに脚光を浴びることになった。

ひょっとすると、当の猪俣自身が、共産党を立て直すという年来の課題にとって、好機の訪れを感じ取っていたかも知れない。

だが、当時の共産党は、この「転換」を具体化するだけの運動基盤を欠いており、翌年には「三二年テーゼ」によって再転換してしまうのである。

猪俣と野呂栄太郎との間で交わされた論争は、こうした激動期においてであった。

共産党は、内部の自壊作用も手伝ってますます困難さを増していく。党内では、いわゆる革命的反対派など、党中央と距離を置く潮流もいくつか現れていたが、猪俣はそうした流れとの接点を模索したようである。

残されている予審調書には、猪俣が一九三二年二月頃に共産党の細迫兼光の依頼を受け、大塚有章に二回にわたって資金を提供し、党員の会合場所として自宅を提供した、との記載が見られる。

そして、翌三三年の夏頃、猪俣は共産党への資金提供の件で逮捕・勾留され、年末の皇太子誕生による恩赦によって釈放されている。*

*人民戦事件時の際の上申書によると、この資金提供については「起訴留保」になったという。

こうした事実もまた、猪俣が共産党内の活動家ともむすびつきながら戦線の再構築を目指していたことを示している。

農民運動・労働運動との関わり

猪俣と農民運動との関わりについては、全国農民組合（全農）との関係をあげることができる。

全農には、すでに黒田寿男、大西俊夫、岡田宗司、稲村隆三など、『労農』グループが加わっていたが、三三年頃に全農の中で重要ポストを占めるなど影響力を拡大していき、他方で、共産党グループの影響力はすでに後退していた。

こうした状況を背景に、猪俣は、一九三四（昭和九）年に、全国二府一六県にわたる現地調査を実施し、全農で報告を行っているが、詳細は次章で触れることにしよう。

他方、三〇年代における労働運動との関わりにとって、きわめて重要な位置を占めていたのは、高野実の存在である。

高野は本書においてすでに何回か登場しているが、ここでその戦前の活動歴を辿っておくことにしよう。

・一九二一年　早稲田大学・理工学部応用化学科に進学。暁民会や早大文化会などの活動に参加。
・一九二二年　第一次共産党結成に参加（学生班）。黒田寿男らとともに全国学生連合会を結成し書記長に就任。
・一九二三年　第一次共産党事件で逮捕されるが、病気のため監視下で療養。
・一九二四年　三宅島で療養の後、政治研究会の活動に参加するが、その後、徳田、市川らコミュニスト・グループと対立。
・一九二六年　雑誌『大衆』創刊号の編集を担当。政治研究会を退き、豊嶋合同労組の組織部長となる。日本労働組合評議会の常任（東京北部地区委員）に就任。
・一九二八年　東京出版労働組合の書記長に就任。『労農』や『労農新聞』の活動にも参加する。
・一九二九年　全産業労働組合全国同盟を結成するが、即日、逮捕・勾留される。
・一九三一年　東京出版労働組合が全国労働同盟（全労）に加入し、東京地連執行委員となる。右派が主導する日本労働倶楽部結成の動きに抗して、全労内に全労倶楽部排撃闘争同盟（排同）を組織する。
・一九三三年　排同を発展改組し、全労統一全国会議を結成し会計に就任。反ナチス・ファッショ粉砕同盟を組織し書記長に就任。
・一九三四年　日本労働組合全国評議会（全評）を結成し、組織部長、機関紙部長を兼任。加藤勘十らとともに『労働雑誌』を発刊。
・一九三五年　労農無産協議会に参加。
・一九三七年　日本無産党の結成に参加。人民戦線事件で逮捕され四〇年まで獄中に。

このように、高野は、労働運動に関わってから一〇年近くで日本の労働運動・反戦運動の中心的リーダーの一人となった人物である。

高野は、こうした活動において随所で猪俣の助言や指導を受けていたと思われるが、猪俣にとっても運動に関与するかけがえのない機会となった。

高野が果たす役割が高まるに連れて、両者の関係も、かつての師弟関係から、いわば同志的なもの——「猪俣＝高野ライン」とでも呼ぶべきもの——へと変わっていったといってもいいだろう。

では、それは具体的にどのようなものだったのだろうか？

第八章　「労働戦線」から「民衆戦線」へ

〈一〉　職場に根ざした労働組合の再構築

右派労組結集をめぐる対立

一九二八（昭和三）年四月の評議会解散命令以後、課題となっていた階級的労働組合の再建については、模索状況が続いていた。

すでに触れた高野らの全産結成の試みが挫折を余儀なくされた後、高野らは東京出版労働組合を結成し、総同盟の第二次、第三次分裂によって生まれた労組の合同によって作られた中間派の全国労働組合同盟（全労）に加盟していた。

一方、大弾圧で打撃を受けた共産党の影響下で二八年一二月に結成された日本労働組合全国協議会（全協）は、非合法路線の下で活動を進めていた。

こうした中で、三一年六月に日本労働倶楽部が発足した。

右派の労働団体としては、すでに総同盟が存在しているわけだが、総同盟の拡大ではなく、労働団体の枠を越えたゆるやかな組織を新たに立ち上げることによって大きく網をかぶせる、それによって、後の猪俣の表現によれば、労働組合の「方向転換」を導く――それが、この倶楽部の狙いであった。

こうした動きが始まった当初、全労などはそれに対抗して、三一年二月に全国労働組合会議準備会を立ち上げていたが、日本労働倶楽部が結成されると、それへの対応が大きな焦点として浮上した。

準備会では、この動きに対しては独自の方針をもって臨み、それが受け入れられない限り日本労働倶楽部に合流しないことを申し合わせていた。

七月に日本労働倶楽部との懇談会が開かれたが、準備会の独自案は否決されてしまう。ところが、全労の幹部は、準備会の申し合わせを無視して倶楽部への合流を決断する。

これに対して全労内から反発の動きが巻き起こり、一一月一～三日に開催された全労の第二回大会は方針の正式決定をめぐって紛糾した。

そして、反対グループはその晩に日本労働倶楽部排撃闘争同盟（排同）を結成した。

「……吾々は斯くの如き言語に絶する専制的盲断に対して、断固として反対すると共に、茲に倶楽部排撃闘争同盟を結成し、幹部等の如何なる策動があろうとも飽くまで倶楽部排撃のために執拗果敢なる闘争を展開せんとするものである。

戦闘的労働者諸君!!

我等の階級的熱意と苦闘に対し熱烈なる階級的支持を与えられん事を切望するものである。

右声明する。

一九三一、一一、三
全国労働倶楽部排撃闘争同盟」

「全左翼の一環」として

さて、問題はここからである

排同は倶楽部への合流を強行した「ダラ幹」に対する「自然発生的」な運動の組織であり、それがどのように発展していくかは、この時点では全く未知数であった。

倶楽部に対抗する運動の組織のあり方として、例えば、とりあえず反対派だけの労働団体を立ち上げてしまう、という方針もあり得るし、とりあえず倶楽部に合流した上で、中から徐々に変えていけばいい、という方針もあり得るだろう。

では、排同のとった方針はどのようなものであったか？

恐らくは高野が執筆したと思われる『日本労働新聞』の記事は、次のように述べている。

「吾がクラブ排撃同盟は全労内の闘争である。……吾々は、今日までの凡ゆる労働組合内の対立抗争の如く、取敢ず、小さく固まろうという一切の日和見主義的分裂主義偏向に対して断乎として戦わねばならぬ。何故なら、吾々の倶楽部排撃闘争はクラブ反対の分子丈けで全労を脱退して、自分等のお好みの逃げ場を造り出そうと云うのでは無くて、飽迄全労の階級性を擁護し全労に組織されたる一人残らずの大衆を、ダラ幹の手から奪還し、それを階級闘争の武器としての頑強なる戦闘的労働組合に再編成することに有った」（『日本労働新聞』第一号）

ここに示されているのは、単なる倶楽部排撃という消極的なものではなく、全労の全組合員を幹部の影響力から切り離しつつ階級的労働組合の再編をめざすという積極的なものであり、それが全労内にとどまりつつ反幹部闘争を展開するという組織方針となったと考えられる。

全労執行部が、反対派組合の除名を決議すると、排同は直ちに除名反対運動を展開し、一二月五日に「全国労働クラブ排撃分裂反対同盟」へと名称変更を行った。

この時期の排同の活動で、注目すべきことの一つは、一一月一四日に関東労働組合統一協議会、東京交通労働組合との連名で出された声明で、そこでは「我等は協力してクラブ粉砕の協同闘争を果敢に猛烈に展開し、更に戦闘的単一産業別労働組合結成への拍車たらしめんとする」ことが明記されている。

もう一つは、『日本労働新聞』第二号の記事で、そこでは「産業別工場代表者会議を以て統一戦線を闘い抜け!! 幹部の談合によってではなく飽くまで階級的闘争を基礎とする統一へ!」の見出しの下で次のように述べられている。

「新しい下からの産業別の形をとってタタキ上げられたる統一戦線の樹立こそは、大衆闘争の先頭に立って、間違いない戦略戦術を以て、大衆の意志と利害とを真実に代表する、戦闘的労働組合の力だ!……個々の組合の旧いワクを乗り越え、ダラ幹の抑止を踏み越えた、産業別的工代会議とその指導こそは、……我が排撃同盟の高く掲げんとする唯一の、そして最高の階級政策でなければならぬ」(『日本労働新聞』第二号)

ここで留意すべきは、産業別統一とともに、「工代会議」をベースとした「下から」の統一であり、それが「唯一」「最高」という自負の下で進められていることである。

三二年に入ると、排同の内部の矛盾が顕在化することになった。

二月の総選挙に際しての加藤勘十の立候補をめぐって、労農大衆党を支持するグループが全労本部に接近し始めたのである。

「わが排撃同盟は、何分にも昨秋の全国労働の全国大会における混乱を契機として結成されたる早急の組織のために、組織上に多くの欠陥をもち、且つ闘争の方針についても、具体的に明確に決定せられたものがない。このことはわが排撃同盟の組織上の規定並に闘争を混乱に陥らしめる病状たるを否定し得ない。

われわれはかかる明瞭に指摘し得べき闘争的エネルギーを浪費せしめる病根を芟除《さんじょ》し排撃同盟結成の当初の使命を果敢に遂行せしめなければならぬ。……あくまでも労働者の階級的大衆機関の任務即ち階級的昂揚の媒介と、労働者の日常生活防衛の闘争を通じての未組織大衆の組織化を遂行せんとするわが排撃同盟は、先ず自らの組織に明確なる規定を与え、闘争を展開せしむべく自己充実を断行しなければならぬ。それと共に、われわれは過去の自らの誤謬欠陥を大胆に清算し批判し、闘争をより効果的ならしめるために、運動のあらゆる経験を闘争への滋養として摂取しなければならぬ。かかる必要は、われわれに大衆討議の機会を要求する。大衆討議の機会とは即ち全国大会である。われわれはこの意味において全国大会をもたねばならぬ」（同前第四号）

このように、排同発足の経過に伴う問題点を自覚した上で、それを克服し、大衆機関の「媒介」役としての機能を果たすべく提起されたのが、大衆討議の場としての全国大会の開催であった。

全国大会は、七月二五日に開催された。

「今や、排同全国大会は、新に全国的基礎を確実にした。一切のルンペン反動分子を一掃し、彼等の影響下にあった職場大衆との間に下からの統一を持ちかけ、反動勢力をコナミヂンにすることが出来た」（同前第五号）

大会では、全労本部と交渉を重ねていたグループからの合同提起をはじめ、多くの課題について議論が展開されたが、その結果として、全労本部グループは翌二三日に本部に復帰した。

排同は更に、一〇月の全労全国大会に向けて方針を提起した。

「吾々は排同が全国的に強ければ強い程、この大会をボイコットするのではなく、大会占領のために全労大衆の闘争を煽動し、この大会闘争を通じて排同指導を大衆の間に持込まなければならない。……全国大会に対する吾々の政策は、全労大衆的反対派の立場から戦わなければならぬ。しかも、それは全労内にとぢこめられた宗派的な左翼勢力としてではなく、全左翼勢力の一翼として戦わねばならぬ。即ち大会闘争等は凡ゆる場所と機会を通じて、排同独自の政策を強行するのでなければならぬ。飽くまで職場を基礎として、下からの統一戦線戦術の具体的適用を以て、工場内活動の強化と、ストライキ支持のために闘い、そして本部派大衆の間に、現実の利害と協同との為めには排同大衆との共同が如何に大切であるかを知らしめるように活動しなければならぬ」(同前第八号)

ここで強調されているのは、宗派主義を排し、「全左翼の一環」として「独自」の役割を発揮することであり、猪俣の横断左翼＝機能前衛論の具体化に他ならない。

排同は、大会に独自の提起を持ち込んで本部案との違いを際だたせるとともに、職場選出の代議員を送り込むことを企図していたが、大会直前の大検挙によってこの大会闘争は不発に終わった。

「それは、凶暴な帝国主義ブルジョアジーと、左翼全体との間の力関係から来たものであった」(「全国大会闘争の自己批判」同前第九号)

一方、日本労働倶楽部は、九月二五日に日本労働組合会議へと改組された。

これに伴って、排同常任委員会は一〇月三〇日、「全労統一全国会議」へと改組する案を作成し、各職場の討議に諮った。

だが、これは相手側の改組に対応した単なる名称変更にとどまるものではない。

「[排同結成の]当時の諸状勢は全労反対派としての全労内革命的大衆を単なるクラブ排撃闘争のワクの中に閉じ込める危険を多分に持ち、名も全労反対派としてではなくクラブ排撃同盟とゆがめられたのである」(同前第九号)

ここに示されているのは、排同が「単なるクラブ排撃のワク」に閉じ込められ、ゆがめられてきたことを自覚し、そのワクからの脱皮に向けた意気込みである。

機関紙『日本労働新聞』の記事には、各地の労働争議支援にとどまらず、臨時工問題、朝鮮人労働者の闘い、農民運動など、幅広い分野の闘争が取り上げられているが、倶楽部排撃というワクは、現実の闘いの展開と相互支援の広がりを通じて、徐々に克服に向かっていったと考えられる。

ファシズムと如何に闘うか？

この時期の闘争課題としてもう一つ着目すべきは、反戦をアピールするさまざまなカンパニア運動の展開である。

当時の排同の情勢認識は、倶楽部→日本労働組合会議結成など一連の流れの背景に戦争準備が控えているということであった。

「一切のブルジョア的経済現象はこの戦争への具体的準備の進行として運用されている」（同前第一〇号）

こうして、ファシズムとの闘いが最重要課題として浮上する。

「満州侵略によって新しい危機を招来し、超非常時を経験し始めた日本帝国主義ブルジョアジーとの決戦の時……にあたって、我が左翼勢力が、ブルジョアジーの支柱たる社会ファシスト共に対抗していかに公然たる大衆闘争を組織し、彼等を打倒することが出来、且つその下にある全大衆を階級対階級の闘争に組織しうるかは、正に、日本プロレタリアート全体にとって、極めて緊急な重大事でなければならぬ」（同前第八号）

そこで問題になるのが、ファシズムの捉え方であり、それとの闘い方である。

「ファシスト支配は、断じて新しい国家形態ではない、それは帝国主義段階に於けるブルジョア独裁の変形の一つにすぎない。ブルジョア独裁が今迄に自己を掩陰《えんいん》して居たヴェールをかなぐり捨てて、労働大衆抑圧の公然たる形態へと移行しつつある過程こそファッショ化の本質である。故にブルジョア独裁、社会ファシストを原則的に区別することは間違いである。ファシズムは資本の集中とそれに伴う、トラスト、カルテルの成長の基礎の上に立ち、大衆抑圧の全機構を異状に集中化せしめ、党並びに労働組合の改良主義幹部等をその機構に引入れて居る所の独占資本の産物である。……然らば我等は如何にして、ファッショの台頭に対して闘うべきか、……職場から工場からなる日常闘争を通じての、下からの統一戦線を急速に押進め、それら一切の意識的勢力を以て社会ファシストの群を放逐し、社会ファシストの職場大衆への影響を断ち切らねばならぬ。……ファシズムに対する闘争は、戦争に対する闘争と同じく砲火乱れ飛ぶ瞬間時になって、初めて遂行さるべきものでなく、ブルジョア独裁の一切の形態に対して闘争する事なくしては、ファシズムに対する闘争は不可能である。従って又個々の資本家に対する闘争、個々の職場に於ける日常不断の不平不満の解決の為めの闘争と、ファッショに対する闘争との関連は、断じて切離すことの出来ない、不可割的なものである……」（同前第四号）

ここで展開されているのは、事実上の「戦略論争」といってもいいだろう。

三一年から三二年にかけての戦略をめぐる議論は、もっぱらコミンテルンの「三一年テーゼ草案」や「三二年テーゼ」（五月）に伴う共産党の路線転換に焦点が当てられがちであるが、それはかなり一面的な理解と言わざるを得ないだろう。

二八～二九年の戦略論争が無産政党の組織論争と密接に関わっていたように、三一～三二年のファシズムの規定をめぐる見解の違いは、労働運動の方針や組織論と連動していた。

排同による、ブルジョア独裁と社会ファシストは切り離せないという分析から導き出されるのは、ファシストに対する闘いは、ブルジョアジーに対する職場における日常闘争と切り離せない、という方針であり、これは、ファシズムを軍部や天皇制と直結させ、職場に非合法路線を持ち込もうとする方針と大きく異なるのは当然のことであった。

一人残さず闘争に巻き込む

では、排同の「下からの統一戦線」は、どのようにして具体化されていったのか？

「重要な問題は、この取残された重要産業大工場の職場大衆を階級闘争に引入れるための組織の問題である。吾々の統一戦線は、だから組織された労働者の頭だけの、ダラ幹の支配に反抗し、一個の階級的勢力にまとめあげて闘争することであるばかりか、膨大な未組織労働者の組織、その貯蔵されている革命的エネルギーを爆発させることにある。吾々のいう下からの統一という事業は、あくまで五百万労働者大衆の利害の見地に立つことによって自分自身の受持と方針とが明白になる。吾々の少数のフラクは、何よりも先ず、自分の工場の全従業員を階級闘争に引出すことにある。……それは部分要求を強く戦いぬいて成程あの人達はオレ達のために正しくかつ勇敢に戦ってくれる人達だ、と信用されなければならぬ。工場の重要な部分を先ず組入れるように、世帯持ちと青年の共同を破らぬようにし、理論と行動と親切を以て、工場内の戦線を統一することこそ、最も大切な下からの統一である。……好きな者だけの会議や相談というやさしい方法ではなく、労働者一人残らずを、闘争にまき込む為の、工場における従大、職大という風に活動しなければならぬ……」（同前第一一号）

ここで示されているのは、もはや「当為」ではなく、いま職場で相互に確立しつつある一種の「規範」であることに気づかされるであろう。

「全労統一会議」の結成

以上のような取り組みを経て、「日本プロレタリアートの持つ最初の、公然たる職代であり、最初の公然たる大衆的反対派の大会」である全労全国職場代表者会議が三二年三月五日に開催されるに至った。

この会議で、懸案の名称変更が確認され、発足したのが全労統一全国会議である。

「職代会議が決定せる行動綱領にも見られる通り、統一会議は単に全労内反対派として自己を局限せしめるのでなく、あらゆる一切の改良主義組合内に公然たる大衆的反対派を結成成長せしめることに協力し、これ等の反対派を結合させることによって労働組合反対派に迄自己を昂揚せしめる事を任務とする。更に重要なることは、巨大なる未組織労働者大衆を改良主義幹部の影響から厳重に切離し、階級的労働組合へ組織せしめるべく組織運動を精力的に展開することである」（同前第一三号）

また、この会議では、ナチス政府の暴圧に対して、ドイツ大使館と政府に対して抗議することを決定した。

「ナチス政府に対する抗議文／ドイツ労働者農民の頭上に下されたる弾圧追及は全世界プロレタリアートへの挑戦である。我が全労職場代表者会議は、ナチス政府のこの暴圧に対して断乎日本プロレタリアートの名に於て抗議するものである」

このことは、ナチスの登場によって、反戦闘争が国際的にも新たな段階に入ったことを意味していた。

〈二〉反戦運動の展開と全評結成

極東平和友の会の活動

国際的な反戦運動の一つは、満州事変の後に展開された国際反戦会議の動きである。

一九三二（昭和七）年五月に、フランスのアンリ・バルビュスやロマン・ロランらが呼びかけ、八月にアムステルダムで国際的な集会が開かれた。

この集会は、同年一〇月にパリ近郊のプレイエルで開催され、さらに、三三年に入ると、極東反戦会議の六月開催（上海）に向け、世界各国にアピールが発せられた。

このアピールを受け取った全労統一全国会議は五月、これを高野の訳で『日本労働新聞』（第一四号）に掲載するとともに、行動を開始した。

高野は後にこう語っている。

「猪俣さんとの協議の結果、合法左翼労組（東京交通、東京電気労組、東京市従、東京俸給者他）、文化団体、消費組合、宗教団体、農民組合なんか広汎な代表者で、反戦・反ファッショ同盟を作り、国内の運動をすすめ、他方では地下の日本共産党とも連絡して、上海に代表をおくることにしたのです」（『猪俣津南雄研究・第三号』一三頁）

こうした努力の結果として生まれたのが、既存の枠組みを超えた幅広い統一戦線の形成であった。

五月にメーデー実行委員会を関東労働組合会議に改組して、ここを軸に七月に反ファッショ・ナチス粉砕同盟を結成すると、さらに幅広い識者・文化人にも働きかけて「極東平和友の会」を起ち上げた。

それらを構成する団体・個人は、以下の通りである。

【反ファッショ・ナチス粉砕同盟の加盟団体】

東京交通労働組合、全労統一全国会議、日本労働組合総評議会、全国労働組合自由連合、日本労働組合自由連合協議会、朝鮮東興労働同盟、関東映画従業員組合、純労働者結合同盟、江東一般労働組合、江東地方従業員組合協議会、全国農民組合、関東消費組合連合、ソヴエート友の会、日本労農救援会、東京市従業員組合、日本反宗教同盟、仏教青年同盟、解放文化連盟、黒旗会

【極東平和友の会の幹事】

水野広徳、布施辰治、山崎今朝弥、加藤勘十、奈良正路、神道寛次、新居格、猪俣津南雄、木村毅、金子洋文、葉山嘉樹、荒畑勝三、岡邦雄、大宅壮一、石原辰雄、生田花世、矢部友衛、佐々木孝丸、大森詮夫、江口喚、山花秀雄、堺真柄、河合篤、黒田寿男、黒村欣三、妹尾義郎、須山計一、鈴木茂三郎、小牧近江、高津正道、関鑑子、戸沢仁三郎

【上海反戦大会支援無産団体協議会への参加団体】

総評、統一会議、社会大衆党××青年部、新興仏教青年同盟、排酒同盟、反宗教同盟、ソヴエート友の会、日本消費者組合連盟、労農救援会、総労、社大党婦連有志、全農全会、文化連盟、赤色救援会

この運動の大きな特徴の一つは、例えばコミンテルンから発せられた「指示」のような、「上から」被せられたものではなく、ひとつのアピールをきっかけに自発的に、横断的に広がっていった、という点である。もともとファシズムや戦争に対する危機意識は、人々の日常の中で感じとられていたことであるが、それが海外からのアピールで一気に統一戦線運動として開花することになったのである。

六月の準備会を経て、八月末に日比谷・東洋軒で開かれた極東平和友の会の発会式には一五〇人が出席した。加藤勘十の開会の辞に続いて、綱領、規約、宣言などが確認され、水野広徳（元海軍大佐）の祝辞が読み上げ

られたところに、右翼団体十数名が会場に乱入し、突如、解散が命じられてしまう。

その後、上海の会議は一ヵ月ほど遅れて開催され、日本から三名の代表が参加した。

そして、高野は、その際に日本で最初の防空演習反対闘争を行っていたこともあり、九月から年末まで投獄されてしまう。

この反ファッショ運動は、日本の平和運動、社会運動にとって、とても貴重な経験となった。

こうした幅広い団体・個人を結集する国民会議、市民会議的なものは、一つの運動スタイルとしてその後も定着していくわけだが、その先鞭をつけたのが、この反ファッショ＝極東平和の運動だったといえるだろう。

なお、猪俣＝高野が密かに進めていた「地下の共産党」への働きかけは一定の効を奏し、共産党もこの運動に理解を示していたが、否定的な態度へと急転してしまう。

社民主要打撃論の影響は、ここまで及んでいたことになる。

政治闘争をめぐる内部対立

反戦運動の展開は、統一会議の内部にも波紋を投げかけずにはいられなかった。

「合法的」な団体が中心を担っていたとはいえ、官憲による弾圧は容赦のないもので、各組合の中に動揺が走ったとしても無理はないだろう。

例えば、東京市従では、七月に運動方針の転換について議論し、今後は「政治闘争と一切絶縁し同時に、今迄暗黙裡に認めて来たった一切のインターナショナリズムと絶縁して、組織当初の精神によって市従第一主義で闘争を展開させる」ことで意見が一致した。

一方、統一会議でも、八月五日の常任委員会で、運動方針の大衆的転換について審議し、関東労働組合会議に対して、大衆的転換のための共同闘争、失業保険、健康保険法制定促進の件などを提議した。

関東労働組合会議は、この提議を受けて一〇月一日、共同闘争機関の名称を生活防衛共同闘争委員会として、各友誼団体に提唱状を発した。

そのスローガンは、①首切り、賃下げ、労働強化反対！ ②臨時工を本雇しろ！ ③健康保険法の改正！ ④民族、性、年齢をとわず同一労働に同一賃銀！ ⑤失業者の生活を保証しろ！ ⑥労働者戦線の統一！ であった。この「大衆的転換」の影響なのか、『日本労働新聞』の記事においても、反戦運動など政治闘争に関わるものが目立って減っている。

こうした転換は、高野が勾留されている時期に起きたことであるが、いわゆる合法的左翼系の労働組合の中でも、「本来の精神」をめぐる難題があったことを物語っている。

そして、高野は、戦後の初期総評の活動の中でも、同様の問題に直面することになるのである。

なお、この「大衆的転換」について、翌三四年秋に結成された全評の運動方針は次のように記している。

「我々は政治闘争に力を入れすぎたのではなかった――事実、ろくな政治闘争はやってこなかった――政治闘争に対して機械的な取り上げ方をした点に於て誤謬を犯したのだ」（司法省刑事局『全評取調資料（二）』一三二頁、一九三八年）

「全評」の結成

しかしながら、官憲による弾圧は強まる一方で、三四年二月には、統一会議の多数の活動家が検束され、運動の後退を余儀なくされた。

こうした中で浮上してきたのが、労働組合の合同の動きであった。

三一年四月結成の日本労働組合総評議会（総評）は、三四年四月の総会で、「大左翼結成」の方針を決定し、統一会議に対して合同を提起した。

統一会議もこれを了とし、七月に江東従業員協議会を加えた三者で共同意見書をとりまとめ、関東、関西、中部、九州地方の独立組合に対して戦線統一の提起を行った。

七月末になると、逮捕されていた統一会議の中心的活動家が釈放され、統一運動の主導権も、次第に統一会議へと移っていった。

八月一八日には、新同盟結成準備委員会が結成されるが、その「当面の活動方針」は単に加盟組合の産別整理という方針を掲げるだけでなく、いかにしてその条件を作っていくか、の具体策を示している。

また、この統一運動が、単なる左翼的組合を一つにする、ということではないことも強調されている。

「肝心なことは、此の際、戦線統一運動を契キになるべく広範囲の右翼組合の大衆と手を結ぶことであって、右翼組合の大衆を、今直ぐに何でもかんでも我々の組織に引き入れようとすることではない」

右翼組合の中で「我々の影響下にあるもの」については、すぐに表面化して「我々の組織に入れ」てしまうのではなく、「フラクとして残して置くべきだ」としているが、ここには、左派組合の結集＝「大左翼」の形成というよりは、右翼組合を含めた全戦線における活動家の結合＝「横断左翼」の形成を見てとることができるだろう。

統一の動きは、その後、何回かの協議委員会を重ね、いくつかの地方組織も加えて、一一月一八日に日本労働組合全国評議会（全評）が誕生した。

「結成大会宣言」は、「我々は今日のこの統一合同を以って満足するものではない。今日の成功はやがて確立さるべき『全労働者戦線統一』への第一歩に過ぎない」と強調している。

猪俣は、後にこう書いている――「健全な労働政策をもったこの団体の出現は、組織労働者に測り知れぬ影響を及ぼし、且つ彼等の精神的、実践的支持をしっかりと獲得した」（『日本における資本主義と労働者階級』一九三五年（『横断左翼論と日本人民戦線』所収三四四頁））

〈三〉加藤勘十訪米と猪俣執筆の「英文レポート」

日米労働組合の交流

全評の委員長に就任した加藤勘十は、三五年の五月末から九月初旬にかけて米国各地を巡り、現地の労働者たちと交流を深めた。

招聘したのは米国の反戦団体（当初はＡＦＬ［アメリカ労働総同盟］だったが内部の異論で変更）で、加藤は、四五ヵ所の演説会、四三回の座談会、八二ヵ所の小集会・労働組合訪問、二一〇ヵ所の視察などの日程を精力的にこなした。

また、渡米に先立って、日本でもさまざまな活動が取り組まれた。

「日米労働者親善会準備会」には十数団体が参加し、「加藤勘十に注文する会」は、三五年一～四月に東京、大阪を中心に十数回開かれ、四百数十項目の要望と渡米カンパが寄せられた。

加藤は帰国後に訪米報告を『転換期のアメリカ』（改造社、一九三六年）としてまとめているが、* この要望項目について、「渡米に際しての基準」になったと述べている。

＊加藤は「まえがき」の中で「出版は猪俣津南雄氏の斡旋によるもの」と書いている。

猪俣執筆の英文レポート

加藤は、渡米に際して自らの署名が入った英文レポート「日本における資本主義と労働者階級」を携行し現地で配布したのだが、このレポートは猪俣の執筆によるものであった。これは結成間もない日本の労働団体のトップが米国の労働者に宛てたいわば公式文書であり、日本の労働者階級全体の立場に立った格調高い筆致となっている。だが同時に、ここに示されている見解は、紛れもなく猪俣独自のものであり、この時期における猪俣の情勢分析のすぐれた要約ともなっている。

猪俣にしてみれば、署名は加藤であったとしても、思想・運動の面で育てられた「第二の祖国」ともいうべき米国の労働者、共産主義者に向けた「同志への手紙」という想いがあったとしても不思議ではない。

このレポートは、某新聞社で密かに印刷され、そのまま米国に運ばれたため、日本人の目に触れることはなかった。

戦後になって、三宅晴輝による訳文が、『世界文化』(一九四六年六、七月号)に掲載され、内容が初めて世に知られることになる。

レポートは、以下の四つの部分から構成されている。

1 日本資本主義の発展
2 現代日本資本主義の諸特徴
3 労働者階級の状態
4 日本労働組合全国評議会の活動

一見して明らかなように、歴史、現状分析、そして労働運動の現局面までを網羅した包括的なもので、猪俣の当時の見解が凝縮されたものとして読むこともできる。

レポートはまず、遅れてスタートした日本資本主義が、国家主導の下で程なく「侵略の帝国主義」へと発展していった経過を描き、とくに満州事変後の変化として次のような点を指摘している。

（一）満州事変以降、軍国主義者の上層部は政治的地位を強化し、ブルジョア政党は後退し、官僚が前進した。金融ブルジョアジーは軍国主義者および官僚と直接取引し始め、言論、出版、結社の自由や人民の基本的政治的権利は蹂躙された。

（二）日本ではファシスト独裁は行われていないが、大衆を取扱う上でファシスト的方法が使用されている。軍国主義者の政治的優勢は、彼らが大事を決行するまで続くように思われる。

（三）日本帝国主義は金融資本に頼るところがそう大きくなく、その弱点は強力な軍備によって補われている。満州国の「建国」は、隣接地域に対する緩衝国として役立つにとどまり、恐慌下の日本の資本家には実質的利益は少ない。

（四）満州における軍国主義者の行動は、日本、中国、ソ連および米国の間の対立を新たな段階に導き、一層の軍備拡張の口実を与えたが、日本の軍事費はすでに租税収入を上回っている。国家的財政危機が到来している一方で、国民資金と為替の浪費が資本家の利潤増加の原因となり、軍需産業におけるブームは非常な程度である（『横断左翼論と日本人民戦線』所収二三〇〜二三六頁）。

ここで明らかにされているのは、満州事変以降の軍部主導による国内政治のファッショ化、中ソ及び英米との対立の先鋭化、そして国家財政危機と軍需ブームといった、日本を取り巻く決定的ともいえる危機の深化であり、このメッセージが米国労働者に向けられたことの意義はとても大きいと思われる。

続いてレポートは、「労働者階級の状態」として、職場における臨時工への置き換えと労働条件の悪化、労働組合の組織実態、そして、「産業平和」を掲げる反動的労働組合とそれに対抗する「下からの統一」などの動きを詳しく紹介するとともに、すでに触れた倶楽部排撃同盟から全評結成に至る経過や、極東平和友の会の活動に触れた後、日本の労働組合組織の特徴として次の点を指摘している。

（一）日本の労働者階級は、その基礎的・基本的組織において弱く、強力な前衛を持っておらず、封建的イデオロギーというハンディキャップを負わされている。

（二）だが、日本の労働者階級は、先進諸国の労働者と違って、同職組合主義の狭い視野と労働貴族の腐敗したイデオロギーには比較的染っていない。

（三）後者は未だ強力な勢力になっていないし、労働組合は同職者の線に沿ってではなく、産業の線に沿って組織され、組織単位は工場別または職場別になっている（同前三四五頁）。

この指摘は、日本の組織実態の是非には触れていないが、少なくとも、先進諸国の組織をモデルとはしていないこと、しかも猪俣自身の米国経験に基づいての評価であることは注目すべきであろう。*

*因みに、全評は、結成大会で提起された運動方針の中で、「労働組合の理想的な組織形態は全国的産業別組合であるから、即時に結成すべきである」という考え方を、「空想的方針」と批判している。

この長いレポートが最後に発するのは、次のような決意である。

（一）労働組合運動が、その退潮のどん底を過ぎて新しい階級闘争の段階に入っていること、改良主義的組合における労働者の不満がもう一度起りつつあることを示す兆候の出現は、最近の状態を示す最も特徴的なものである。

（二）かかる状況の下において統一戦線のためのわれわれの闘争の意義は頗る大きい。

（三）われわれの運動の上げ潮が労働大衆の多数を包容して高まるとき、全勤労大衆の利益のため実際に戦うことができるようになるだろう（同前三四四〜三四五頁）。

日本の労働者階級の特質

このレポートで触れられている日本の労働者階級の特質について、猪俣は後年の著作である『農村問題入門』において、興味深い分析を行っている。

猪俣は、日本の農業の非常な「後れ」や「異例的な小規模耕作」を指摘する一方、「それにも関わらず、農村の内部では階級分化が進んでいる」（『農村問題入門』三七年、三六五頁）として、農村プロレタリア、貧農、小農、中農、富農、地主などをあげているが、日本に特徴的なこととして、次の点を指摘する。

「農民からプロレタリアに転化された人々……の非常に多くの者は、西洋のように賃銀労働者として独立の家計を持たず、農民家族の一員たるままで労働力を売る。その場合、賃銀収入は、それで一家をささえるのではなくただ一家の家計を補助するだけだから、いくら少なくても我慢することになる」（同前三四六～三四七頁）

こうした労働関係が生ずる要因として猪俣があげているのは、①日本の農民家族における家父長制（かつて娘を身売りさせたように労賃稼ぎに出す）、②アジア的集約耕作（人手を減らして経営を零細化する）、③資本主義が、零細農民の家庭にも否応なく貨幣の必要を喚き起こしたこと、である（同前三四七頁）。

その上で猪俣はこう強調する。

「日本の資本主義は、零細農民の労働力をその生産手段から完全に引離してどしどし工場、鉱山に集中し、そこに巨大なプロレタリア集団をつくり出すというよりは、むしろ惨めな生産手段に結びつけられたままの零細農民大衆を搾取した」（同前四四七頁）

ここで言われている「農家の一員のまま労働力を売る」という特質は、猪俣が産業労働調査所時代から指摘していた日本の労働者階級の「未熟さ」の根拠となり得るが、同時に、猪俣が繰り返し強調してきた労働者と農民、とりわけ貧農との共闘の根拠となるものでもあった。

加藤と野坂参三の密会

ところで、加藤の訪米中に、一つ興味深いことが起きている。

それは、六月中旬、ニューヨークにおける野坂参三との密会である。

加藤と野坂は、産業労働調査所以来の旧知の間柄であり、野坂が米国にやって来た加藤を迎え入れるのは当然のことのように思える。

ところが、話はそう単純ではない。

野坂の『風雪の歩み七』（一九八九年、新日本出版社）によると、そもそも加藤を米国に呼び寄せる計画は野坂たちが立てたものであり、その準備は三四年一〇月中旬に着手されているという。

その目的は、コミンテルンの「新たな方向」の動きを日本にもたらし、日本における反ファッショ共同戦線の中核となる労働者の共同戦線を実現することであり、日本共産党の共同戦線の戦いを助けることであった。

そして、加藤を選んだのは、共産党との連絡は不可能であったが、加藤ならそれが可能であり、アメリカ共産党を介して、労働組合から公然と招聘することになった、という。

野坂にとって、加藤↓猪俣＝高野↓地下の共産党へ、というルートは自明のものであった。

コミンテルンの方針転換の動きを、米国経由で日本共産党に伝える、いわば「西周りルート」（前掲・山内昭人『初期コミンテルンと在外日本人社会主義者』）の回路として加藤訪米があったということになる。

野坂によると、五月末に米国共産党書記長からロサンゼルスにいた野坂に加藤に会うよう連絡が入り、密会には この書記長も同席している。

この場で、野坂は加藤に、実際の招聘者が自分であることは伝えず、階級的労働運動の強化、労働運動の統一戦線を強調し、全評がその推進力となることを要請すると、加藤も帰国後の努力を約した、という。

ただし、加藤は後に『現代史を創る人びと』（中村隆英編一九七一年、毎日新聞社）の中で、「人民戦線の話は出なかった」と語り、それに対して野坂が「フランス人民戦線の例を説明した」と応酬する一幕もあり、真相はまだヴェールの中に包まれている。

加藤が、機密事項であるためにあえて口を閉ざしている可能性もある一方で、野坂による招聘、という話自体、米国労組・平和団体による招聘に「便乗」した可能性も否定できないのである。

野坂のいうコミンテルンの「新たな方向」は、密会後の七月二五日〜八月二〇日に開かれたコミンテルン第七回大会における「人民戦線戦術」として具体化される。

この大会決議は、神戸海員組合共産主義者によって米国経由で日本にもたらされることになる。

加藤の訪米は、その真相がどうあれ、日米両国の労働組合交流にとどまらず、反ファシズムの国際的連携の一環として位置づけられるものだったといえる。

加藤が携えた英文レポートは、すでに見たように、「統一戦線」への展望で締めくくられていた。

〈四〉「統一運動に現れた労働者大衆の生長」

「本物の先進分子」の登場

「昭和十年の大阪のメーデーの集合地、そこには、いつもと違った一種異様な活気がみなぎっていた」——この書き出しで始まる猪俣の「統一運動に現れた労働者大衆の生長」（『改造』三六年二月号）は、猪俣の数多くの文章の中でも異色のルポルタージュである。

これは高野によると、全評が一九三五（昭和一〇）年秋に大阪で開いた第二回大会から戻って間もなく、猪俣を交えて在京者の会合を開いた際に、報告された「事実」や公表すべき「総括」を列挙したものである（『高野実著作集・第5巻』四八六〜四八七頁）。

ここで指摘されている大阪メーデーの活気は、全労・総同盟合同促進協議会の旗の下に集った港南地区の労働者たちの渦から発していたが、この合同促進協議会は、四月に結成されたものだった。

この動きは、「縄張り意識」の強い組合幹部から生まれるはずはなく、また、「外部」から入り込んでアジる者があったわけでもなく、「それは、港南の労働者たちがみずから強調していた通り、職場大衆の創意に出ずる全く自発的な運動であった」（『横断左翼論と日本人民戦線』所収三七二〜三頁）

労働組合はこれまで離合集散を繰り返してきたわけだが、それは職場大衆の利害とはかけ離れたものであり、全的合同の要求は労組幹部批判となっていく。

総同盟の西尾末広らも、一部の組合の闘争主義をコミンテルンの指導と結びつけ、それを合同反対の口実にしていたが、大衆の圧力の前に、合同を認めざるを得なくなっていた。

なお、総同盟の全評排除の動きに対して、全評は前述の第二回大会（大阪）で、「統一の障害となる危険があらば自ら解体する」との態度を明らかにしている。*

*高野は、この全評の対応を歓迎した猪俣の「これで今回は失敗しても全合同の種は撒かれた」との発言を紹介するとともに、この対応は、戦後の総評結成時の対応（総同盟解体）と「同じ思想」だとしている（『高野実著作集・第5巻』四八五頁）。

こうした一連の動きの中で猪俣がとくに注目しているのは、いわゆる「組合幹部」とは異なる「おっさん」——資本家も容易に手放せない基本的な職工たちの存在である。

彼らこそが、職場大衆と一緒に動き、くたくたになった身体を奮い立たせ、組合の闘いを押し進め、今度の大きな運動まで起こすに至ったのだという。

「日本の労働運動もついに本当の意味の『先進分子』を生み出す段階にまで到達した。彼らはもはやイデオロギーだけの『先進分子』（アドバンス・エレメンツ）なのではない。日本の生産的労働における大衆との接触を断たれて『インテリ化』してしまったそれではない。彼らこそ、実際に労働する大衆の一人として、大衆の力、連帯性の真の偉力に目覚めつつ、日常の闘争を『幹部』の手から自分達の手に移し始めた人達である。今でこそ『ただの職工』に過ぎないこの人達こそはまた、資本主義社会がつくり出した独異の進歩的要素として、およそ現代において最も偉大な社会的再建の大業を準備し達成すべき資格を持ち始めた人々にほかならぬ」（『横断左翼論と日本人民戦線』所収三七六頁）

その上で、大阪鉄鋼の争議支援を通して「すべての労働者の力を結集して闘ったという経験」が、弾圧後も港南消費組合として継続していった例が熱く語られる。

地区協の結成と活動

また、東京での戦線統一の動きとして、江東地方労働組合協議会や城南労働者協議会の活動が紹介されている。これは、戦後になって全国的に展開される地区労運動の原型と見なすことができる。

因みに、城南労働者協議会は、労組単位の加盟だけでなく個人加盟の可能性があり、戦後の総評「組織綱領草案」で提起された個人加盟地区労の提起と通じるものがある。

猪俣は、地区協の活動として、地区メーデーや加藤訪米を機とした親善活動を紹介しているが、労働者共通の利害に最も強く訴えたものとしてあげているのが、「臨時工」の撤廃、本工との差別撤廃＝同一労働同一賃銀を求める運動である。

この「およそ人間的なる最小要求」のための闘いは、「現時の資本家全体を向うに回す労働者大同団結の必要を強く教えてくれる」(『横断左翼論と日本人民戦線』三八一頁)

かくして、東京交通労組、東京市従なども巻き込んでいき、「職場大衆の利害を基礎とする地区協の運動となると、どんな団体にせよ参加を拒むことはできなくなってきた」とされているが、ここには、地区協が「上部組織」ではないにもかかわらず、自ずと全体を引っ張っていく特質が示されている。

猪俣は、さらに大阪における地区協の活動も紹介しているが、その中で大阪に見られる「政治的には後れがちになる」傾向にも言及している。

総同盟の団体協約方針

ここで猪俣は、統一運動が大衆の中から起こったこと、組合幹部の支配が土台から揺らぎ出したこと、日常の闘争が幹部の手から職場大衆の手に移り始めたこと、について、「これには深い根拠がある」と指摘する(『横断左翼論と日本人民戦線』三八三頁)。

猪俣によると、その根拠は、①労働条件の悪化と生活水準の低下、②従来の対応では見通しが立たないことに加えて、弾圧の激化と組織的な争議対策、③労働組合幹部の腐敗などである。

このうち③については、総同盟の労資懇談会による団体協約の方針が紹介されている。これは、会社側が開催する労資懇談会に従業員を集めると、総同盟の松岡駒吉が現れて、全従業員が組合員となる条文を含む団体協約の締結が提起され(従って協約に反対する者は退職となる)、そこで労働組合が結成される、というもので、会社の息のかかったものが組合役員になるというものであった(『総同盟五十年史』日本労働組合総同盟出版会　一九六四年参照）。

なお、東京製鋼では一九三〇年にすでにこうした団体協約が締結されているが、このような方式が何に由来しているかは定かではない。

職場大衆の成長

猪俣は、今回のように職場大衆が動き出すに至るまでの辛労に思いをいたすとともに、数々の困難に直面しながら、労働組合への本能的な信頼を失わずに経験を積み重ね、反動期の労働運動の水火をくぐり抜けてきた人達の存在を強調する（『横断左翼論と日本人民戦線』三八六頁）。

こうした「古い労働者」が数多くいる深川木場の関東木産では、賃下げが続き、闘う労働者を排除するための写真入り労働者手帳の交付が画策されていたが、全労の組合が何も対応しないことから、有志が全評に相談し、会社に直談判したところ、会社側が、全評に入ってないのなら交渉に応じられないと交渉を拒否したことから、有志はその場で全評への加盟を決断。他の企業にも広く呼びかけ、短時間ゼネストなどの戦術を駆使しながら闘争を続け、賃金の三割五分の引き上げ、労働者手帳の廃止、などを勝ち取るとともに、組織はその後も拡大している、と報告されている。

ここで猪俣は、全評のとった対応として、「『組織の切り取り強盗』は一切やらないで、あくまで職場大衆の相互の結合を強めることに骨折ったこと」を高く評価する（同前三八七頁）。

そして、職場大衆の成長した点として、「視野が広くなり、独立して物を考えるようになり、また個々の場合を具体的に見るようになった」ことをあげている。

さらに、相手側との力関係を正しく秤量する能力、労働組合の補助的組織への積極的参加、腐敗幹部との段階的な闘い、などが指摘され、「下からの統一戦線」がこうした大衆の成長に支えられていることが改めて強調されている。

次に紹介されるのは、東京交通労働組合の一九三四年の争議であるが、その惨敗から得られた教訓として指摘されているのは、「一万二千人のストライキといえども単独ではもはや決して大衆的威力とはならない」ということである（同前三八八頁）。

そこから、「東交第一主義」に代わって青年部、婦人部などの下部組織の強化、地区協を通じた他団体との強固な結びつき、市電更生案の作成といった成果が生まれる中で、翌三五年の争議に連動していったとされる。

「それは、いつもの『受身』の闘争から転じて『逆襲』の闘争となった。東京と同時に大阪、神戸も起ち、……交通総連盟の巨体が初めてその威力を発揮した。闘争は、強固なる共同戦線の上に立っていた」（同前）

そして、「東交大衆の成長を最も端的にあらわしたもの」として指摘されているのが、職場職場の大衆が「それぞれ独自的な闘争を遂行」し、「能動的に動いていたこと」であった（同前三八九頁）。

こうした動きを基礎として、総同盟、全労、全評の全的合同を求める声が高まり、全評は、もし必要があれば、全評を即時に全労に解消する決意である、との声明を出したが、他方では、全評を排除した、総同盟と全労の単独合同に向けた動きも進んでいた。

猪俣は、これらの経緯を紹介すると同時に、大阪における地区協運動の進展や、各地での「労農団体協議会」の広がりに触れ、新たな可能性を託している。

そして最後に、以上に見てきた「個々のさまざまな部分に見られる新しい成長にもかかわらず、全体としての力の増大はなおこれに伴わぬ」と指摘し、次のように結んでいる——「反統一的幹部勢力が全的合同に対する障壁を高めれば高めるだけ、そして『産業平和』と『労働奉公』に精進すればするだけ、職場における労働者諸大衆の全線的統一を目指す運動はヨリ速やかに強力化してゆくだろう」（同前三九一頁）

「前衛主義」の実態と批判の動き

一方、猪俣＝高野が連携を模索していた「地下の共産党」は、度重なる弾圧によって、困難を極めていた。加えて、三三年六月の佐野・鍋山転向声明、同年一二月の宮本・袴田赤色リンチ事件など、内部的にも混迷を深め、三四年二月にはガリ刷『赤旗』も発行停止に追い込まれ、組織はほぼ壊滅状況にあったとされている。すでに二八年一二月に結成されていた日本労働組合全国協議会（全協）には、二九年に猪俣＝高野が試みて挫折した全産の一部の組合も、ここに合流していた。

当時の全協は、非合法主義（非合法でなければ階級的組織ではない）が貫かれ、前衛組織としての役割が期待されていた。

全協の内部にあって、本部に対する「意見書」を提出したこともある大森宗吉は、武装闘争方針や武装メーデー事件ついて、後にこう述べている。

「これらは皆、上から大衆を引きずり、上から革命を組織しようとした、戦前の党および全協の『前衛主義』で、これが利用される大衆からの拒否反応にあい、大衆が拒否するから組織は益々弱化孤立化する。それでも前衛意識で大衆的陣地から突出し、突出した陣地で『革命的闘争』をやるから、簡単に、敵の包囲攻撃を受け、組織を破壊される」（「全協内での前衛主義克服の闘い」『運動史研究』第三号、一九七三年、三一書房）

こうした指導方針に対しては、他にも批判的な動きが生まれた。

三四年には関西を中心に「多数派」が結成される一方、全協内革反（革命的反対派）も組織されていた。

これらのグループは、猪俣が「統一運動に現れた労働者大衆の生長」の中で言及している大阪・港南の運動にも、東京・深川などの運動にも一定の影響力を及ぼしていた。

大森が指摘したような日本共産党や全協の実態に鑑みれば、猪俣が前述の英文レポートで「強力な前衛を持っていない」という指摘も肯けるところであり、「本当の意味の先進分子」たちに期待するところが大きくなっていったのも当然のことといえるだろう。

「猪俣＝高野ライン」の真骨頂

高野は後年、この時期の猪俣の言葉をいくつか紹介している（『高野実著作集・第5巻』四八六頁）。

「誰が指導したかではない。大衆はどう動いたかを注意しろ」

「二手三手、先を見なければ将棋にかつことはあるまい」

「拠点だ。拠点をつなぐことだ。どの拠点が火蓋を切るか、続くか。順序を正して」

「一定の段階に踏み止まる。深追いはしない」

「踏み切れるところまで踏み込む」

「……勝負は長い目で大衆の動きの中で決まる……」

ここには猪俣の運動論が凝縮されているようにも見えるが、さらに興味深いのは、高野が、大阪や東京の統一行動が「全協分子と統一会議の活動」によるものであることを指摘した上で、次のように述べていることである。

「看板をかけた『党』のあるなしに拘わらず、『前衛』の機能をつくすグループ、その方針、政策に協力する党内外の革命勢力の協力、こういうものが期待されていたといえる」（同前）

もちろん、当時の実在する「党」は弾圧にさらされ壊滅状態にあったわけだが、それ以上に、党の「あるなし」や「内外」に捕らわれない「前衛の機能」を発揮する点にこそ、「猪俣＝高野ライン」の真骨頂があったといえるだろう。

〈五〉日本の土壌で育った「民衆戦線」

「本物の先進分子」とは？

猪俣が「統一運動に現れた労働者大衆の生長」で着目していたのが、「本当の意味での先進分子」であった。では、なぜ「本当の意味での」とわざわざことわる必要があったのだろうか？

これが、このルポが指摘する「イデオロギーだけ」の「インテリ化」した「先進分子」に対する批判を含んでいるのは当然のことであるが、それはとくに目新しいことではない。

猪俣の二七～二九年頃の機能前衛＝横断左翼論は、「意識」だけの「自称前衛」に対置されたものであった。だが、猪俣が横断左翼の形成を呼びかけていたのは、主として無産政党の再建・合同をめぐる論争においてであり、それは、めざすべき方向、どちらかといえば「べき論」に近いものとして提起されたものであった。

そして、その結果は日本大衆党の結成直後の清党運動の挫折の一方で、前衛党再建も果たせなかったことも、すでに見た通りである。

しかし、満州事変後の情勢の急転の下で、排同→統一会議の動き、反戦・反ファッショ運動の広がりなど、労働運動・社会運動の中から登場してきた「先進分子」たちは、職場や地域で運動を起こし、つなげ、広げている現実の姿そのものであり、かつて猪俣が追い求めていたものを凌駕するものだったと思われる。

反幹部闘争の中で培われた全体を見渡す視点や、『日本労働新聞』で提起された運動論、組織論は、確かに猪俣の従来の主張と重なる部分も少なくないが、それが具体的な運動として展開されていることに、猪俣は「我が意を得たり」以上の、新たな気づき、発見を与えられたはずである。

そのことが、「本当の意味」という表現に込められているのではないか。

「社会再建」担う基幹労働者

「本当の意味の先進分子」は、現実に登場しているが故に、そのプロフィールも明確に描かれる――即ち「資本家も容易に手放せない基本的職工」であり、「社会再建という大業を準備し遂行する」者。

もちろん、猪俣は基幹的労働者の重要性をかねてから強調していたわけだが、そして、その組織化は依然として不十分なままにとどまっていたわけだが、基幹的業務を担う「おっさん」たちが前面に登場してきたのは、まさしく成長の名に値するものであった（本書・第二章〈二〉参照）。

そして、その延長線上には、「革命」のイメージそのものに関わる問題が控えていたと考えられる。

つまり、狭義の政治革命、政権奪取に還元することのできない、社会経済の再建、生産体制の再構築という課題である（これは、第二章で紹介した初期の「彼等を見よ」などで提起されていた課題とも重なる）。

後者の課題を担い得るのは、職場大衆と、そこに根ざした「本当の意味の先進分子」以外にはあり得ないであろう。

しかもこうした課題は、支配関係をめぐる攻防の争点そのものが新しい段階に移行してきていることと軌を一にしている。

加藤訪米時の猪俣の英文レポートが強調していたのは、満州事変以降の変化であり、そこで新たな焦点とされていたのが、「産業平和」をめぐる攻防であった。

つまり、戦時体制に向かっていくのに伴って、政治課題だけでなく、生産現場における協力体制の確立や、それに伴う異分子の排除などが、戦略的課題として浮上することになったのである。

その意味で、職場に根ざした先進分子たちが闘いの最前線に躍り出るのは、当然の成り行きだったといえる。

「下から」の統一戦線

統一戦線の動きは、三六年に入っても五月の労農無産（団体）協議会の結成、三七年二月の日本無産党への再編などの試みが続くが、同年一二月の「人民戦線事件」による大弾圧が強行される。これは、弾圧が共産党系だけでなく、労農派系の活動家、学者グループにまで及んだことを意味し、猪俣も検挙される。

これによって、日本の社会運動、労働運動は、窒息状態に追い込まれることになった。

弾圧の名目とされた「人民戦線」は、コミンテルンの第七回大会で採択された方針である。

前述のように、この決議が日本にもたらされ、共産党の関西多数派などを通じて一定の影響を与えたことは否定できないとしても、これもすでに見たように、日本における統一戦線運動は、それ以前から職場や地域で展開されていたのである。それらは、「上から」「外から」もたらされたものではなく、「職場大衆」に根ざした内発的な「下から」の運動であった。

三六年二月に加藤勘十が立候補した際に用いられたスローガンは、「民衆戦線」であったが、まさしくその名に相応しいものであった。

コミンテルンの「人民戦線戦術」は、共産党がとるべき「戦術」であり、実際問題としても、第二次世界大戦の勃発後は、この方針は再転換してしまう。全評も第二回大会（三五年一一月）で採択された政治闘争強化方針のなかで「日本人民戦線のために」という小見出しを掲げているが（司法省刑事局『全評取調資料（二）』、三八二頁）、一九三三年頃から芽生えていた日本の「民衆戦線」は、「日本の土の中から生えた草木や木のようにそだってい た」（『高野実著作集・第5巻』四八三頁）ものであった。

なお、加藤が立候補した三六年二月の総選挙では、大阪では港南労働者たちが中心となり、社会大衆党との統一戦線が実現している。

確かに、この段階での統一戦線の形成は社会大衆党を軸にする以外に選択肢はない状況にあり、三六年八月には全評が門戸開放を求め、九月には労農無産協議会が合同の申し入れを行うが、社会大衆党はそれらを拒否し、ファッショ化の道を突き進んでいくことになる。

労農無産協議会は、翌年二月に日本無産党に改名するが、盧溝橋事件の後、事実上活動停止に追い込まれていくのである。

『労働雑誌』の刊行

この「民衆戦線」を端的に象徴するものの一つが、月刊誌『労働雑誌』の刊行である。

この月刊誌は、一九三五（昭和一〇）年四月から三六年一二月にかけて発行されていたもので、創刊号の編集後記は、「〝大衆の知識と娯楽〟これが『労働雑誌』のスローガンだ。四分五裂の労働者農民運動の中で、一つの立場を特に主張したり、指導理論を与えたりするようなことは、本誌ではやらない、大衆諸君の手で作られるものだから」と発刊の趣旨を明らかにしている。

発刊の準備は、三四年秋、全評結成に向けた活動を進めていた高野と加藤勘十を中心に進められ、そこに柳田春夫、佐和慶太郎、内野壮児、松本健二といった面々が加わっていた（雑誌の詳細については、内野や佐和らによる座談会「『労働雑誌』とその時代」『猪俣津南雄研究』第一一号を参照)。

高野は後に、猪俣が「資金網の筆頭メンバー」だったとしつつ、「創刊号をみた猪俣が子供のように喜んだ」というエピソードを紹介している。

さらに高野は、「この雑誌が出版されたのは……日共、全協が壊滅状況のあと、むしろ、三二テーゼのセクトをこえたオール左派連合派の協力するところ」(『高野実著作集・第5巻』四八六頁)と述べている。編集を担当した全協出身の内野も、共産党再建を模索しつつも同じ思いであった。

ところが、雑誌そのものの枠組みは、「オール左派」を超える幅広いものであった。

発起人は、杉山元治郎(社会大衆党代議士)、加藤勘十、小岩井浄(元共産党関係者)の三名で、発行人は妹尾義郎(新興仏教青年同盟)、数多くの文化人、弁護士、そして労働組合、農民組合、消費組合が協力者に名を連ね、小説や漫画を含め、多くの著名な書き手が無償で執筆した。

この幅広い参加者・協力者は、この時点で初めて集まったわけではなく、一九三三年の極東平和友の会や上海反戦大会支援無産団体協議会など、反ファッショ運動の流れを汲むものであった。

さらにこの雑誌の役割として重要なことは、全国各地で読者会が組織され、地域における活動家のネットワーク作りに寄与していたことである。

このように、多くの執筆陣の協力にとどまらず、まさに「大衆諸君の手で作られる」という編集方針が実地に移されていたのである。

雑誌そのものは、編集部に対する弾圧によって休刊を余儀なくされてしまうのだが、その二年にも満たない活動は、日本における反ファッショ運動の貴重な共通体験として記憶されるべきであろう。因みに、猪俣は『労働雑誌』に「インフレ景気と労働者」(三五年五月)、「日本の労働者と農民」(同一〇月)を寄せている。

『労働雑誌』は三六年一一月号で幕を閉じるが、軍需インフレ下の物価上昇によって実質賃金が低下し、労働者たちの賃金引き上げの要求が高まった。三七年に入ると全総と全評は相次いで賃上げ闘争の方針を打ち出し、三七年の争議件数は二一二六件と、戦前の最高件数を記録した。だが、日中戦争が本格化する中で、全評は「新綱領」の採択を余儀なくされるなど、運動は急速に後退していった。

戦後への継承（その一）

この時期の「民衆戦線」に関して重要なのは、その経験が、戦後にも着実に引き継がれていったことであろう。例えば、一九五一（昭和二六）年七月に結成された日本平和推進国民会議。総評、宗教者団体、各種平和団体などが、全面講和をめざして結成され、その後の日本の平和運動の先駆けとなったものであるが、この運動について、この時の総評事務局長であった高野は、「極東平和友の会の経験が役に立った」（『日本の労働運動』一九五八年、岩波新書（『高野実著作集・第5巻』所収））と述べている。事実、極東平和友の会で重要な役割を果たし、『労働雑誌』の編集長でもあった仏教青年同盟の妹尾義郎は、平和推進国民会議でも高野と行動を共にしていた。

また、職場のワクを超える統一戦線の基盤となっていた各地の地域協議会の活動。戦後になって、労働組合結成の動きは急速に広がっていったが、同時に地域のヨコのつながりも早くから復活し、各地で地区労が結成されていった。そして、地区労運動こそは、日本の労働運動が、企業別組合の限界を超えて労働組合相互の連携を深めるだけでなく、他の諸団体との交流を深め、平和と民主主義を始めとする広範な社会運動を推進する母体に他ならなかった。

猪俣は、「統一運動に現れた労働者大衆の生長」の中で、地域協議会の活動を紹介する際に、「遠くの親戚より近くの他人」というフレーズを引いているが、興味深いことに、高野が総評事務局長当時に「地域ぐるみ」闘争に言及した際にも、このフレーズを用いている（「労働者の要求と当面の闘争の任務」『日労研資料』五五年一月号（『高野実作集・第3巻』所収））。

地域における共闘も「上から」の争議戦術ではなく、このフレーズに象徴されるように、当たり前のものとして息づき、根付いていたが故に、戦後に引き継がれたのである。

戦後への継承（その二）

こうした戦前から戦後への運動の「継承」は、当然といえば当然のことである。

確かに、約八年間のブランクがあり、戦火の犠牲になった多くの労働者がいたとはいえ、職場の中心的存在であった「おっさん」たちの多くは、戦後の生産現場に戻ってきていたからである。

彼等は、生産復興の基幹的な役割を果たすとともに、労働運動・社会運動の再生においても基幹的な役割を果たした。

もちろん、運動の高揚には、戦後になって初めて参加した世代のエネルギーも大きかったが、戦前の活動家たちの存在と経験が果たした役割は計り知れなかった。

戦前の民衆戦線や地域共闘を経験した活動家層は、年代的にはおそらく一九六〇年頃までは「健在」だったはずであり、三〇年代から五〇年代までを、ひと繋がりのものとして見ることも可能だろう。

これに対して、「獄中一八年」に象徴されるように、非合法路線を貫き、民衆戦線や地域共闘の経験をし得なかった共産党＝全協の立場からは、「断絶」の面が強調される傾向が強くなるだろう。

ここで改めて重要になるのは、路線や方針以上に、その活動スタイルだと思われる。

高野は、総評事務局長時代に執筆したある文章で、「何もかも、正直に職場の大衆討議にうつし、大衆の意志をとい、その意志にしたがっていくというやり方」を「正攻法」として強調しつつ、こう述べている。

「そういう正攻法を押し進めていくための組織の問題として、たがいに心の底を打ちあける同志のグループが必要になってくる。そういうグループを、豆をまいたように、各級機関のなかにも、職場のなかにも持っているのでなければ、スジを通したたたかいを持続することは出来ないのである。……このグループは、研究会でもよろしい。どんな名称でもよろしい。三人でも五人でも十人でも二十人でもよろしい。情報を交換するグループ、行動をおこすグループであればよろしい。これが職場討議の先頭にたち、ストライキ戦術をねり、新聞や本を回覧し、勉強すればよいのである」(「二つの正攻法」『社会主義』五三年一月号(『高野実著作集・第3巻』所収))

高野はこれを「イニシアティブ・グループ」と呼んでいたが、ここに息づいているのは、あの「本当の意味での先進分子」の姿である。

ここで重要なのは、イニシアティブ・グループは、あくまでも大衆討議・大衆闘争を押し進めるための機能・役割として位置づけられていることであり、あらかじめ決められた方針や、特定のイデオロギーを持ち込むための手段ではないということである。

したがって、猪俣のいう「先進分子」にしても、高野のいう「イニシアティブ・グループ」にしても、特定の「派」や「セクト」を形成することはなかった。

しかしそうであるが故に、三〇～五〇年代の豊かな経験は、今日においても目映《まばゆ》い光を放っているといえるだろう。

第九章　ファシズム批判と未完の農村革命論

二府一六県の農村踏査

猪俣は、一九三四（昭和九）年の五月初めから終わりにかけて、全国二府一六県にわたる農村踏査を実施している。

訪れたのは、群馬、長野、新潟、石川、福井、大阪、岡山、奈良、京都、三重、愛知、静岡、宮城、岩手、青森、秋田、山形、福島の四三ヵ村である。

その報告は、『改造』に三回にわたって連載され（三四年八月号〜一〇月号）、その後加筆された上で、改造社から『踏査報告　窮乏の農村』として刊行された（九月）。

これは、出来合いの理論や結論を現実の中に確認したり探し出したりするのではなく、人々の中に潜む可能性やメッセージを読み取り、しかも経済面のみならず「文化生活」までも視野に入れた、ルポルタージュとして傑出した「作品」となっている。

同時に猪俣は、八月に全国農民組合において講演を行っており、その記録が全農調査部によって冊子にまとめられている（「窮乏農村を実地調査して」（『横断左翼論と日本人民戦線』所収））。

これは、この踏査が、全農の全面的な支援、あるいは共同作業として行われたことを物語っている。

当時、全農本部にいた岡田宗司はこの時期の猪俣について、都心に出てくると全農の関東出張所の「事務所に寄って話し込んだり、こっちから彼の家に行ったりして親しい関係であった」と述べるとともに、この農村調査についても、各地の農民組合の紹介や資料集めをしたと語っている（「聞き書・猪俣津南雄四」『図書新聞』一九七四年五月四日号）。

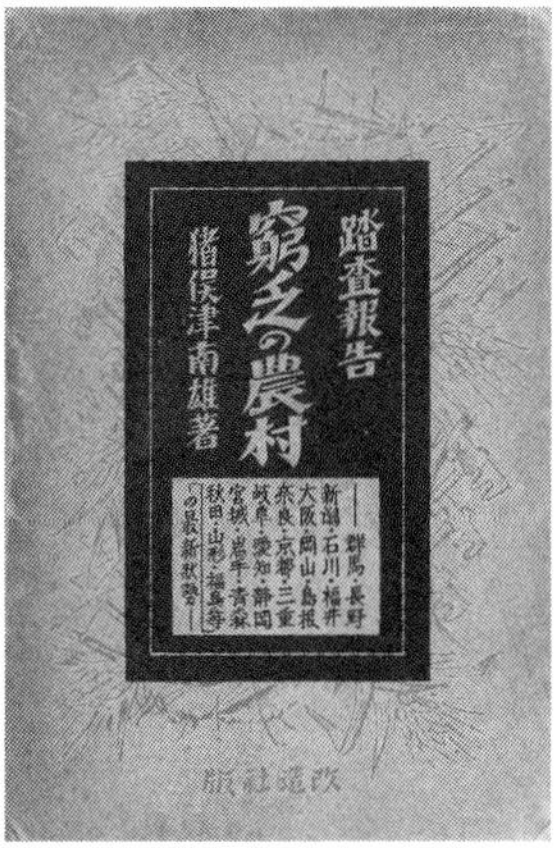

単行本『窮乏の農村』は、短期間の取材で書かれたことによる限界はあるものの、恐慌下の農村や農民の惨状に肉迫する傑出したルポルタージュとして評価されてきたものだが、全農における講演録は、そのルポの著者自身による優れた要約であると同時に、農民運動・農民組合に対する問題提起が前面に出たものとなっている（本書は、一九八二年に岩波文庫で再刊され、その後、農文協の「昭和前期農政経済名著集」にも『農村問題入門』とともに収録された）。

農民各階層の特徴

猪俣がまず着目するのは、農民内の階層性という問題であり、当然のことながら、恐慌の影響も農民運動の状況も地域や作物の種類により異なるとしている。

猪俣によると、その階層はおおよそ次のように区分けされる。

・中農＝自作地が七〜八割（自作農の大部分）
・貧農上層＝自作地が二〜三割
・貧農下層＝自分のための耕作では食べていけない極貧層→半プロレタリア化

そして、各地の農村を次の六タイプに分類している。

①養蚕　②米作　③多角　④工場農村（家内工業）　⑤山村　⑥漁村

猪俣は、それぞれのタイプごとの状況を概観した上で、「全体としての共通点」として、①中農の貧農化（土地を失うことによる転落が全体の七五％に）、②貧農の極貧農化（飯米も買う金もない飢餓状態が約半数）を指摘し、とくに「借金の重圧」の問題を農民組合で取り上げる必要性を訴えている。

続いて、「農民の動き」は、中農と貧農では「おのずからちがう」ことを指摘している。

「貧農化せんとする中農」については、「運動は大したことはない」としているが、それは、支配階級の中農保護策などによって、地主・富農のイデオロギーと貧農のイデオロギーの間で動揺し、「一定の方向の運動ができない」からだとされる。

一方、「半プロレタリア化せんとする貧農」については、飯米闘争をはじめ「大方が動く身構え」にあるとしている。

こうした階層による違いは、「政府の対策」の効果にも現れていて、それらは「貧農大衆の窮乏化を止める力を持たない」ことによって、「二つの農民層の差等をますます大きくする作用がある」と批判している。

続く農民組合運動の現状については、「地主の攻勢、農民の守勢」という特徴が指摘される。

猪俣によると、それは地主の側からの小作料引き上げということでは必ずしもなく、農村における過剰人口の存在が、農民同士の土地争奪戦を招き、小作料引き上げに応じたり、土地を取られまいとすることから弱い立場に追い込まれていることによるとされる。

貧農も、土地の争奪によって団結が弱まることで闘争が不活発となり、「農民組合は量的にも質的にも弱くなる傾向」にあり、それが地主攻勢をもたらしているというわけだ。

だが同時に、農民組合の伸びる形態が、集団加入から分散加入へと変化していることが指摘され、そこには土地取り上げに対する恐怖から、貧農下層において全農への関心が高まっていることがあるとしている。

猪俣は、小作料減免闘争の時代は、中農下層や貧農上層が活発で、全農の指導的地位を占めていたのに対して、最近では、貧農下層に比べて全農の闘争への関心がうすい傾向にあると指摘した上で、「今度の地主攻勢に対して真に起ちあがる可能性をもっているものは、この貧農の下層である」と強調している。

ここから猪俣は、全農に対して、これらのことは、組合の運動方針に問題を投げかけていることを指摘すると同時に、「この新しい層を充分に迎え入れることに成功するならば　農民運動は大なり小なりの質的発展をとげる可能性がある」と力説している。

その背景として語られるのは、農民組合が、貧農上層にとっては邪魔にもなる存在であるのに比べて、貧農下層にとっては常に必要なものである、という特質であるが、もちろんそのことは貧農上層の問題を蔑ろにするということではない。

猪俣は最後にこう述べている――「農民組合の支部支部が、土地を死守せんとする貧農下層によって固められ、しかも、その土地闘争に勝つために貧農上層のため小作料闘争も活発にやる、というような状況になってくれば、農民組合はたしかに強固なものとなるだろうと思われる」。

この講演は、その後の全農の方針に一定のインパクトを与えたようである。

大島清によると、三五年春に作成された全農の「綱領草案大綱」の中に「下層農民を重視する小作料・土地闘争の運動方針が規定された」という（岩波文庫版『窮乏の農村』の「あとがき」）。

貧農下層への着目

単行本『窮乏の農村』は、地主の土地所有や小作料の性格などの問題にも踏み込んでいて、「猪俣の農業理論の生産過程」（前述の農文協「名著集」に収録された際の大内力の「解題」）の中に位置づけることも十分に可能だろう。だが、講演録に貫かれている問題意識は、農民の階層分析と、それを踏まえた農民運動の方向性であり、猪俣の戦略論の重要な一環として位置づける必要があろう。

すでに見たように、猪俣の戦略論の眼目は「主要努力の方向」にあり、プロレタリアートと農民の関係については、「農民全体」を含む運動を展開する中で「貧農」との連携を強化し、「中農」を中立化させていく、というものであった。

三〇年代に入って、その基本線は変わらないものの、農業恐慌後の実地調査を通じて、その影響、そしてその動きが、貧農の上層と下層の間で分岐が生じていることが明らかになり、今後の農民運動は、貧農全般ではなく、貧農下層に軸足を置くべきである——という戦略的展望を猪俣は示したのである。

これは、何らかの理論や方針を適用しようとしたものではなく、調査を通じて見出し、析出したものに他ならない。ここには、後述する米国留学中に学んだ実証研究重視の手法が遺憾なく発揮されている。

日本資本主義論争批判

こうした猪俣の手法の重要性を強調したのは、他でもない、それが、当時論壇を賑わせていた日本資本主義論争と見事な対照をなしているからである。

日本資本主義論争は、いわゆる「講座派」と「労農派」の間で交わされた歴史的大論争であるが、特徴的なのは、これまでの論争で必ずといっていいほど登場し大きな役割を果たしてきた猪俣が、ほとんど登場していないということである。

猪俣は、論争に言及した数少ない文章の中で、こう述べている。

「私は非常に封建遺制の存在を重要視する。……封建遺制の重要性を過小評価する傾向に対して特に抗議したこともある。だが……もし重要性の比重という言葉が許されるのなら、イムピリアリズム［帝国主義］の方が大きいと私はみる」（「封建遺制論争に寄せて」『中央公論』三六年一〇月号一二二頁）

この視点は、これまでの論争において猪俣が繰り返し強調したことであるが、資本主義論争においても、世界的体系の一環としてではなく、一国レベルの枠組みで理念型と比較対照して、その特殊性や遅れを推し量るという手法が踏襲されていると感じとったのであろう。

猪俣は、こうも述べている。

「私は、この問題をめぐる論争が近年かなりスコラ的になってきたようで、面白くなく思う」（同前一二三頁）

この「スコラ的」という表現は、猪俣の論争評価を端的に示したものといえるが、現実と乖離した言辞だけの空中戦といった意味だけでなく、原典主義に対する批判も含まれているように思われる。

三四年五月の農村踏査の直前に、猪俣は山田盛太郎の『日本資本主義分析』の書評を『朝日新聞』に掲載しているのだが、たとえその内容が好意的だったとしても、論争全体の「面白くなさ」が、猪俣を実地調査へとつき動かしていたとしても不思議ではない。

因みに、全農の岡田宗司は、この論争に対する現場活動家の受け止め方について、「あまり関係ない、と思っていたんじゃないか」と語っている（「聞き書・猪俣津南雄四」『図書新聞』一九七四年五月四日号）。

また、猪俣は同じ論文で、論争のあり方についてこう述べている。

「自分のグループだといやに誉めちらし、別のグループだと躍起となって貶しつけるといったやり方では仕様がない。論争に党派性はつきものだが、セクト性は禁物だ。あらゆる事情から考えて現在は特にそう

である」（同前一〇六頁）

だが、この「セクト性」こそが論争の真骨頂とされ、戦後にまで脈々と引き継がれていったことは、周知のとおりである。

他方、論争の内容については、猪俣は次のように評している。

「一方は、日本農業の資本主義的環境の影響と、農業内部の資本主義的諸要素の発展とに関心を持つの余り、根強く残存する半封建的諸要素の重みや諸作用を如何に評価すべきか迷っているように見え、他方は、その反対に、日本農業に於ける半封建的諸関係に心を惹かれるの余り、かかる残存物と資本主義的環境及び諸要素との間の矛盾、対抗、相互作用のうちに行われる活きた発展の諸々の現実に近づくことが出来ずにいるかに見えるのである。私はすべてそうした一面的な見方や意見に不満を感じつつ自分の研究を進めてきた」（『農業恐慌と産業組合』三五年、学芸社「序文にかえて」）

こうした二つのスタンスに対する批判は、すでに「プロレタリア戦略論」の中でも行われていたことであるが（第七章参照）、実は、猪俣が『労農』同人の一人として参加した戦略論争でも認められる点であった。

こうした限界を克服していく方法論の一つが、先に指摘された「インピリアリズム」の視点であったが、もう一点、猪俣は重要な問題提起を行っている。

「日本の農村における高利貸資本の独特の発展形態と、日本の村落共同体の独特の構成とを、双方相関連させて分析することが必要である。その村落共同体は、封建制の以前に成立したが、その現代に持越されている独特の構成は、封建制度の下で、当時の諸関係に適応し且つそれらに負って造り出されたもので、そこには本来の意味の『経済外的強制』に紛わしい慣行的秩序すらも見られる。しかも、かかる構成の村落共同体が、発達した資本主義の環境中に置かれて、頑強な自己特殊性を示している。それもその筈で、この日本の村落共同体は、一面では常に、世界に類例のない発展を遂げた水田耕作（水稲生産）の方法に制約される諸要求を体現しているものである。私は、いずれにせよ、この村落共同体の内部構造を的確に掴み出せば、現在の土地所有関係における『半封建的なもの』の正体もわかると思う」（前掲「封建遺制論争によせて」一二四頁）

こうして、資本主義論争に対する批判的視点は、猪俣を共同体論やアジア的生産様式論を取り入れた分析へと向かわせることになる。

なお、橋本敏彦によると、猪俣は、すでに一九二七年頃、学生たちに朝鮮の農業の分析を促し、パーム・ダットのインドに関する文献を薦める一方、「『アジア的生産様式』についても黄河や揚子江の名を挙げ、中国大陸の歴史の中に治水の占めている役割をぼくに向かって話されたこともありました」という（前掲「聞き書・猪俣津南雄七」『図書新聞』七四年九月七日号）。

なお、猪俣のアジア的生産様式論については、福本勝清「猪俣津南雄のアジア的生産様式論」（『明治大学教養論集』第五四四号二〇一九年）が、マルクスの『資本主義に先行する諸形態』の公表以前ということもあり数々の問題点があることを指摘する一方で、「農村問題を具体的に究明するなか、猪俣固有の日本の村落共同体＝アジア的共同体論を構想」したものとして評価し、とくに、「日本古代＝アジア的生産様式論およびアジア的生産様式の封建化説は、猪俣によって初めて提唱されたといっていい」としている。

「農民とファシズム」

猪俣が一九三五（昭和一〇）年六月に執筆した「農民とファシズム」（『中央公論』三五年七月号）は、翌年の五・一五事件を前にした緊迫した政治情勢を分析し、農民運動の今後の方向を論じたものである。

猪俣はまず冒頭で、一九三〇年頃からの日本資本主義について、「政治的には、明白なファシズムの段階に入り込んでいる」と指摘する（『横断左翼論と日本人民戦線』所収三五九頁）。

だが、同時に指摘するのは、「それはもちろん、この日本にはすでにファシスト独裁が行われているというのではない」という点である（同前三七一頁）。

では、その「段階」を規定するものは何か？

猪俣によれば、「発展の具体的経路」が問題なのではなく、「ファシズムの本質、ファシズムのための客観的条件、［国家］のファッショ化とその社会的支柱をつくり出す政治運動との間の相互関係」だという（同前）。

これは、戦後になって論じられるような、「上から」「下から」といった区分けではなく、「相互関係」として捉えようとすることに他ならない。

この点に関わって、猪俣がもう一点指摘しているのは、ファシズムが「危機の表現」であり、「反革命の一形態」だという点である（同前三五九頁、三六一頁）。

猪俣は、すでに二七年執筆の「現代日本ブルジョアジーの政治的地位」の中でこう指摘していた。

「帝国主義ブルジョアジーの反動の特殊の一形態は、伊太利その他に於けるファシズムに見られる。だが、我国の政治的反動の現段階に、ファシズムへの『萌芽』を認めてはならぬ。ファシズムの発生は、社会的客観的条件における或重要な質的転換――しかも無産階級の強大化をその一要因とする――を前提とする」（『横断左翼論と日本人民戦線』所収二三三頁）

こうしたファシズム認識から、猪俣は「萌芽」に否定的だったわけだが、三〇年代に入って状況は一変する。

猪俣は、二九～三〇年に資本主義の上向的発展の見通しがなくなると、ブルジョアジーの政治的支配形態に「根本的な変化」が生じ、三〇年代に入ると、「独占資本と資本主義国家機構の融合」や「全面的な『統制経済』

の運動」が進み、「国家機関のファッショ化となって現れた」と指摘する（同前三五九〜三六〇頁）。

ここで猪俣が強調するのは、この「国家機関のファッショ化」が、「外部から」の「クープ的」に進められたのではなく、「内部から」の「立憲的」な形態をとっている点である（同前三六〇頁）。

その背景には、日本の議会主義的・民主主義的形態が、「ようやく粉飾の眼鼻がついたばかり」であることや「ブルジョア政党の『無力化』」があるが、とくに後者は、その腐敗堕落にもよるが、より根本的には「資本主義の危機の現れ」であり、「どの政党がやっても駄目だったこと、政党政治・議会政治よりも『高度』の形態が要求されるに到ったこと」によるとされる。

こうして、「軍部の、官僚の役割が増大した」というのが、猪俣の基本的認識である（同前）。

ここで、「軍事ファシズム」だけでなく、官僚の役割が重視されていることは注目してよいだろう。

もう一点、猪俣が日本におけるファッショ化の特徴として上げているのが、「予防的」という性格である（同前三六二頁）。

猪俣は次のように指摘している。


「現在の『非常時』はもちろん一般的政治的危機を伴ってはいない。だが、かかる危機への成長の予想はある。……それだから現在のファッショ化は『予防的』なものであり、そうであることによって、現在のファッショ化過程は一般的に特徴づけられている」（同前三六一〜三六二頁）

ここでいう「一般的政治的危機」は、以前に猪俣が指摘していた「無産階級の強大化」を含んでおり、それが、現時点では「予想」にとどまっていることの指摘と見ていいだろう。

そこで次に問題になるのは、ファッショ化の「社会的支柱」である。

猪俣は、日本の社会ファシズムの運動が労働者大衆を捉え切れていない、と述べつつ、「ファシスト運動が主として捉えんとするのは没落の小ブルジョア層である」と指摘し、都市の小ブルジョア、農村の小ブルジョアの中でもとくに「小地主と農民」だとしている（同前三六三頁）。

同時に猪俣が指摘するのは、ファシスト的運動指導や動力が「主として国家機構の内部にある者——貴族、官僚、軍閥——によって与えられていることである」が、これらの「官製」の団体のさまざまな活動も大したことはなく、「農民の現実当面の利害に即した地道な日常闘争は何一つ農民のためにしていない」としている（同前三六三〜三六六頁）。

ここに猪俣は、彼らが「農村全体」を標榜しながら、農村の窮乏の問題を取り上げることを恐れるという「彼らの運動の本質」との間の「矛盾」を見出している（同前三六六頁）。

そこで猪俣が提起するのは、「農村における反ファッショ的努力をいずれに見出すか」という問題である（同三六七頁）。

猪俣は、農村における社会階層を、①地主と農村ブルジョアジー、②中農、③貧農に分類すると、①は支配階層、③は反ファッショ勢力に区分けされ、「双方からの争奪の的」となり、「双方の間を動揺する」のが中農だとしている（同前）。

そこで猪俣が着目するのが全国農民組合（全農）の役割である。

猪俣は、全農の性格を「貧農大衆の日常闘争の組織」とした上で、これまで弾圧や分裂にもかかわらず一四年間もプロレタリアの友軍として貫き通したことは、「最近二十年間の世界のどの国の農民運動にもほとんど類例のないこと」と評価する（同前三六九頁）。

その全農が二、三年前に直面したのは、「急速な没落に襲われて動揺し、起ち上がる気配を見せてきた中農と、同時に起ったファッショの浪、それに対していかなる態度をとるか」という問題であった（同前）。

猪俣によれば、全農は、「貧農の孤立化を防いでその組織の『大衆化』を実現し、中農分子を自己の味方にひきつけることに基本的任務がある」として活動を展開したことによって、「ファッショ化の最初の大きな浪を見事に乗り切った」としている（同前二七〇頁）。

その上で、「凶作」を契機とした「第二の浪」に立ち向かうために、「中農を全体として貧農の側に引きつけ」「資本家・地主から引離す」ことの重要性を強調する（同前）。

猪俣は、組織貧農の強化とともに、「政治的に強力になる」ことを訴え、全農が三五年四月の大会で決定した「政治活動強化」に関する方針に期待を寄せ、「それは、ひとり反ファッショ闘争の運命のみならず、プロレタリアートおよび貧農大衆の運命までが、その解決いかんにかかるほどのものである」と結んでいる（同前二七一頁）。

ここで繰り返し強調されている中農の戦略的重要性は、「現代日本ブルジョアジーの政治的地位」以来の猪俣の戦略論、とくにその「主要努力の方向」の眼目をなすものであった。

反ファッショ闘争論においても、その基本的スタンスは変わっていない。

だが、ここで注目したいのは、全農が「第一の浪」を乗り切った際に展開したとされる「村落活動」の重要性である。

猪俣は、全農の「新方針」を次のように紹介している。

「『村落活動』というのは『村の人達の飯米や病人の心配、息子の嫁の心配、夫婦喧嘩の仲裁、手紙の代筆』のごときから、『道、あかり、橋、共同風呂、託児所、医療組合、共同開墾地』などに至るまでの、村民の個人的および共同的利害のための諸々の活動の先頭に絶えず立つことである」（同二七〇頁）

これは、いわば世話役活動を基礎としたものであり、猪俣が官製のファッショ団体を批判する際に指摘していた「農民の現実の利害に即した地道な日常闘争」に他ならない。

中農を「味方に引きつけ」「相手側と切り離す」といっても、戦闘場面における「中立化」策とはかなり質を異にするといえるだろう。

同時に、ここで強調されるリーダーの資質や活動スタイルは、労働現場における「おっさん」たちのそれと通底しているとみていいだろう。

前述の「本当の意味の先進分子」の項でも見たように、革命戦略を論じ続けてきた猪俣は、狭義の国家権力奪取に収斂することのできない、「日常闘争」としての革命運動を絶えず念頭に置いていたのである。

「新しい労働形態」をめざして

では、こうした活動の延長線上に、猪俣はどんな社会をイメージしていたのか？

猪俣はこの問いに直接答えているわけではないが、最後の著作となった一九三七（昭和一二）年の『農村問題入門』（中央公論社）に次のような一節が出てくる。

「……雇われる人間が殖えるのには、そこにすでに食えない人間がうぢゃうぢゃいなくてはならぬ。人間一匹が他人に雇われるのは、口で言われぬ苦渋な経験を嘗めつくしてからである。しかも雇われる彼等は今やただ他人のために利潤を作り出すのである。

「農業労働者階級はこれら一切の犠牲を払うことによってのみ――記憶せよ――若干の進歩を購《あがな》ってゆく。彼等のますます多くの者がアジア的半封建的な下女下男的雇用関係から脱出し、ヨリ自由なる、そして団結可能なる雇用関係に入込んでゆく。これと共に彼等はまた、近代科学が生み出した近代的機械をもって生産することを学ぶのだ。この新しい労働形態の下においては、彼等はもはや夕闇に案山子と間違えられる農夫ではない。ぼろぼろの鍬一挺に命を託した孤立的生産者ではない。彼等は今や近代的な集団労働を体験する。彼等は、最も進歩した方法でお互の労働を結合して驚くべき高能率の協業形態を作り出すことを学び知る。しかも自分達と対立する資本の支配下でそれを学び知る。それだからまた彼等自身結合し、彼等自身を組織することも学ぶのである。かかる組織は、あの封建領主との対立によって強化された村落共同体の組織などとは比較にならぬほど進んだものである。利害の対立は、ここでも進歩の母として現れる」（『農村問題入門』三九六～三九七頁）

これは、同書第六章「農民層の分解」の第二節「農業における資本の成長」の「三　資本としての農業機械」の中の一節で、機械の導入が失業を生み出す一方で、資本が資本である以上、雇用を拡大させるという面を指摘し、雇用関係に言及しながら突如、「新しい労働形態」の議論に踏み込んでいくのである。

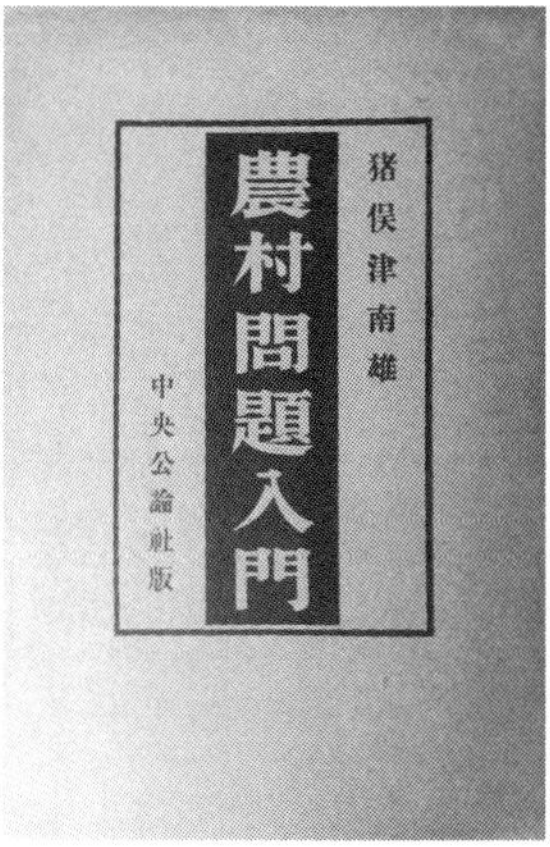

共同体に根ざした自治

従って、この一節はごく限られた論点に言及したものにすぎないが、そこから猪俣の新たな社会像を垣間見ることができる。

第一の特徴として指摘できるのは、「他人に雇われること」そのものが「苦渋」だとしていることである。

これは、「他人のために利潤を作り出す」、いわゆる搾取関係にとどまらないものであり、従って、単なる分配のあり方ではなく、「雇用関係から脱出」する「新しい労働形態」が問題とされるのである。

そして、更に注目すべきは、その「新しい労働形態」を生み出していくものを、生産者たちが自ら「結合」し「組織」していく力だとしていることである。

もちろん、「集団労働」を実現していくには、国家権力や土地所有の問題を避けて通ることはできないし、猪俣も十二分に承知しているであろう。

だが、猪俣の力点は、旧来の「村落共同体」に代わる新たな共同体のあり方に置かれているのである。同時に猪俣は、近代科学が生み出した機械の活用によって、「ヨリ高能率の協業形態」を生み出し、そこに「アジア的半封建的」関係から脱していく可能性を見ている。

このように、ここに示された社会像には国家は登場しない。

戦略論争の当事者として活動し続けてきた猪俣は、世界的な帝国主義体系の一環としての国家を絶えず分析の対象とし、その特殊性を探り続けてきたわけだが、猪俣が変革のもっとも基底部分に据えたのは、国家のあり方ではなく、共同体のあり方であった。

その意味で、同じ「集団労働」でも、国家が組織するものとは、およそ性格を異にするものといえるだろう。

ここで問題になっているのは、国家観、革命観というよりは、人間観そのものといっていいだろう。

人々に、お互いが結合し組織する力がすでに備わっていると見るのか、それとも、備わっていないと見るのか？

後者であれば、国家の役割は大きくなる一方で、前衛党による指導の比重も増し、これに対して、前者であれば、国家に依存することなく自治が基本となる一方で、運動もまた自発・自意に基づく、ということになるだろう。

中断された問い

このように見てくると、猪俣がさまざまな運動経験や調査研究を通じて辿り着いた社会観・運動観にも、あの初期の社会主義観が瑞々しく息づいていることがわかるだろう。

では、先の断片に示された方向性は、どのように展開され、具体化されていくのか――。猪俣は、統制経済や準戦時経済についての現状分析に精力的に取り組むと同時に、この問いについてもさまざまな模索を続けていく。

『農村問題入門』だけでなく、「現代における都市と農村」(『日本評論』一九三〇年八月号)や「日本的なものの社会的基礎」(『中央公論』一九三七年五月号)などで、日本における共同体のあり方やアジア的生産様式の問題に取り組んでいた。

しかしながら、これらの模索も　突然の中断を余儀なくされる。

一九三七(昭和一二)年一二月、「人民戦線事件」と称する大弾圧が強行され、いわゆる『労農』グループの学者や活動家が検挙され、猪俣も、そして高野もその犠牲となったのである。「予防」のファシズムが牙を剝き出しにした瞬間であった。

猪俣は、『改造』三七年一〇月号に「隣邦支那須の前途」を発表したが、猪俣はここでも農業生産力向上の基礎となるアジア的共同体の「生産における協同」の力を強調する一方、すべての帝国主義諸国を敵に回すという不幸に直面したとしても、支那民衆が「かなり長期の闘争に堪えて民族解放の勝利を確実にする」とともに、「アジアの諸民族が総じて解放と独立の発展方向にある」という見通しを示した。

これは、日本の中国侵略、アジア侵略が本格化する状況下で猪俣が発した最期のメッセージとなった。

〈最期の日々〉（一九三七〜四二年）

獄中での体調悪化と療養生活

一九三七年一二月一五日早朝に検束された猪俣を待ち受けていたのは、青山署における約一年に及ぶ厳しい取り調べであった。

その間、そしてその後も面会や差し入れなどの支援を続けていたのは大塚倭文子《しずこ》であり、資金面で援助していたのは高沢伝二郎である。

倭文子は、一九三〇年頃に『婦人公論』の編集部員として猪俣と出会い、その後退職して猪俣の仕事を手伝うようになる。同居こそしていなかったが生活を共にするまでになっていた。そして、起訴されると面会できるのは家族に限られることから、二人は三八年六月に獄中結婚する。

猪俣は、米国留学時代からのつき合いであるベルタ・ゲールと結婚していたものの、結婚生活はすでに事実上破綻していた。ベルタは、猪俣の逮捕によって、離婚と帰国を決意したようである。

猪俣を苦しめたのは、厳しい取り調べだけでなく、腎臓病の悪化であった。

倭文子の回想によると、顔色の悪化とむくみが進行し、面会に行った際に、階下から手すりにつかまりながら上がってくるのも難儀だったが、看護担当に診てもらうことはできても治療は受けられなかったという。

三八年一二月に起訴されると、猪俣の身柄は巣鴨拘置所に移された。

猪俣が青山署から巣鴨拘置所に送られる車で偶然乗り合わせたのが、淀橋署から巣鴨に移送される荒畑寒村であた。荒畑は後にこう記している。

「猪俣君とは絶えて久しき対面であるが、私はその明らかに病的な、ムクんで蒼白な顔色と非常に衰弱しているようすに、覚えず『どうかしましたか』と問うた。猪俣君ははじめて、胸中の鬱懐を吐ける相手を見つけたのか嬉しくてたまらぬように、平生の冷静さにも似ず、興奮を制しきれぬ激しい口調で、拘置所に行き着くまで語りつづけた。猪俣君は当初、警察の調べを反駁して屈しなかったので、彼らの憎しみを買ったらしい。夫人が差入れの食事をもって来ても面会を許されず、腎臓病のために浮腫が起る状態になっても、医師の診察を拒まれていたそうである。『それだから、僕の警察聴取書は全然出来ていないのです。検事すら僕が虐待されるのに同情していましたが、警察の取扱いに口出しは出来ないし、ここに永くいると死ぬかも知れない。どうせ起訴はまぬがれないのだから、早く拘置所へ行った方がいいだろうといって、検事調書がないまま送られることになったんです。』

「そう語る猪俣君の声は、憤恨の情にふるえていた。……」（『新版　寒村自伝（下）』一九六〇年、筑摩書房一八〇頁）

このように、猪俣の病状悪化は、取り調べにおける態度に対する、警察の報復的な対応に起因することが容易に推察される。

拘置所においても体調はさらに悪化していたが、倭文子が裁判所の予審判事のもとへ日参して働きかけたこともあって、猪俣は三九年二月にようやく東大病院に入院する。その後、六月下旬に退院して青山ハウスに戻ることができた。だが、執筆活動は許されず、生活を支えるためにペンネームでいくつかの翻訳を手がけるのが精一杯であった。

戦後、インフレーション論の論客として、また社会党の参議院議員として活躍した木村禧八郎は、二・二六事件前後の時期に雑誌『エコノミスト』の編集者として原稿依頼で猪俣と出会い、その後、インフレーション論の伝授だけでなく釣や将棋でも親交を深めていく。

木村は、猪俣が釈放された青山ハウスに戻ってきて以降、訪ねて来る者は――高野実を除いて――ほとんどなかったと述べるとともに、「政治的な立場や見解がちょっと違うようになると、あんなに苦しい時代なのに、離れてしまって見向きもしない」と語る。だが猪俣は、「愚痴ひとついわなかったし、人をけなすことも一度もなかった」と木村はつけ加えている（「聞き書・猪俣津南雄二」『図書新聞』一九七四年二月二三日号）。

「財産とか名誉とか全然気にしない、本当に、真実を探求する良心的な学者」というのが、木村の猪俣評である。

年末から大分の別府で療養することが許され、半年ほど滞在する。

さらに、四一年の夏には、佐渡の塚原徹――倭文子によれば、厳密な意味での猪俣の生涯の只一人の友人――に招かれて、二ヵ月ほど小木町に滞在している。

高野との別れ～死去

四一年の秋、猪俣と倭文子は青山ハウスに戻って来た。

当時、高野実は、大森の工場で仕事をしていたが、ある日、仕事帰りに猪俣を訪問した。その時の様子を高野は次のように記している。

「狭苦しい六畳間は白い布団の上に横たわった猪俣さん一人でもういっぱいだった。、私はいつものように、あがりがまちで小さくなって、猪俣さんの顔の疲れた面持ちをうかがうようにながめた。

「猪俣さんは物憂い顔付きだったが、急に胡座《あぐら》をかいて、例の短いキセルをたたかれた。

「永い半失業と半病人と裁判の負担とで、それにもまして不快な戦争の重圧に、弱り果てた苦悩がまざまざと読みとられた。

「ふたこと、みことは世間並みの挨拶だった。が、すぐと話題は革命運動のことに入った。

「京浜地方の労働者大衆の動きはどうだろうというのがきっかけだった。私は、日本ヂーゼルや三菱重工や日本光学やあちこちの職場の事件を伝えた。そして、大きく動けそうだと答えた。徴用工に対する憲兵隊の残虐行為の数々をも、ことこまかくつけ加えた。すると

「――実は昨夜○○君が来てネ、食糧不足を契機に必ず暴動が起きるといったんだが、どうかネ、と言われた。

「私は、いくら食糧不足が来ても、それだけでは何にもおこらない。飢餓政治に成功してきた敵はそんな自然発生的な反抗は間もなくくびってしまうだろう。全国的連絡を切断しておいて、僅かな餌をふりまくと同時に、武力をふるう鎮圧の手は十分にまわるだろう、といった。

「――ところが、奴さん中々承知しないんだ。僕はネ、暴動が成功して革命運動に転化し、それが組織化されるためには、どうしても外力が必要だ。例えば支那にいる日本の軍隊が政権をねらって起ち上がって来るというような条件が必要だ、と斯う主張したんだ、と。

「私もむろん猪俣さんの方に賛成だった。それから戦略における予備軍の編成について語られる語気は、漸く鋭く愈々《いよいよ》荒々しい。

「これはいけない、しまった！　私の頭はこの一語で一杯になってしまった。そして、無理に寝かしつけてお茶などを勧めた。

「私達の心配がわかったものか、間も無く、静かな寝息を聞くことが出来た。

「冷たくなったお茶をすする音をもしのぶ私の目頭は、とうに熱くなっていた。――一つには、その絶えることのない闘志に捧げられ、ひとつには、今宵ひと夜の眠りに捧げられて。挨拶の言葉もなく足を忍ば

せて辞去したのはもう一一時過ぎだった」（高野実「二つの二時間」（『高野実著作集・第5巻』所収））

その後、軍需工場が忙しくなったこともあり、結果的にこれが最後の別れとなった。

これは、猪俣の最後の言葉を伝える記録であるが、現場労働者の具体的な闘いへの思い、そして中国情勢への思いは、初心が最後まで貫かれていたことを物語るものとして印象深い。

猪俣の病状はその後も悪化し、大塚の専門医のところに通い始めたが、執筆活動はほとんどできず、青山ハウスで寝たきりの毎日が続いた。

暮れになるとむくみがひどくなり一九四二（昭和一七）年の一月二日、年始の挨拶に来た客人との会話の際に突然猪俣の舌がもつれ、赤坂の長谷病院に緊急入院した。

倭文子は献身的な看病を続けたが、一月一九日、猪俣は眠るように息を引きとった。享年五四。

高野は言う――「その肉体は、獄中でむしばまれた腎臓炎のため青くむくれ、まさに非業の死というべきものであった」（高野実「猪俣津南雄」（『越後の生んだ日本的人物』所収、新潟日報））

木村禧八郎の回想によると、猪俣の葬式は「大変だった」という。

荒畑が警察に対して、焼香や弔いに来る人を見張ったりしないでくれと申し入れたが、警察にとっては誰が来るか調べる絶好の機会であり、木村自身ビクビクしていたという。「今から考えれば、人の葬式に出るのに大変な決意がいるなんて滑稽のようだけれども、そういう時代だったんですね」（前掲「聞き書き・猪俣津南雄二」）

絶句二六首

猪俣の郷里・長岡は一月は雪に埋もれていたため、納骨は四月にのばした（長岡・妙宗寺）。

七五日忌の際に、倭文子は猪俣の自筆原稿を写真製版し顔写真を添えて参会者に配った。その原稿は、猪俣の絶筆となった俳句二六首で、死の一ヵ月ほど前に病床で認めたものだった。

◇絶句二六首　　鹿語

秋を病みて読みたきものに子規句集
ゆく秋や糸瓜に終る子規句集
モスクワの落ちる虚報や冬近し
牛乳に託すいのちや冬に入る
代る〳〵林檎持て来る友のあり
湯婆《ゆたんぽ》抱いて居る朝釣りに誘はれし
たまたまに窓あけて山茶花の日和
チェロの流れ来る窓冬日かげろへり
屋上の人をうらやむ小春かな
小春日の煮物湯気立つ枕もと
注射器のしづかに置かれ冬薔薇
今日も室暖めて名曲の時間待つ
トランプで占ふ妻の風邪もひかず
独軍の損害多き吹雪かな

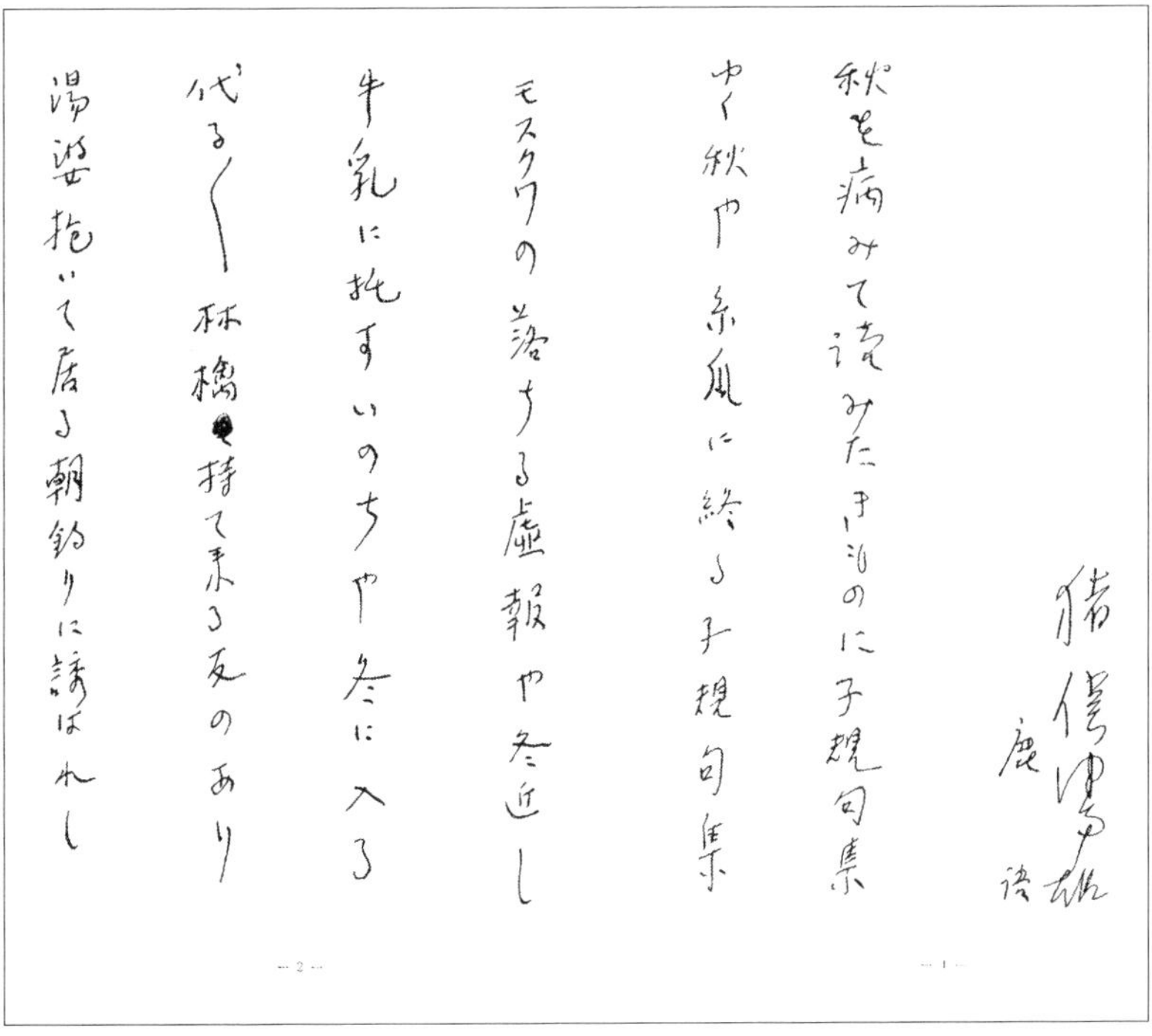
猪俣津南雄
鹿語
秋を病みて読みたきものに子規句集
ゆく秋や糸瓜に終る子規句集
モスクワの落ちる虚報や冬近し
牛乳に託すいのちや冬に入る
— 1 —
代る〳〵林檎持て来る友のあり
湯婆抱いて居る朝釣りに誘はれし
— 2 —

（ぶりかえし）吾身とも思へず浮腫む寒さ哉
時雨きてくたくたと睡り入る日かな
かいまきの良き綿入れしかるさかな
三間《マ》の家に住ひし夢や冬ごもり
フランスの小説ながし冬ごもり
冬ごもり配給のパン食べ惜む
湯豆腐も食餌のうちや冬籠
思出や小年鹿語《ろくご》柚味噌焼く
下腹に力出て来る湯婆かな
国振りのよき梅干や粥二杯
満ち足るや佐渡の梅干能登の諸
二十日寝て布団干す日もありにけ里

ここに登場する「鹿語」は、若き猪俣の俳号である。

猪俣は、四〇年六月にも雑誌『銀碗』に「青山ハウスの近況」と題する六句を発表しているが、最晩年になって、かつて心酔しながらも袂を分かった俳句の世界に舞い戻って行ったようである。

塚原は猪俣の死の翌年四月、二人の青春時代を綴った「鹿語の一貌」を執筆している（『猪俣津南雄研究・第四号』一九七一年八月所収）。

結ばれた倭文子と高野実

猪俣の最晩年にあって、もっとも身近な存在であり、共に猪俣を見送った倭文子と高野――この二人は、翌一九四三年に結婚する。

大塚倭文子は、前述のように『婦人公論』の編集部にいた一九三〇年頃に猪俣と知り合い、猪俣とベルタとの関係が悪化していた時期でもあり、二人は親密な関係を結ぶようになっていった。

倭文子の妹・雪子の話によると、倭文子にはすでに結婚相手が決まっていて、式を上げる準備も進んでいたのだが、直前になって猪俣が倭文子に結婚を申し込んだのだという。

一方、高野実は、一九二七年に、長山直厚の妹でタイピストだった伊藤花子と結婚するが、三一年に子供を死産した際に、花子も命を落としてしまう。

倭文子と高野は、戦後になって二人の男児（孟、威）に恵まれる。

実は、総評事務局長をはじめ、戦後労働運動の中心人物として知られるが、倭文子は、小唄の師匠（小唄幸志津）として活躍した。実は、一九七〇年に猪俣津南雄研究会を立ち上げ、多くの協力者を得て、雑誌『猪俣津南雄研究』を刊行するとともに、猪俣の論文集を刊行した。*

*高野が猪俣について書いたものは、『高野実著作集』（柘植書房）の第5巻に収録されている。

そして一九七四年九月一三日に実が入院先で死去すると、後を追うように同月二八日、倭文子も息を引き取った。

実七三歳、倭文子六八歳であった。

第一〇章　生い立ち～米国留学時代

〈一〉俳人「鹿語」として

少年～青年時代

思出や小年鹿語柚味噌焼く

前章で紹介した猪俣のこの句が興味深いのは、単に少年時代に舞い戻ったということでもなく、また単にかつての思い出に耽っているのでもなく、「小年鹿語」を対象化して詠み込み、「作品」に仕上げていることである。ここでの「小年鹿語」は、思い出の中に閉じこめられた存在ではなく、働きかけ、触発する独立した存在である。

このことは、人生のそれぞれの時期、瞬間というものが「成長」過程における過渡的なものでなく、それぞれが独自の光を放つかけがえのないものであることを示唆しているのかも知れない。

津南雄は、いわゆる非嫡出子――父親と、その正妻以外の女性との間に生まれたものとして生を受ける。

一八八九（明治二二）年四月二三日。

父は長岡で油問屋を営んでいた猪俣津平、母は新潟の芸者、広木チヨ。

津南雄は、「広木津南雄」として、しばらくの間、チヨのもとで育てられる。

一八九六（明治二九）年になって、猪俣夫婦には子供がいなかったこともあり、津南雄は長岡の家に引き取られ、表町小学校に入学する。

だが、当初は「広木」姓のままで、四年生になる頃に「猪俣津南雄」となる。

小学生時代は、野球と蝶採集に熱中していたといわれている。

その後の足跡は、おおよそ次のようになる。

・一九〇二（明治三五）年　一三歳
長岡中学に入学
・一九〇七（明治四〇）年　一八歳
長岡中学を首席で卒業。父の経営する油問屋が破綻し進学できず。片貝の学校の代用教員や北陸製紙の事務の仕事に従事。秋に叔父を頼ってウラジオストックに行くが二〇日で帰国。一一月に長岡を訪れた河東碧梧桐と対面。
・一九〇八（明治四一）年　一九歳
春に上京。向島の鍍金工場に住み込みで勤務。その後、帝国学士院の書記に。上野桜木町の駄菓子屋二階の下宿に移る。

・一九〇九（明治四二）年　二〇歳
一二月に徴兵により高田砲兵隊（現上越市）に入隊。
・一九一〇（明治四三）年　二一歳
四月に看護兵に。早稲田大学政治経済講義録を学び始める。
・一九一一（明治四四）年　二二歳
一一月、帰休除隊。
・一九一二（明治四五、大正一）年　二三歳
二月、早稲田大学政治経済講義録終了試験に合格し専門部二年終了の資格を得る。春、二度目の上京。塚原徹の下宿住まいを経て新宿・戸塚で間借りし、借用した早稲田の講義ノートで学ぶ。九月、郷里の知友の学資援助を得て早稲田大学政治経済専門部三年に編入入学。
・一九一三（大正二）年　二四歳
九月、早稲田大学専門部を首席で卒業。同研究科に入り、塩沢昌貞の下で経済学を専攻する一方、東京外国語学校専修科（夜間）でドイツ語を学ぶ。秋、高等文官試験を目指して勉強しようとしていたが、東京で出会った郷里の富豪・山口建蔵に洋行を薦められる。ドイツ留学が予定されていた。
・一九一四（大正三）年　二五歳
八～九月、佐渡・両津に滞在。「佐渡の漁業は発展するか」を執筆（翌年、『新佐渡』に掲載）。
・一九一五（大正四）年　二六歳
七月、早稲田大学研究科と東京外国語学校を卒業。九月二五日、横浜港を発ち、海路米国に向かう。

「鹿語」の誕生と活躍

猪俣が入学した長岡中学は俳句に熱心な学校として知られ、優れた指導者を配していた。この環境下で「小年鹿語」が誕生するのは、自然の成り行きであったといえるだろう。猪俣はテニスにも熱中し、主将を務めていたが、俳句に専念するに連れて腕を上げていった。

そして一九〇五（明治三八）年、俳句を通じた偶然の縁故で、佐渡の塚原徹と知り合いになり、文通が始まる。

ここに、鹿語（猪俣）と天南星（塚原）の終生の交友関係が始まるわけだが、二人が初めて面会するのは、その翌年の夏休みのことであった。*

*前述のように、塚原は猪俣との関係を「鹿語の一貌」で綴っており、以下の記述の多くもそれに負っている。

中学時代の猪俣

猪俣は当時、越後俳界で重きをなしていた「かまつか会」を主宰するまでになっていて、修学旅行で佐渡を訪れた際の紀行吟が大阪の雑誌『くぢら』に掲載されている。

ところが、長岡中学を首席で卒業した猪俣を待ち受けていたのは、実家の油問屋の経営破綻という予想もしていなかった事態であった。これによって、猪俣は進学の断念を余儀なくされ、実家の復興に向けてさまざまな仕事につくという道を選ぶことになった。

同じ年、猪俣にとって決定的とも言えるもう一つの出会いがあった。俳人・河東碧梧桐との出会いである。

碧梧桐は「三千里」といわれる全国行脚の行程で、一一月に秋田、山形を経て越後に入り、翌春まで滞在した。

当時の鹿語について、塚原はこう書いている。

「鹿語は、新潟へ出迎え、長岡で居候し、各地にお供をするという具合に始終附きまとって、すっかり碧梧桐さん及び其の新傾向俳句に心酔し、例の六朝風の書体の真似は勿論その笑い方、その歩き附きまでも模倣し、且つそれらの模倣に熟達したのであった。……鹿語は極端な碧梧桐ファン、新傾向ファンになって仕舞ったのである」

濃艶な連想も雪の兎かな　　鹿語
いざ行かんいざ行かう雪の浅いうち　　碧

この対句について塚原は、「この初対面の師父と愛弟子との情誼を談る記念物」と書いている。

碧梧桐の「一日一信」の一一月〜一二月の項には、鹿語の句二一編が収められている。

猪俣は、その後上京し、さまざまな仕事につくのだが（帝国学士院の書記も、文部省嘱託だった俳人の世話によるものであった）、その間も句作にいそしみ続けていた。

塚原によると、「この桜木町時代（〇八〜〇九年）が全盛期」であり、「毎月の『日本俳句』の入選作のトップに、ズラリと自分の句の並ぶのが無上の楽しみとするような時日を追っているのであった」。

こうして猪俣は、若くして「新傾向」を代表する俳人の一人になっていたが、俳句とのつながりは、その後も猪俣に味方することになる。

猪俣が所属した高田砲兵隊の上官は俳句好きの人で、その計らいで、猪俣は看護兵に回されたばかりか、通常なら三年かかるところを二年で帰還することができた。

しかも、その間に早稲田の講義録で政治経済学を学ぶことが許された。

このことは、俳句一辺倒だった猪俣に大きな変化をもたらした。

猪俣の〝方向転換〟

そして、決定的となったのは、友人たちの援助による早稲田大学への編入入学であった。

塚原は、猪俣にこの機会が与えられなかったら、「学歴のない出来る男、分別の良い実務家或は聡明慧智に勝った手腕家」になって、「幸福な一生」を「恐らくは今も死なずに送りつつあろう」と書いている。

それは、俳句の世界との距離の変化をもたらした。

すでに早稲田の哲学科に学び、ニーチェ、ジェームズ、オイケンなどを読み漁っていた塚原は、こう続けている。


「私はもとより、パザロフを好み出したり、白鳥の『何処へ行く』を、非常に誉めたりするようになった鹿語も、句作に熱を持たなくなり出したのは、当然であった。俳句らしくない俳句、こういうことも二人で言い合った」

そして、正確な日時は不明だが、ある句会の席上、碧梧桐が、鹿語と天南星の二人を一坐の見せしめのように咎める、という事態となった。*

*ただし、これで両者の関係が途絶えたわけではなく、後に猪俣が第一次共産党事件で逮捕された際に、碧梧桐は猪俣宅を訪れベルタを見舞うなど付き合いは継続した。


そして、こうした転機と重なるかのように、さらに大きな僥倖である留学の話が持ち上がったのである。

その後、猪俣は留学準備に入っていくが、佐渡に滞在した際にものしたのは、俳句ではなく佐渡の漁業に関する論文であった。猪俣の変化を端的に物語るものといえるだろう。

第一次大戦の勃発によってドイツ留学の計画変更を迫られた猪俣は、新天地の米国へと向かうのである。

〈二〉米国における留学生活

ウィスコンシン大学大学院に入学

猪俣の米国留学は、帰国後早稲田大学で農業政策の講座を担当することを前提に、農業政策や経済学一般を研究することを目的として、大学の海外留学生として派遣されたものであった。

留学先のウィスコンシン大学は、猪俣の恩師である塩沢昌貞が以前に留学していた大学で、有名な経済学者が揃っていた。

猪俣が直接指導を受けたのは、次のような面々だった。

まず、米国の「土地経済の父」と称される農業経済学の大御所リチャード・セオドール・イリー（一八五四～一九四三）。資本主義の悪を政策的介入によって正そうとする進歩的運動に関わっていた。工場の労働環境、義務教育制度、児童労働、労働組合などを研究対象とした。一八九二年から同大で教鞭をとる。社会主義的学説を教えているとして排斥運動の対象となるが、学長裁断で身分を維持した。当時、進歩的知識人の間で盛んだった優生学の立場を支持、また第一次大戦への米国の参戦を支持した。

イリーと共同で「土地問題」の授業を担当したB・H・ヒバード（一八七〇～？）は、農業問題を多面的かつ具体的に調査研究した学者で、農業資金、土地の貸借、マーケティング、税制などなど。州の農業政策立案にも関わっている。猪俣はブルジョア経済学を学んだといっているが、農業・農村問題の実態をつぶさに観察する上では理論的オリエンテーションは決定的重要性を持つとはいえないだろう。現実を具体的に見る姿勢が養われたと思われる。統計処理に関してもテクニカルな訓練を受けたであろう。

猪俣の学位論文指導を担当したのがヘンリー・チャールズ・テイラー（一八七三〜一九六九）である。〇二年、同大学に米国初の農業経済学講座を開設。教職と並行して連邦統計局の仕事にも携わり、一九年には連邦農業省の役人となっている。

イリー、ヒバード、テイラーなど同大の農業経済学の主要目的は、農民の暮らしを向上させるために農業を研究し、必要なら実践に移すというものであった。

猪俣は一七年八月の塚原宛書簡で、「経済学の中には例の農業経済というものがあるが、これは、アメリカ風に仕上がるつもりで、従って本当のものは国に帰ってから出来上がることになる筈です。アメリカの農業経営学者は、日本のように、各国の文書各国の制度なぞには大して精通して居らぬ、ただ、あるメソッドを各国に学んで、それに従って、此国の中心問題をたゝくというやり方です」と書いている。また、「分量的にしか論じ得ない経済学文ではいけないという前からの考えがいよいよ確かになって来て居ます」とも述べている（藤田悟「猪俣在米留学考二」『猪俣津南雄研究』第一二号による）。

猪俣が受講した「アナーキズム、労働組合主義、社会主義」、「労働問題」を担当したのがジョン・ロバート・コモンズ（一八六二〜一九四五）で、イリーの教え子。労働問題研究のみならず黒人に参政権を与えるべしといった当時としては急進的な主張の持ち主で、一八九九年には在職していたシラキュース大学からラディカルとして追放された。制度派経済学のパイオニアの一人。

「社会学」、「社会心理学」を担当したのが、エドワード・アルスワース・ロス（一八六六〜一九五一）で米国の進歩的社会学者の草分け。優生学の支持者（のちに放棄）、初期の犯罪学研究者。彼もまたイリーの教え子。コーネル大、スタンフォード大などで教鞭をとった後、〇五年から同大で教鞭をとる。移民反対の主張のためスタンフォード大から追放された。当時この事件は「学問と言論の自由」の問題として広く話題となった。

猪俣が授業を受けたのは一六年だが、その直後にロシア革命が起き、ロスはロシア各地を視察、トロツキーとも会見している。帰国後の一八年に *Russia in Upheaval*（激動するロシア）を出版。猪俣もこれを読んだろうし、ロスから直接に話を聞いたかもしれない。革命といっても政治権力や経済構造だけでなく、社会を変革する・暮らしを変えることだという視点はロスの記述にはっきりと現れている。ロシアの現実を肯定的に捉えているが、階級的視点はあまり見られず、この国はそのうちUnited States of Russiaといった感じになるのではないかと「好意的」に述べている。

哲学担当で猪俣と関わりの深いマックス・カール・オットー（一九八六〜一九六八）。五歳の時に家族がザクセンから米国に移住。家族は敬虔なルーテル派クリスチャン。両親の営む食堂で若くから働き、若くして巣立ち、社会問題を知り学問の道へ。中等教育を終了せずに才能を認められ大学に裏口入学、ウィスコンシン州立大で学士号、一九一一年に哲学で博士号。ウィスコンシン大で一〇年から講師、二一年から教授。無神論者、平和主義者。無神論のゆえに保守派宗教人から度重なる排斥運動の対象とされる。徹底した日常の哲学者、プラグマティスト。ジョン・デューイと親しかった。猪俣はオットーの勧めで博士論文の目処が立った段階の一八年秋、シカゴ大学に移り一年間学んでいる。当時シカゴ大学はプラグマチズム哲学のメッカであった。

鶴見俊輔は『新版　アメリカ哲学』（一九七一年、社会思想社）の一章をオットーに当てている。オットーは「倫理的な行きかたによって、あくまでも押し切っている点において、プラグマティズム思想の流れの中でも、他から区別さるべき特別の場所を持つ」と鶴見はいう（一二九頁）。また、「『日常生活における人々の幸福』という、はっきりした旗印をかかげておし進んで行く」のがオットーの哲学であったとしている（一三二頁）。

猪俣の留学生活は約六年に及ぶが、その主な足跡は次のようなものであった。*

＊詳細は藤田悟「猪俣米国留学考」（『猪俣津南雄研究』第一二号〜第一四号）を参照。本節の記述も多くを負っている。

・一九一五（大正四）年　二六歳
一一月　米国に到着、ウィスコンシン大学大学院に入学。主に農業経済学と哲学を学ぶ。
・一九一七（大正六）年　二八歳
九月〜一一月頃、ゴルキー「彼の女の恋人」、アルチバシェフ「革命家」、チエホフ「銀行家」などを翻訳。
・一九一八（大正七）年　二九歳
一月　「革命家」を『海紅』に、「彼の女の恋人」を『骨』に発表。七月　博士論文の提出資格を得る（指導教授はヘンリー・テイラー）。九月、テイラー教授の許可を得てシカゴ大学に赴き、クラーク教授のゼミに属して二学期間、研究を重ねる。
・一九一九（大正八）年　三〇歳
ウィスコンシン大学に戻り、夏期学期に参加。八月　博士論文「農耕の最適集約度に関する典型的諸理論の分析」を提出。秋　ニューヨークに移り、コロンビア大学で学ぶ。
・一九二〇（大正九）年　三一歳
七月　博士論文に関する口頭試問に合格。
・一九二一（大正一〇）年　三二歳

九月　米国を発ち日本に向かう。

農業経済学で学位を取得

ウィスコンシン大学での勉学を始めた頃の状況について、猪俣は後にこう述べている。

「青年学徒としての私は哲学を熱愛した。経済学においては、純理的である『価値論』から始めた。しかし私はそこにひっかかってしまった。価値の理論の至るところにほころびが見え、矛盾と背理が感ぜられ、嘲笑なしにはそれに対し得なかったにも拘らず、しかも満足な批判を加えることができなかったこと、――そのことの故に、私はもがいた。マルクスの労働価値説に至っては、教えられた通り、盲目的に頭から否定していたのである。……価値論のコッブ・ウェッブ［くもの巣］からはひとまず脱け出してしまうと同時に、それはそれだけのものとして頭に置いて研究の歩武を進め、全面をひとわたり見極めようと決意したのである」（「経済学の研究方法について」『改造』一九二八年一一月号）

その後、一七年一〇月になると、塚原に宛てた書簡の中でこう書いている。

「経済理論と学説史は講義が出来る位にはじきになれるつもり……」で、「社会問題、社会主義のものもかなり強い興味で読んで居る」。

そして、一九一八年八月塚原宛書簡では、「農業経済、政策というせまいものは、学問としてアメリカで研究し得るだけはしてしまって居るのである。あとは独逸のクラシックスを読むだけである」と書くに至っている。

このように、短期間の間に、猪俣は着実に成果を上げていたようである。

猪俣がウィスコンシン大学で最初に入ったゼミの担当者ジョン・ロジャーズ・コモンズはヴェブレンと並ぶ制度学派の中心人物であり、農業経済の専門領域だけではなく、その方法論も自分のものにしていったと考えられる。

猪俣は、一九一九年に提出した学位論文について、こう述べている。

「学位論文は、学位のために書いたという限りにおいて当然につまらぬものであったが、しかしこの論文のための困難な思索の過程は、意外の副産物を生み出した。経済学における客観的、社会的立場の絶対的必要、――それを私は、何人からも教えられずに自分自身の思考に即してハッキリと関知したのである」

（前掲「経済学の研究方法について」）

だが、マルクスについては、同じ文章で次のように述べている。

「その厳密的確なる論理によって圧倒されながらも、尚お妙な軽蔑と一種の漠然たる反感を禁じ得なかった」

後述するように、猪俣はこの期間中に急速に社会主義思想へと傾斜していくのであるが、どの段階でこの「反感」が変わっていくのかは定かではない。

猪俣思想の「三つの源泉」

今から半世紀も前に猪俣研究に手を染め出した頃、「マルクス主義の三つの源泉」をもじって、なかば思いつきで「猪俣思想の三つの源泉」をひねり出したことがあった。

それは、制度派経済学、米国共産主義、プラグマティズムである。

この「源泉」を思いついたきっかけの一つは、猪俣の留学先が当初予定のドイツから米国に変わったことが、猪俣の思想形成にむしろ幸いし、しかも、当時の米国の最良のものを吸収したと思われたことである。

そして、もう一つは、猪俣は紛れもなく「マルクス主義者」であり、本人もそう自認していたことは事実としても、初期社会主義思想にも見られたように、どう見ても典型的な「主義者」とは思えず、マルクスに対する一頃の「反感」も単に克服されたというよりは、これらの源泉と一体のものと捉える必要があるのではないか、と感じたからである。

もちろん、源泉は「三つ」と決まっているわけでもなく、他にもイリーの社会主義論や、あるいは若き猪俣が足を踏み入れた俳句の世界が、虚子ではなく子規であったことなども考察に値することだと思うが、この「三つ」は思いつきの一つとしては今でも有効だと思っている。

これらのうち、制度派経済学については、前述のコモンズとの関係にとどまらず、ヴェブレンの『特権階級論』を猪俣が一九二五年に翻訳・刊行し（新光社）、それが日本で最初のヴェブレン紹介の一つであったことから見ても、その思いの強さは明らかだろう。

また、米国共産主義については、次節でも見るように、単に思想的なインパクトだけでなく、その実践経験が猪俣において血肉化していたと見るべきだろう。

そして、プラグマティズムについては、早稲田の哲学科にいた塚原がニーチェと並んでジェームズの名を挙げていたように、猪俣も留学前に接していた可能性は十分に考えられるが、先の「経済学の研究方法について」の中で、米国留学中の自身について次のように書いていることが注目される。

「私の世界観は発展しつつあった。観念論から実在論、唯心論から唯物論へ、……それと共にまた私は、理論と実践との結びつきに対して急速に眼醒めつつあった。……ジョン・デューイの『実験的論理』は一論文集にすぎなかったが、当時の私を、方法論における全く新しき観点に引き上げてくれた」

この『実験的論理学』は、デューイの成熟期のものではないが、論争的でデューイの特徴が浮き彫りになっているものである。

その中にこういう一節がある。

「私が指摘しておきたいのは、本書で『経験』という言葉が用いられる場合、それが意味するのは、多様で交互に作用し合う（interacting）諸要素の広大で活発な世界である、ということにすぎない」

これまでも度々登場した「交互作用」は猪俣の分析のキイ・ワードであり、帝国主義論でも、政治分析でも、組織論でも、ある要素を単独で取り出して静態的に分析するのではなく、矛盾し相対立する諸要素を動態的に捉えるという姿勢が貫かれてきた。

そうした「方法論」の「源泉」の一つは、紛れもなくプラグマティズムにあったといっていいだろう。

〈三〉米国共産党員として

踏み出された新たな一歩

猪俣は、この留学期間中に、学位を取得しただけではなく、米国共産党の活動に参加し、さまざまな活動を通じて、日本における共産党結成に向けて尽力することになる。

その概要は次のようなものであった。

・一九一六（大正五）年　二七歳
コモンズのゼミでポーランド出身のユダヤ系女性ベルタ・ゲールと出会い、後に結婚。

・一九一七（大正六）年　二八歳
日本から米国に亡命していた片山潜が、ニューヨークで日本人を集めて勉強会を開始。

・一九一九（大正八）年　三〇歳
秋頃、猪俣はニューヨークに移り片山の勉強会に加わる。同じ頃、片山を中心に在米日本人社会主義者団が結成され、一〇月、国際労働機関（ＩＬＯ）第一会総会に団のパンフを配布。
・一九二〇（大正九）年　三一歳
一月、共産党弾圧によりベルタは逮捕され、片山は地下に潜行する。
・一九二一（大正一〇）年　三二歳
三月頃、鈴木茂三郎を在米日本人社会主義者団に紹介。片山はコミンテルンの任務でメキシコに移り、遅れてベルタは片山の秘書として働くべくメキシコへ。
四月　「赤色労働組合国際同盟」（ＲＴＵＩ）の翻訳を『社会主義』に掲載。
六月　コミンテルン第三回大会に、団として田口運蔵を派遣。
七月　「労農露西亜の経済政策」を執筆（翌年一〇月、『革命ロシア研究十講』に収録）。
九月　猪俣、米国を発って横浜に向かう。

ベルタ・ゲール

ここに登場するベルタ・ゲール（Bertha Gehr）は、猪俣にとって重要なキイ・パーソンの一人である。当時の米国には、スラブ系移民が数多く流入していて、ベルタもその一人であった。

ニューヨークで猪俣と出会った鈴木茂三郎は、次のように述べている。

「猪俣が私に語ったところによると、『たくさんな大学生のなかで、ある日ふと背の低い日本人の婦人をみつけてハッとしてよくみたら、日本人でなく背やかっこうまで日本人によく似たポーランドの婦人学生だった。会話を習得するには外人と結婚することが第一だと思って結婚した。ところがこれが猛烈なボルシェヴィキでねえ』といった経緯だったようである」(『鈴木茂三郎選集・第二巻』九四頁)

語学習得が結婚目的であったかどうかはともかく、猪俣はベルタから英語を教わり、文学をはじめ幅広い分野で会話を重ねたようである。

猪俣自身、ベルタについて手記のようなものを残していて、その屈託のない言動を示すベルタのエピソードに続けて、こう述べる。

「最もえらいと感じるのは、人の居る処と居ない処で少しも態度に変化のないことである。教師の来るのを待つような時など他の男女大勢の教室で話しかけられると僕はとっても平気ぢゃいれない。並んで歩くときも学校前の大通りを四五町行って、やや少ない通りへ曲ると僕はいつもほっとする」(引用は、藤田悟「猪俣在米留学考」より)

こうした性格上の違いはあったとしても、猪俣は「ボルシェヴィキ」であったベルタから思想的な影響を受けただけでなく、彼女を通じてロシアから来ていた活動家を含め、多くの共産主義者たちに接したことはほぼ間違いないであろう。

ベルタは、猪俣を革命運動の世界へと誘う最初の媒介者だったといえる。

一九二〇年一月の「パーマーズ・レイド」と言われる弾圧でベルタは逮捕されるが、猪俣と結婚していたため、国外追放を免れている。

だが、やがて二人は、別離を余儀なくされる。

ベルタは片山の秘書を務めるという「任務」のためメキシコに向かった。猪俣には、日本へと向かう「任務」が待ちかまえていた。

『改造』31年6月号に掲載されたベルタの写真。同じ号には、猪俣の「金融資本の恐慌対策」も掲載されている。

片山とベルタは一〇月、翌年一月に開催予定の極東民族大会に出席するためメキシコからモスクワに向かうのだが、その途上の船内で、片山がベルタを口説いたことが発端となって感情的な対立が生じ、ベルタは二二年に、猪俣を頼って日本にやって来る。

猪俣は困惑したものの、この現実を受け止めるしかなかった。

二人の間には容易に埋め難い溝があったものの、夫婦の形を整えていた。前述のように、猪俣が第一次共産党事件で逮捕された際に河東碧梧桐がベルタを見舞っていた。*

*なお、ベルタは二五年に猪俣ベルの筆名で「西洋婦人の眼に映じた日本文学者の会合」という一文を寄せている（『文章倶楽部』一九二五年一〇月号）。

だが、三一年初頭頃、猪俣はベルタに宛てて、三日三晩寝ずに考えた結果、別れることにした、という趣旨の手紙を書いている。

その背景には、勤務先を退社し猪俣の助手となっていた大塚倭文子との関係があったと思われるが、三一年二月、ベルタは米国に一時帰国するものの、また日本に戻り、その後は別居生活を続けた。

「三一年政治テーゼ草案」の公表と前後して戦略論争が活発に展開されていたこの時期に、猪俣はもう一つの難題を抱えていたことになる。

その後数年して、人民戦線事件による逮捕後の新たな展開は、前述の通りである。

時に猪俣を導き、時に猪俣を頼みとした熱烈なボルシェヴィキのその後については、残念ながら謎のままである。

片山潜主宰の勉強会

ベルタたちから政治的にも思想的にも感化された猪俣の運命を決定づけたのは、ニューヨークにおける片山潜らとの出会いであった。

片山は、すでに一九一五年に米国カリフォルニアに亡命していたが、オランダ人革命家S・J・リュトヘルスの勧めで一六年末にニューヨークに移り、当時米国に渡ってきていた社会主義者たちと親交があった。そこにはトロツキー、ブハーリン、コロンタイも含まれていた。自宅で在米の日本人を集めて研究会を開催し、田口運蔵、間庭末吉、渡辺春男、近藤栄蔵、河本弘夫らが集まっていた。このグループには高橋亀吉も名を連ねていた。

一九一九年三月にコミンテルン（第三インターナショナル）が結成されると、片山はパン・アメリカン・エージェンシーの議長に就任し、日本におけるコミンテルン支部としての日本共産党の創設に向けた活動を開始する。

一九年秋にニューヨークに移った猪俣は、この片山たちの研究会に加入するのだが、ほぼ時を同じくして在米日本人社会主義者団に改組され、モスクワ―米国―日本を繋ぐネットワークの要の役割を担っていくことになる。

山内昭人は、このルートを「西回りルート」と名付けるとともに、新史料にもとづいて在米日本人社会主義者団などの活動実態を解明し、その役割の重要性を明らかにしている。*

＊山内昭人『初期コミンテルンと在外日本人社会主義者』（二〇〇九年、ミネルヴァ書房）。本節の記述も多くを同書に負っている。

在米日本人社会主義者団

一九一九年一〇月二九日からワシントンで開催された国際労働機関（ＩＬＯ）の第一回総会の会場に、日本側の代表団が真の労働者代表ではないと告発するパンフレットが配布された。その発行主体が在米日本人社会主義者団であった。

これが、いわば団としての公の場へのデビューと考えられる。

団の日常の活動は、在米の日本人に対する宣伝活動のほか、日本から送られてくる各種の報道を翻訳してモスクワに送るとともに、コミンテルンの最新の方針や資料を日本に送ることであった。

これらは地道な活動であったが、活動の主眼は、日本におけるコミンテルン支部の結成と、東アジアにおける国際的連携であった。

当時の米国共産党は、一九年九月に米国社会党から離党した二つのグループに別れていたが、二一年五月後半に開かれた統一大会で両者は合同し、一つの共産党が結成された。

この時点で、在米日本人社会主義者団は、米国共産党日本人部に移行した。

米国共産党員の多くは、米国の国籍を持たない者（とくにベルタたち東欧系ユダヤ人など）であり、日本人部もそうした一角を占めていたことになる。

こうして、片山が始めた私的研究会は、明確な目標と国際的ネットワークを有する行動部隊へと変貌していった。

カール・ヤンソン

在米日本人社会主義者団が活躍していた当時、米国共産党と猪俣の関係で重要な役割を果たしていたと思われるのがチャールズ・スコットである。

スコットの本名は、カール・ヤンソン——本書の第三章で、「二七年テーゼ」策定に関連して登場したあのヤンソンである。*

*ヤンソンの生涯については、第三章で触れたヴァレンチーン・シェインベルク著・村田陽一訳「カール・ヤンソン伝」を参照。

ヤンソンは、一八八二年ラトヴィア生まれ。航海士の仕事に就いていたが、一九〇五年から職業革命家となり、米国に渡ってロシアの革命運動の支援活動や、米国における金属労働者の組織化などの活動に携わった。

一九二〇年には、ルイス・フレイナとともに片山を議長とするパン・アメリカン・エージェンシーの一員となり、二一年五月のコミンテルン支部としての米国共産党統一大会では開会のあいさつを行っている。同年のカナダ共産党結成についても、コミンテルン代表として力を発揮している。

恐らく、この頃が片山や在米日本人社会主義者団との関係が深かった時期だったと推測される。

そして二五年六月、前述のようにヤンソンは在日大使館に赴任し日本の運動を指導する立場になるのだが、「ヤンソン報告」に記された「私と猪俣」の出会いは、約四年ぶりの「再会」だったのである。「二七年テーゼ」策定に向けて、ヤンソンは山川と荒畑に意見書の提出を求めているが、猪俣に関してはわざわざそうするまでもなかったということであろう。

その後、ヤンソンは中国に活動の場を移し、太平洋労働組合会議などの活動を展開している。

ヤンソンは、日本に関する「三二年テーゼ」の議論にも参加しているが、野坂参三によると、彼は前年の「三一年テーゼ草案」の立場をかなり後まで支持していたという（野坂参三『風雪の歩み七』一九八九年、四二頁）。

また、三四年に野坂がコミンテルンと日本を繋ぐ運動拠点として米国西海岸で『国際通信』などの活動を始めた際に、助言や援助を与えたのがヤンソンだったという。加藤勘十と野坂の会談の背後にも、ヤンソンの存在があったことになる。

なお、ヤンソンは、スターリンによる粛清の嵐の中で、三七年末に「人民の敵」として逮捕され、翌年四月に銃殺刑に処されている。スターリンの死後、名誉回復。

猪俣の位置と役割

社会主義者団とコミンテルンとの関係が深まったことで、猪俣自身の立場も変貌せざるを得ない。

前述の、一九二〇年一月、司法長官ミシェル・パーマーによる弾圧によって、多くの共産党員が逮捕された。あやうく検挙をまぬがれた片山はそれ以降、地下へと潜行することを余儀なくされ、まもなくコミンテルンの任務でヨリ危険の少なそうなメキシコに移る。そこで団の中心的役割

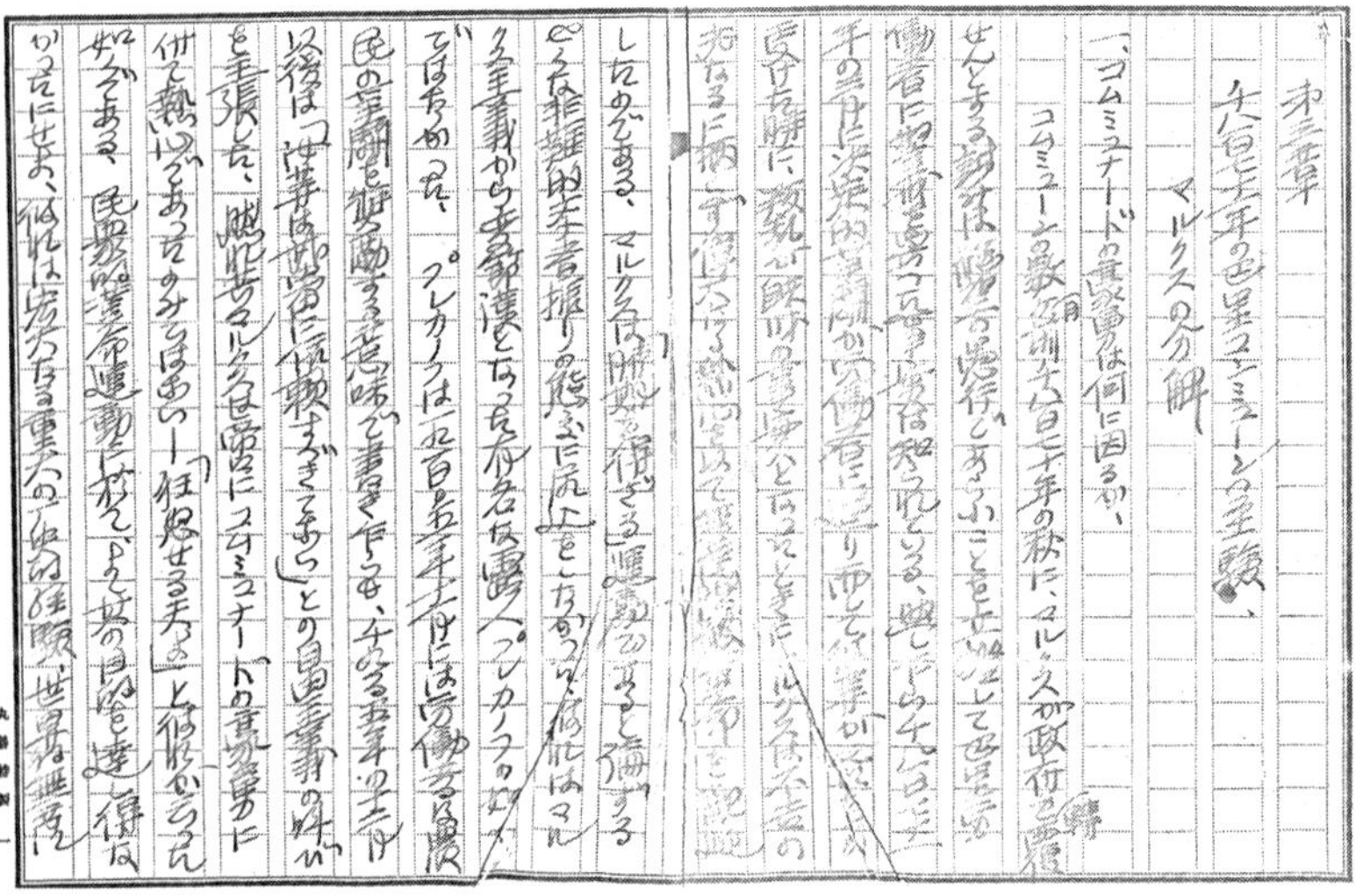

第三章

マルクスの分析

猪俣による『国家と革命』の訳稿

が田口運蔵と猪俣に託されることになったのである。

詳細は不明だが、この頃、猪俣は米国共産党の地区委員となり、他方、団の研究会ではレーニン『国家と革命』について報告を行っている。

この頃に書かれたと思われるメモには、「革命ノタメニ革命ヲ研究スル者」というフレーズも出てくる。

これは、猪俣がこの時点で「革命ノタメ」という覚悟を固めていたことを示すものだが、同時に、もはや「研究」の領域に止まっていられないことも意味していた。

対日工作の具体化

一九二一年に入ると、日本をターゲットとした団の活動が活発になっていく。

一九一九年五月に米国から帰国していた近藤栄蔵は、二一年一月頃から日本におけるコミンテルン支部設置の準備活動を進め、二一年四月末に支部準備会（堺利彦委員長）の設置に至る。

そこでは、党の宣言や規約についても論議されている。

ニューヨークでこの報を受けた猪俣は、メキシコの片山に打電し、日本共産党が設立されたことをコミンテルン本部に連絡するよう要請し、文書も届いていることを伝えている。

前述の通り、五月に入ると、このことをコミンテルン極東部に報告するため上海に向かった近藤は、そこで活動資金を受け取り、帰路の下関で遊興にふけって、官憲に逮捕されるという大失態を演じてしまう。

山内のいう「国境を越えるネットワーク」が、機能停止に追いやられたのである。

他方、団として同時期に取り組んだのが、五月のコミンテルン第三回大会への代表派遣である。

団から誰を派遣するかについては、当初は猪俣と田口の名前が挙がり、両者の間に確執もあったようだが、結局、田口が行くことになった。

メキシコにいた片山は最終的に誰が行くことになるか知らぬままに、四月末、スコット［ヤンソン］にこう伝えた――「［猪俣、田口の］両方を送ることが非常に望ましい。……というのは、Mata［猪俣］は若いけれども、よく教育され、彼の思想を英語で表現でき、ドイツ語とフランス語を理解する、他方、Unzo［田口運蔵］はエネルギッシュで有能な活動家であり、機知に富み、勇気のある男であり、そこで二人は主義のために非常に多くを成し遂げるであろう」（山内前掲書一四二頁による）。片山が二人を紹介する表現内容が大変興味深い。

団が、大会直前に田口に宛てた文書では、大会参加の意義について、①日本におけるコミンテルン支部の組織化、②日本共産党と団の間の有効な共同の確立、及び日本と極東における来るべき社会革命に従事、が改めて強調されている（同前一四四頁）。

田口は、大会において、米国共産党日本人部の代表にとどまらず、間接的に日本の社会主義運動を代表する立場で発言し、日本の情勢についての報告を行った。

さらに、一一月にモスクワで開かれた極東民族大会に、田口のほか、米国から野中誠之、二階堂梅吉、間庭末吉、鈴木茂三郎、渡辺春男といった団のメンバーが参加し、片山もベルタとともにモスクワに入った。

この会議は、当初、イルクーツクで開催する予定だった東方被圧迫民族大会が拡大されたもので、日本国内からの参加者に加え、朝鮮、中国、モンゴル、インドなどから代表が参加し、東アジアにおける革命運動の連携を確認し合った。

同時に、中国や朝鮮に比べて立ち後れている日本の課題も、浮き彫りになったといえる。

在米日本人社会主義者団から参加した主要メンバーは、片山を除き、その後、米国に戻らず日本へと向かった。

こうして、日本におけるコミンテルン支部の結成が切迫した課題となるに伴い、改めて問われるようになったのが、コミンテルンと日本を繋ぐルートの再構築という問題であった。

日本への「旅立ち」

猪俣は、田口がモスクワに向かう前から、在米日本人社会主義者団の位置づけについて、そして今後の身の振り方について意見を闘わせていた。端的にいえば、日本に対する工作の拠点は、チタ・上海なのか、米国なのか、という問題である。二人は、両者が二一年一〇月頃に同時に日本に帰国する計画や、猪俣がさらにそこから上海に向かう可能性についても話していた。

ここで興味深いのは、そうした計画を、必ずしも「本社」からの指示待ちではなく、独自に分析し、判断しようとしていたことである。場合によっては、「本社」の出先とぶつかる場面もあり、それに対して「上から」働きかけようとする算段も行っていたようである。

田口がモスクワへ向かった時点で、「団」の「現場責任者」となっていた猪俣にとって、自身の身の振り方は、もはや東アジアにおける社会革命の戦略と切り離すことはできなくなっていたといえるだろう。

九月上旬、海路帰国の途につく。

エピローグ

猪俣がニューヨークを離れる直前の八月六日、モスクワの田口運蔵宛に書簡を認めている。

それは田口からの何通かの書簡に対する返信として書かれたもので、猪俣の心情が率直に綴られている。

内容は、前述の日本に対する働きかけのルートに関連して、①田口の提案をめぐる検討、②二つの選択肢についての判断、③猪俣自身の選択、を柱としている。

そして、ここに込められた想いを受け止め続けていくのも、日本に渡った猪俣自身であった――。

（なお［カッコ］内は引用者の推定ないしは補足である。差出人名の「佐田」は猪俣の変名の一つ。この草稿は一橋大学所蔵資料からのコピーを読み取ったものである。）

＊　＊　＊

田口兄　八月六日　佐田生
待ちに待った兄の手紙が八月の三日に漸く吾々の手に入った。君が健在で何時もながらの元気で倍々健闘の歩を進めて居るのを知り一同の喜びは筆紙に尽しがたい。
……中略……
第四信を読で吾々が了解したその大意は、兄の出発前に僕が豫想した処と大体に於て同一な結果を斎したものと信ずる。コムインタルンは兄の帰米を肯じない。東洋に向っての在米日本人の活動の価値を重要視せぬ。東洋に向っては、米國からするよりもチタ上海からする方が遙かに合理的であり有効だからである。従てコムインタルンは兄に上海行を命ずるのみならず、吾々の内出来丈の多数が来てチタ上海の活動を援けんことを要求する。同時に吾々の米國に於ける仕事は寧ろ消極的な活動を以て足れりとするのである（此の最后の一項に就ては、特に、君の手紙明確を欠く、此点後述す）。

右が即ち、兄の第四信の骨子だと承知する。そしてそれは、僕が君の出発前に君と共に豫想した処と変らない。日本と、米國へ或るものを持て来るといふ兄並びに吾々の目算は破れた訳である。他の方法形式に於て其主旨は追ひ追ひと達せられて行くであらうが、吾々の希望したやうな都合に行かなかった事は明かである。

（二）

君の呼集に応じて行く者には、M〔間庭末吉〕とW〔渡辺春男〕が確定して居る。米國に残る者には律〔石垣栄太郎〕が確定している。他は未定である。

行くにしても、何時頃旅費が来るのか、其件はコムインタルンEC〔執行委員会〕の確定議となって、あとは単にルーテーンの事となってるのか、それとも、未だ君とECとの間に交渉中の事に属するのか、或は単に交渉する心算であるといふのか、君の手紙では判然せぬ。しかし、MとWとは旅費の到着次第出掛けるべく、大元氣で準備中である。

オールド・マン〔片山潜〕はあちらの仕事の関係上、今後少くとも半年は動けぬといふ事に承知して居る。片付次第に出向く筈だと承知して居る（スズ〔ベルタ〕は彼を援ける為め、近く出発する）。

鎮は……中略……彼が変心して居らぬ限り、行きさへすれば役に立つのは明かだから旅費が来れば、彼をすめて行かせるやう取計ふ考です。

S〔鈴木茂三郎〕は日本から金の来なかった為未だ当地に居るのです。僕は彼は日本で仕事すべき人だと思ふ。

行くにしても、やがて、無事に日本へ帰って仕事の出来るやうに、出来る丈けの注意と準備をして行く必要がある。万一帰れなくなった場合には、上海なり、何処なりで仕事をする丈けの覚悟を以て行くべきは勿論であるが、もし今行く為めに無事に日本へ帰れぬようになる恐れが充分ある際には僕は彼れの行かぬことを望む。彼れは日本で仕事すれば他でするよりも十倍も有効にする事のできる立場にあるからである。彼は君の行った后も眼醒しく働きつつあった。――それで、彼は取敢ず、行くこととして、それに対して出来る丈けの方法を講じつつある。

　但し、金は彼の手で出来る見込は当分ない。そちらから来る旅費にデペンドせねばならぬ。

　尚、M、W、律、Sから各自の立場に関して詳記した手紙が同封されて行く筈である。

　ソート・レーキもロスアンジェルスも其後あまり動いて来ない。N［野中誠之］が行くか行かぬはまだ不明であるが、彼れには既に詳しい

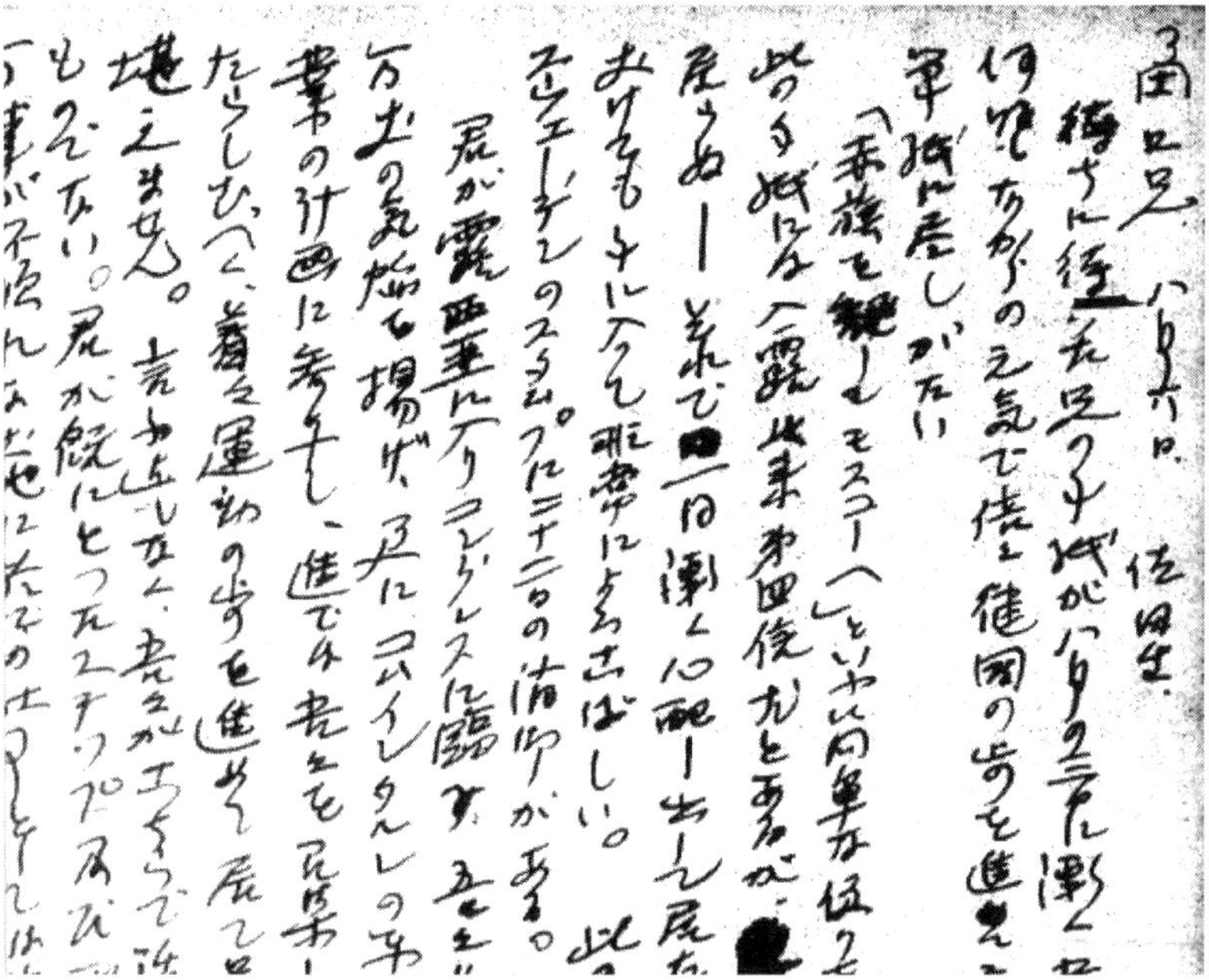

田口宛て書簡手稿の部分

手紙を出して行くやうに勧誘してあるから、いづれ近々其態度を知ることが出来る。彼れが仮に行かぬとした場合、彼れ及び此方面の連中に対してとるべき手段に関しては僕にも考がある。しかし、それはコムインタルンが、在米日本人の運動と活動にどの程度まで力こぶを入れるかといふ問題と密接に関係がある。

（三）

同問に関連し、兄の手紙には、加州とハワイの日本人に対する宣傳の必要を説き運動してアメリカのシー・ピー［共産党］を動かして機関紙を作れ、とあるが、それでは話が逆戻りした事になる。吾々が、下から行ったのでは到底動かし得ない、しかし、上から行けば訳なく動かし得る事を知ったが故に、それ故に兄の本部出張を絶対必要と認め、これが実行に一同があの通りの骨を折ったのである。兄と僕とが、A・A［アメリカン・エイジェンシー］にぶつかって行った時の歯がゆい事、癪に障ることの数々、そしてK［片山］からの電報一本が、どれ丈けの効力あったかの一事はまだ兄の記憶に新らたな筈である。上から行かねば駄目なのである。然るに、アメリカの全権を握ってる筈のKがてんで此の方面に関してオフィシャルなステップをとらぬ。恐らく、とり得ぬ事情があるのだらうと思ふ。此上は兄が骨折ってコムインタルンからKに向けてインストラクションを出させるやうにせぬ限り到底駄目なことである。

処で第四信から受けた印象では、そうすることは兄にとって随分困難なことらしく思はれる。で非常に困難であるか、又は、全然不可能なら、それでいいから、それに従て新らしく方針を立てることです。処で新らしい方針は兄の第四信の

「〇〇氏を筆頭として、少くとも五人は来るやうに、勿論、〇中及び外にも来たい人があったら、尚更です」

といふ文句の中に暗示されて居るかと思ふ。手不足の吾々の中から四人も来い、ロスアンジェルスの者も来いといふのでは、居残る者の手で大した仕事の出来る筈はない。そうかと思ふと、加州ハワイ宣傳の機関紙を作るべ

く茲の党に運動せよとある。兄のインストラクションが甚だ明確を欠くといふのは此点である。然乍ら、「少くとも五人は来るやうに」とありそれの旅費が行くであらうと比較的明白に書いてあるのに対して、機関紙を作るべく運動せよといふのは単なる兄の希望のやうに書いてある。且つ兄のその希望が空想に近いことは前述の通りである。して見れば、吾々にとっての新らしい方針は、おのづから、「今後米国に於ける吾々の仕事は寧ろ消極的な活動を以て足れりとする事」といふに帰着せざるを得ない。

尤も、兄はまた、

「米國にあって、インフォメーション及び雑誌の方をやってくれる人には、勿論、生活費と運動費を送るやうにします」

とも云って居る。これを見ると、米國に於ける吾々の仕事は、進んで大々的にやれといふのかとも解釈される。それにしては、此の手不足の処、「少くとも五人の者」がアメリカを去ることとはあまりに矛盾が甚だしい。兄の真意が何れにあるかは、今後の御通信、及び「旅費」乃至は「生活費と運動費」等の到着につれて判明することと信ずる。これ等の到着如何に依って、ロスアンジェルス、ソートレーキの者に対する交渉と処置を定めねばならぬ。

然らば、旅費だけが、さきに到着した場合は如何。その際は、その高に従って行ける丈けの人数が行くことにする外はあるまいと考えて居る。僕の見る処では、吾々にとっては米國に於ける仕事よりもチタ上海の仕事の方が遙かに大切だと思ふからである。且つ君も同意見だからである。

行ける丈けの人数が行ってしまえば、残る者の手で出来る米國の仕事は、少くとも当分は、ろくなことが出来ぬ。そして、仮りに生活費と運動費が来なかったとすれば、在米團はおのづから死滅するを免れまいと思ふ。しかし、出来る丈けそういふ事のないやうにしたい。兄の努力を要する処であると共に、吾々も最善の力を尽すことは云ふ迄もない。その点は御安心あれ。

（四）

在紐同志の大部分が出掛けて行き、兄を援けて上海チタの諸局の仕事をし、米国での仕事は後廻しにするなり或はある程度まで断念してしまうか、それとも、大部が当地に居残って加州ハワイの宣傳、日本に向っての運動に従事するかの比較――それに対する僕箇人の考を述べるなら、それは勿論、前者を上策とする。其理由は極めて明白です。

一、吾々の仕事は常に、究局、東洋諸国、特に日本の運動を促進するを中心目的とせねばならぬ事

二、此の目的には、上海チタからする方が米國からするより遙かに有効なる事

三、上海チタへは、コムインタルンが本気で力を注ぐが、在米の日本人同志の仕事に対しては然らず。即ち、コムインタルンの後援の有無大小に従って、仕事の能率に非常な相違を来たすこと

四、上海チタの仕事は緊急を要するものであり、また、是非日本人を必要とし、しかも、直チにその仕事に役立ち得る日本人は吾々の外になし。然るに、米國に於ける仕事はそれ程緊急ならず、且つ、吾々の大部分去るも今後相当の後継者を得ること必ずしも不可能ならざる事。

五、加州ハワイの日本人の赤化事案は労多き割合に功少く、吾々同志中、米國に居合わせる者或は米國以外に行き得ざる者は、よろしく、能ふ限りの宣傳に務め、主義者たる義務を果すべきも、然らざる同志の者の場合即ち、同一の時とエネルギーを、何処に於ても使用するの自由を有する者の場合に於いては、在米日本人赤化運動は決して彼れの時とエネルギーを最も有効に主義の為に使用する所以とはならざる事

即ち、僕の考では、米國での仕事は、当分の間、吾々同志の内、米國以外に行けぬ者乃至は行く意思のない者の手に委し、其人の最善の努力に依頼しつつ、一同は出来る丈け我國より彼れを援けることにするが上策だと信

ずるのです。しかし乍ら、米國の仕事もある程度の必要は充分ある故在米團の死滅を来たすやうな事あってはならぬ。

（五）

然らば、僕自身の行動は如何。これは、尚今後の兄からの通信、及び、オールド・マンの意見をも参照して、最も正しい行動をとらねばならぬことであるが、今の処では、兄の出発前、大体兄の同意を得て置いた方針、あれを実行するのが最も適当だと信ずる。即ち僕は、近々一と先づ日本へ帰り、一と仕事した上で、必要あれば上海方面へ出るのが最も当を得て居ると思はれる。理由は大体左の通り。

一、対在米日本人宣傳を大々的に行ふのでない限り、僕が米國に止る必要はない。米國で仕事をする人としては、律がある。彼は当分日本へは帰れず、また兄の方へ出向くことは希望でない。米國に在って働ける限りはそうし度いのが彼の希望である。生活費と運動費が出て専任すること出来れば、月刊雑誌及びインフォメーション位は彼の手で出来やう。一二のヘルプする人も出来るであらうし、原稿等は吾々一同がどこに在っても、寄稿することと出来る。

二、大々的宣傳運動を行ふとせば、当然僕も居残らねばなるまいと思ふ。処で、充分な物質上の援助があれば尚更よし、それがなくとも、多大の時間と努力を払へば、三十や五十の同志を作ることは不可能ではあるまいが、問題は、同志を作ることの可能、不可能の問題ではなく、同一の努力を如何にせば最も有効に使用し得るかの問題である。米國で五十の同志を作るに要する時と努力を僕が、日本乃至上海で費したら、日本の運動に貢献し得ること数倍なるは疑ない。過去数ヶ月間に舞台は急速に展開した。これからも急速に展開して行くに違ひない。米國に居合わせた処から自然と一団をなして居た吾々は、今や八方に手分けして、各自が最も有効に其の能力を発揮し得るやうな場所と方法とに於いて日本の運動を促進せねばならぬ時期に達した。日本の運動に向って最大の貢献をなすべきやうに僕の能力を発揮せしむる僕の持場は、在米日本人に対する宣傳ではあるまい。兄も此点に於ては僕と同感であらう。同感故に、兄も、僕をRTUI［Red Trade Union International＝プロフィンテルン］の上海局へ推薦して呉れたのに違ひないと信ずる。

三、然らば、上海のRTUI局へ行くべきか。僕はコムインタルンの命令とあればよろこんで行く。けれども、同局に行く者は、局の性質上、日本労働運動の内情に精通して居ることを先決条件とする。荒［荒畑寒村］や近［近藤栄蔵］は誠に適任であるが、僕は御承知の通り、日本の運動に関しては皮相の知識しかなく、何等のパーソナル・コンネクションもない。また主義者としても全然知られて居らぬ。故に僕が直ちに行掛けた処で恐らくは極めて重みのない、仕事の出来ぬ局員たるに終らねばなるまいと信ずる。それでは局の威信にも関ることである。同地位には誰れか日本から行くべきだと思ふ。荒も近も入獄中だから至急人を要するなら、取り敢ず誰れか外の人が日本から行くべきだと信ずる。

四、外国語等の関係上、他に人がなく、僕が行かねばならないとしても、其種の地位につくに先立っては、是非日本の事情に通じて置かねばならぬから、一応日本へ帰る必要がある。兄が、荒と近を推薦して居るのに徴しても、同局へは日本から誰れかが行く必要あることは明かである。

五、前に報じた通りのEK［近藤栄蔵］及びHK［?・?］に関する不幸事［下関での逮捕］は、此際特に僕の帰朝を痛切に必要ならしめると信ずる。元来人がなくて困って居た事はKY［山川均］からの手紙に依ても明かである。然るに日本のパーテー［党］は生れると同時に殆ど活動不能の状態に置かれてしまった。のみならず、一ヶ月程前にKYから、従来のアドレスは一切危険に就き当分通信見合わせよと二行程の手紙をよこした儘、音信を断ってしまった。かかる際に役立つ筈の佐野［学?］からは全然便りがない、全然消息がわからぬ——吾々の間には彼の変心説が漸く勢ひを得つつある。

此の様子では、誰れかしっかりした新ら手が出掛けて行かなくては日本のパーテーの発展、否、存在すらも危ない。しかも一方に日本労働運動は着々進行して、さまざまな新問題（工場占領の如き）を惹起して居る。今は日本の運動の赤化を一時もゆるがせにすべきではない。吾が党がしっかりした基礎を作るべきは今である。

六、北米、南米、上海と日本との連絡、共同動作を真に有効ならしめ得る人が是非日本に居なければならぬ。これからの仕事を有効にする為の連絡をとる任に当る者は、一方海外に在る同志を親しく識り、彼等の活動の性質と内容に精通すると同時に、他方には日本のリーダーに親近し得る者でなければならぬ。これは佐野が健在であっても彼にとっては恐らく不可能な事である。此点は、兄も、出発前に僕と意見を同じうして居た点である。

（五《ママ》）

兄の出発前、兄と僕とは、次第に依ては僕が日本に行く必要のあるべきをも予想し同意して居た。それで、其後も僕は何くれとなく其準備をも怠らなかった。僕は日本に於ける仕事は長い滞留を必要とせぬかも知れぬ。或は帰朝後、間もなく危険身に迫って亡命せねばならぬかも知れぬ。しかし、今の処では、船から上がると同時に、つかまってしまうような恐れはまだ僕にはないかと思う。何れにしても、此際、僕が一応帰朝することは運動促進の全局から見て極めて必要なことと信ずる。上海行は、其上で決しても遅くないかと思う。さし当り僕は日本から兄等の上海活動を助けることに全力を注ぎ度い。

故に僕はこれから、九月の末乃至は十月初め退米の予定で、帰朝の準備にかかる筈です。退米前に翻訳、原稿其他在米同志の活動に必要な仕事は出来る丈完成して行くのは勿論です。また、今後、兄から通信あり、コムインタルンの方針上、僕の滞米なり入露なりを必要とすること明かとなれば帰朝を見合せることは言う迄もなし。帰朝を見合せる必要あらば、電報を打って頂きたい。

僕の帰朝に御異存なしとせば、次の二つの事を御願ひし度い。

一、上海局、チタ局のアドレスを出来る丈け速かに知らして欲しい。局ができぬにしても、上海とチタに在る同志と通信の出来るよう適当のアドレスを知らしてほしい。米國と日本と両方へ同時に知らして欲しい。米國の方はミス・ボイル宛でよし。日本の方は、

新潟県佐渡郡夷町

松瀬歯科医院　宛

内の封筒には、本多時雄とすること。

（欄外）「日本へ出すのには、出来る丈けコードネームを使用する事」

二、日本へ帰るに就ての僕に対するインストラクション其他あらば、どしどし申越しを乞う。通信は右と同処あて。尚、念の為に、附記するが、

ドクトル、村瀬、八六、レキシントン・アヴェニュ　紐育市

あてにて内の封筒に本多時雄としても届く。

……後略……

＊　＊　＊

そして猪俣は、二一年九月、ニューヨークを発って日本に向かう。

だが、それは単なる故国への帰郷ではなかった。

必要あらば上海へ——まだまだ先を見通せない世界への旅立ちだったのである。

参考資料

簡略表記	『猪俣研究』	『猪俣津南雄研究』第一号（一九七〇年三月）～第一六号（一九七四年二月）
	『戦略と戦術』	『日本プロレタリアートの戦略と戦術（雑誌『労農』掲載論文集）』一九七三年一〇月、猪俣津南雄著作・遺稿刊行会
	『横断左翼論』	『横断左翼論と日本人民戦線』一九七四年一〇月、而立書房
表記方法	X≪Y	XはYに含まれる（初出についてはこの表記を用いなかった）。

（一）猪俣によるもの（時系列）

＊一九二〇年　英文書簡草稿「ラッセルはロシア革命をどう見ているか」、『B・ラッセル協会会報』一九七一年二月、（https://russell-j.com/INOMA-01.HTM）『猪俣研究・第五号』一九七一年六月

＊二二年一〇月　［柴耕介］「無産階級の政治行動」『前衛』

＊二三年五月　［柴耕介］「青年プロレタリア運動」『赤旗』

＊二五年一月　「彼らを見よ」『新人』≪『猪俣研究・第一〇号』一九七二年二月

＊二五年四月　『金融資本論』希望閣＝改造文庫版一九二八年二月

＊二五年五月　講演記録「社会主義の理論と実際」『奔流』

＊二六年三月　「我が國プロレタリア運動の現段階」『大衆』
≪『現代日本研究』
≪『横断左翼論』

＊一九二六年四月　「現下の階級的闘争点と所謂左右両翼の対立」『改造』
＊二七年五月　「財政危機と政変」『世界』
＊二七年七月　「我国資本主義の安定の型、没落の型」『中央公論』
＊二七年八月　「我国資本主義の現段階の問題」『社会科学』≪『帝国主義研究』
＊二七年九月　「革命支那と英米と日本と」『太陽』≪『猪俣研究・第五号』一九七一年六月
＊二七年一一月　「現代日本ブルジョアジーの政治的地位」『太陽』
≪『現代日本ブルジョアジーの政治的地位』
≪『現代日本研究』
≪『猪俣研究・第六号』一九七一年一〇月
≪『横断左翼論』
＊二七年一一月　「帝国主義大意」『社会科学』
＊二七年一一月　「反革命の徒　蒋介石」『中央公論』≪『猪俣研究・第五号』一九七一年六月
＊二七年一二月　「日本無産階級に対するコミンタンの批判を読む」『文藝戦線』
≪『無産者パンフレット一六』
≪『横断左翼論』
＊二七年一二月　「日本無産階級の一般戦略」『労農』≪『戦略と戦術』
＊二七年一二月　「新島一作」「日本無産階級運動に関するテーゼ一」『労農』≪『戦略と戦術』
＊二七年一二月　『日本ブルジョアジーの政治的地位』南宋書院
＊二八年一月　『帝国主義研究』改造社
＊二八年一月　「何から始むべきか」『改造』
≪『現代日本研究』（第一四章「統一戦線と前衛形成」）

≪『横断左翼論』
＊一九二八年一月「階級的政治新聞の役割」『労農』
≪『現代日本研究』
≪『戦略と戦術』
＊二八年一月「無産政党合同問題批判」『中央公論』
≪『現代日本研究』
≪『横断左翼論』
＊二八年二月、三月「日和見主義的戦略か『戦略的』日和見主義か」『労農』
≪『現代日本研究』
≪『日本無産階級の戦略』
≪『戦略と戦術』
＊二八年四月「農民運動の根本問題と当面の問題」『改造』
≪『現代日本研究』
≪『横断左翼論』
＊二八年六月「共産党受難の政治的意義」『文藝春秋』≪『横断左翼論』
＊二八年八月「支那革命の発展と日本帝国主義の運命」『改造』
≪『現代日本研究』
≪『猪俣研究・第一三号』一九七二年一〇月
＊二八年八月、九月「労農戦線の進出的再建へ」『労農』≪『戦略と戦術』
＊二八年九月「わが戦略におけるブルヂョア民主主義闘争の役割」『労農』≪『戦略と戦術』
＊二八年一一月「経済学の研究方法について」『改造』

＊一九二八年一二月 「プロレタリア戦略におけるブルヂョア民主主義闘争の役割（二）」『労農』

≪『日本無産階級の戦略』

≪『戦略と戦術』

＊二九年一月 「劃時代的闘争の展開へ」『中央公論』≪『横断左翼論』

＊二九年一月 「清党問題に関するハガキ回答」『進め』≪『横断左翼論』

＊二九年六月 「金融資本と帝国主義」『経済学全集・第二六巻』改造社

＊二九年九月 『現代日本研究』改造社

＊二九年一一月 「新労農党樹立を評す」『中央公論』≪『横断左翼論』

＊二九年一二月 「前衛発展過程の犠牲」『改造』≪『横断左翼論』

＊三〇年五月 「戦略問題に関するノート若干」≪『日本無産階級の戦略』

＊三〇年五月 『日本無産階級の戦略』文藝戦線出版部

＊三〇年五月 「プロレタリア戦略論」『中央公論』

＊三〇年九月 『没落資本主義の「第三期」』大衆公論社

＊三一年四月 「マルクス主義の前進の為に」『改造』≪『横断左翼論』

＊三一年一〇月 『日本の独占資本主義』南北書院

＊三一年一一月 『恐慌下の日本資本主義』改造社（経済学全集・第三三巻）

＊三二年五月 『金の経済学』中央公論社

＊三二年六月 『極東に於ける帝国主義』改造社（経済学全集・第二四巻）

＊三三年五月 『インフレーションの基礎理論』改造社

＊三三年一〇月 『貨幣信用及びインフレーションの理論』改造社（経済学全集・第五一巻）

＊三四年一月 『統制経済批判』改造社（日本統制経済全集・第九巻）

＊一九三四年八月　報告冊子「窮乏の農村を実地調査して」全国農民組合調査部　≪『横断左翼論』

＊三四年九月　『窮乏の農村』改造社　＝　岩波文庫版一九八二年

≪農文協（昭和前期農政経済名著集一）二〇〇三年

＊三四年一二月　『軍備・公債・増税』改造社

＊三五年春　英文冊子「日本における資本主義と労働者階級」

＝三宅晴輝和訳、『世界文化』一九四六年六月、七月　≪『横断左翼論』

＊三五年五月　「インフレ景気と労働者」『労働雑誌』

＊三五年七月　「農民とファシズム」『中央公論』

≪『日本に於ける農業恐慌と産業組合』

≪『横断左翼論』

＊三五年一〇月　「日本の労働者と農民」『労働雑誌』　≪『猪俣研究・第二号』一九七〇年八月

＊三五年一二月　『日本に於ける農業恐慌と産業組合』学芸社

＊三六年二月　「統一運動に現れた労働者大衆の生長」『改造』

≪『猪俣研究・第一一号』一九七二年三・四月

≪『横断左翼論』

＊三六年八月　「現段階における都市と農村」『日本評論』　≪『猪俣研究・第一六号』一九七四年二月

＊三六年一〇月　「封建遺制論争に寄せて」『中央公論』

＊三七年五月　「日本的なものの社会的基礎」『中央公論』

＊三七年八月一五日　「読書について」『日本読書新聞』　≪『猪俣研究・第八号』一九七一年一二月

＊三七年四月　『農村問題入門』中央公論社

＊一九三七年一〇月　「隣邦支那の前途」『改造』　≪『猪俣研究・第五号』一九七一年六月

戦後の再刊・復刊

＊一九四八年一月『農村問題入門』黄土社

＊四八年六月『金融資本論』彰考書院

＊四八年六月『金の経済学』（第一篇、第二篇）黄土社

＊七三年一〇月『日本プロレタリアートの戦略と戦術（雑誌『労農』掲載論文集）』猪俣津南雄著作・遺稿刊行会

＊七四年一〇月『横断左翼論と日本人民戦線』而立書房

＊八二年六月『窮乏の農村：踏査報告』岩波文庫

＊二〇〇三年一〇月『農村問題入門・窮乏の農村』農文協（昭和前期農政経済名著集一）

（二）その他（著者などの五〇音順）

■青木孝平『天皇制国家の透視』一九九〇年、社会評論社

■荒畑寒村「政治運動に関する一考察」一九二三年三月、『前衛』

■荒畑寒村「セクト主義の清算」一九二七年一二月、『労農』

■荒畑寒村『新版　寒村自伝』一九六五年、筑摩書房

■石河泰国『労農派マルクス主義』二〇〇八年、社会評論社

■市川正一「阿部平智」「労働農民党及び請願運動について」『マルクス主義』一二七年四月号

■市川正一述『日本共産党闘争少史』一九四六年、暁書房

■伊藤好道「猪俣さんの思い出」安田徳太郎他著『光を掲げた人々・民主主義者の思想と生涯』一九五六年、新興出版社

■猪俣ベル「西洋夫人の目に映じた日本文学者の会合」一九二五年一〇月、『文章倶楽部』

■岩村登志夫『コミンテルンと日本共産党の成立』一九七七年、三一書房

■内野壮児ほか「『労働雑誌』とその時代」一九七二年三・四月『猪俣研究・第一一号』

■浦田武雄、高津正道「巻末座談会」『近藤栄蔵自伝』一九七一年、ひえい書房
■大内力「解題」『農村問題入門・窮乏の農村』（農文協）二〇〇三年一〇月
■大島清「あとがき」『窮乏の農村』（岩波文庫）、一九八二年六月
■大森宗吉「全協内での前衛主義克服の闘い」『運動史研究・第三号』一九七九年、三一書房
■岡田宗司「聞き書き・猪俣津南雄三、四」一九七四年三月三〇日、四月五日、『図書新聞』
■岡本宏「野呂栄太郎の戦略・戦術論」一九六四年四月、『歴史と現代』
■加藤勘十『転換期のアメリカ』一九三六年、改造社
■加藤勘十談話記録（中村隆英『現代史を創る人びと・三』一九七一年、毎日新聞社
■河東碧梧桐『三千里・下』一九七三年、講談社
■木村禧八郎「聞き書き・猪俣津南雄二」一九七四年二月二三日、『図書新聞』
■小路田泰直『日本近代都市研究序説』一九九一年、柏書房
■コミンテルン「コミンテルンに於ける日本無産階級運動の批判」蔵原惟人訳『文藝戦線』一九二七年一〇月号《『戦略と戦術』
■小山弘健『日本民主主義論争史』一九四七年、伊藤書房
■佐野学「政治的自由の獲得」一九二七年八月、『マルクス主義』
■佐野学「歴史的過程の発展」一九二八年一月、『マルクス主義』
■佐野学「コミンテルンの批判を読む」一九二八年一月、『社会科学』
■志賀義雄［松村徹也］「我が無産階級運動の当面の闘争過程」一九二七年八月、『マルクス主義』
■志賀義雄談「半世紀にわたる天皇制との闘い」聞き手・安東仁兵衛（『現代の理論』一九七二年一〇月）
■シテインベルク、ヴァレンティーン「カール・ヤンソン伝」村田陽一訳、『大原社会問題研究所雑誌』三七四号〜三九二号、一九九〇年一月〜九一年七月
■司法省刑事局『全評取調資料（二）』一九三八年

▪社会文庫編『無産政党史史料戦前後期』社会文庫叢書四、一九六五年、柏書房
▪鈴木茂三郎「左翼除外と左翼当面の諸問題」『大衆』一九二六年九月号
▪『鈴木茂三郎選集・第二巻』一九七〇年、労働大学刊 ≫「自伝」一九五七〜五八年（文藝春秋）
▪『鈴木茂三郎選集・第三巻』一九七〇年、労働大学刊
≫［薄茂人］「政治研究会の歴史的任務」『社会科学』一九二八年特別号
≫「労働大学講義・七花八裂の時代」一九六七年
▪『鈴木茂三郎選集・第四巻』一九七一年、労働大学刊 ≫「わが交友録」『唯物史観』一九六九〜七〇年
▪『総同盟五十年史』一九六四年、日本労働組合総同盟出版会
▪高野実「志士的熱情の奔流――初期学生社会運動の項」『灰色の青春』一九四八年、東京大学新聞社編集部編
▪『高野実著作集・第3巻』一九七七年、柘植書房
≫「労働者の要求と当面の闘争の任務」『日労研資料』一九五五年一月号
≫「二つの正攻法」『社会主義』一九六三年一月
▪『高野実著作集・第5巻』一九七七年、柘植書房
≫「猪俣津南雄――戦闘的マルクス主義者」『越後が生んだ日本的人物・第三集』新潟日報社、一九六七年三月
≫「猪俣の実践から学ぶ」『猪俣研究・第九号』一九七二年一月
≫「序文・猪俣の戦略論を手にして」『戦略と戦術』
▪高野実「猪俣津南雄をめぐる社会運動史の一こま」『猪俣研究・第三号』一九七一年一月
▪高橋亀吉「日本の資本主義の帝国主義的地位」一九二七年四月『太陽』
▪塚原徹「鹿語の一貌」一九四三年 『猪俣研究・第四号』一九七一年五月
▪対馬忠行「横瀬毅八」「ブルジョア民主主義革命におけるプロレタリアートの社会主義的任務に就いて」一九三〇年三月、『プロレタリア科学』

■対馬忠行『日本資本主義論争史』一九四七年、黄土社
■Dewey, John: *Essays in Experimental Logic*, The University of Chicago Press, 1916
■Draper, Theodore: *The Roots of American Communism*, The Viking Press, 1957
■鶴見俊輔『新版　アメリカ哲学』一九七一年、社会思想社
■津村喬［＝高野威］『横議横行論』二〇〇二年、航思社
■富田武、和田春樹編訳『資料集　コミンテルンと日本共産党』二〇一四年、岩波書店
■長岡新吉「『プチ・帝国主義』論争について」一九七七年、『北海道大学経済学研究』
■日本共産党中央委員会『日本共産党の五十年』一九七二年、日本共産党中央委員会出版局
■二村一夫「雑誌『マルクス主義』の五年間（四）」『二村一夫著作集ＷＥＢ版』http://nimura-laborhistory.jp/mxmkaidai4.html
■野坂参三『風雪の歩み七』一九八九年、新日本出版社
■『野呂榮太郎全集・上』一九六七年、新日本出版社
≫「『プチ・帝国主義』論批判」一九二七年六月、『太陽』
≫「日本資本主義発達史」一九二七年六月、『社会問題講座第一三巻』
≫「日本資本主義発達の諸条件」一九二七年一二月脱稿
≫「猪俣津南雄氏『現代日本ブルジョアジーの政治的地位』を評す」一九二九年四月、『思想』
≫「日本における土地所有関係について」一九二九年五、九月号、『思想』
≫「日本資本主義現段階の諸矛盾」、一九三〇年一月、『思想』
■『野呂榮太郎全集・下』一九六七年、新日本出版社
≫「『没落への』転向期に立つ理論家」一九三一年五月、『中央公論』
≫「日本資本主義の基本的矛盾」一九三二年六月、（『日本資本主義発達史講座』内容見本）
■萩原厚生［＝宇部原純］「あとがき」『農村問題入門』一九四八年、黄土社

■橋下俊彦「聞き書き・猪俣津南雄七」一九七四年九月七日、『図書新聞』
■日高晋、林健久他『日本のマルクス主義経済学者（下）』一九六八年、青木書房
■フォスター、W・Z・『アメリカ合衆国共産党史・上巻』一九五四年、大月書店
■福本勝清「猪俣津南雄のアジア的生産様式論」二〇一九年『明治大学教養論集』第五四四号
■福本和夫［北條一雄］「『方向転換』はいかなる諸過程を取るか　我々は今それのいかなる過程を過程しつつあるか」一九二五年一〇月、『マルクス主義』
■福本和夫［北條一雄］「無産階級の方向転換」一九二六年二、五月、『マルクス主義』≪『福本和夫初期著作集・第三巻』一九七二年、こぶし書房
■藤田悟「猪俣米国留学考」一九七二年八～一二月、『猪俣研究・第一二～一四号』
■松尾尊允「創立期日本共産党のための覚書」一九七九年、『京都大学文学部紀要』
■丸岡重尭「世界及日本資本主義の情勢と我国社会運動」『社会思想』一九二六年一二月号
■村田陽一編訳『資料集　初期日本共産党とコミンテルン』一九九三年、大月書店
■『山川均全集・第五巻』一九六八年、勁草書房
≫「無産階級運動の方向転換」一九二二年七、八月、『前衛』
≫「普通選挙と無産階級的戦術」一九二三年三月、『前衛』
■『山川均全集・第六巻』一九七六年、勁草書房
≫『無産階級の研究』一九二五年、叢文閣
≫「労働農民党と左翼の任務」一九二六年九月、『マルクス主義』
≫「私はこう考える――方向転換の過程について」一九二七年八月、『社会科学』
■『山川均全集・第八巻』一九七九年、勁草書房
≫「政治的統一戦線へ！――無産政党合同論の根拠」一九二七年一二月、『労農』

▪山内昭人『初期コミンテルンと在外日本人社会主義者』二〇〇九年、ミネルヴァ書房
▪Russell, Bertrand: *The Theory and Practice of Bolshevism*, 1920, George Allen & Unwin
▪『労働雑誌』一九三五年四月〜三六年一二月
▪『労農新聞』一九二八年一一月〜一九二九年七月
▪Ross, Edward Alsworth: *Russia in Upheaval*, 1918, The Century CO.
▪渡辺政之輔「一般戦略の決定的重要点について」一九二八年一月、『マルクス主義』
▪和田叡三［＝村山藤四郎］「議会請願運動について」一九二七年四月、『マルクス主義』

〔付記〕

今回の編集作業の過程で、国会図書館デジタル・コレクション、The Gutenberg Project などで公開されているデータが多く存在することの意味を改めて知った。青空文庫もある。猪俣の単行本のほとんどは国会図書館のサイトから登録せずに全文を入手できる。ラッセルのボルシェビキ論は原文がグーテンベルクで公開されている。デューイの『実験的論理』、ロスの見聞記も全文を入手することができた。米国共産党の歴史資料も豊富に存在する。ヨリ深く・広く読み進めたい方には是非活用してほしいものである。（藤田悟）

本書関連の社会運動史略年表（1920年〜37年）

1920年	
5月	第一回メーデー
12月	社会主義同盟結成
1921年	
4月	コミンテルン日本支部準備会結成
6〜7月	コミンテルン第三回大会
10月	友愛会九周年大会、日本労働総同盟と改称
1922年	
1月	極東諸民族大会（モスクワ、ペトログラード）
4月	日本農民組合結成
7月	日本共産党正式発足 山川均、「方向転換論」提起
11月	学生連合会結成
1923年	
3月	日本共産党石神井会議（綱領審議）
6月	第一次共産党事件
12月	政治問題研究会結成
1924年	
2月	日本共産党森ケ崎会議（解党決議）
3月	産業労働調査所設立
6月	政治研究会結成
1925年	
8月	コミュニストグループ結成 無産政党組織準備会結成
12月	農民労働党結成、即日禁止
1926年	
2月	福本和夫、山川の方向転換論を批判
3月	労働農民党結成 雑誌『大衆』発刊
10月	労働農民党分裂
10〜12月	日本農民党、社会民衆党、日本労農党結成
1927年	
1月	日本共産党、モスクワへの代表派遣を決定
7月	コミンテルン、「日本問題に関するテーゼ」を採択
10月	雑誌『文藝戦線』が『プラウダ』社説（「テーゼ」の要約）を訳載
11月	雑誌『労農』同人が初会合 日本共産党代表団が「テーゼ」を携えて帰国
12月	日本共産党、新たな方針と人事を決定 労働農民党が日本労農党に合同を提起するが挫折 雑誌『労農』発刊
1928年	
1月〜	雑誌『マルクス主義』と『労農』の間で論争展開
3月	三・一五事件（日本共産党に対する大検挙）

4月	労働農民党、日本労働組合評議会、無産青年同盟に解散命令 旧労働農民党の一部幹部が非合法に新党準備会結成
5月	新党準備会が日本労農党に合同を提起するが失敗
7月	雑誌『労農』同人を中心に無産大衆党結成
7～8月	コミンテルン第六回大会
9月	新党準備会、合法性党結成の方針を決定
11月	新党準備会、コミンテルン方針を受け、政党結成の方針を再転換
12月	無産大衆党、日本労農党など七党が合同し、日本大衆党を結成 労働者農民党結成大会、解散を命じられ、政治的自由獲得同盟に改組 日本労働組合全国協議会（全協）結成
1929年	
1月	日本大衆党内で清党運動始まる
4月	四・一六事件（日本共産党に対する大検挙） 野呂栄太郎が猪俣批判を発表
5月	日本大衆党、黒田寿男、猪俣らを除名
7月	全産業労働組合会議（全産）結成大会
1930年	
1月	総選挙で無産政党七名当選
2～5月	共産党、全協の極左冒険主義が激化
6月	全国労働組合同盟結成

6月	全協刷新同盟結成
7月	全国大衆党結成
8月	プロフィンテルン第五回大会、日本の革命的労働組合に関する決議
1931年	
4月	日本労働組合総評議会結成 共産党中央委員会、政治テーゼ（三一年テーゼ）草案を発表
5月	雑誌『中央公論』が「猪俣イズムの検討」を特集
6月	日本労働倶楽部結成
7月	全国労農大衆党結成 全農全国会議結成
11月	全労倶楽部排撃闘争同盟（排同）結成
1932年	
1月	社会民衆党大会、国家社会主義を掲げる新運動方針を採択
7月	日本共産党、「日本における情勢と日本共産党の任務に関するテーゼ」（三二テーゼ）発表 社会大衆党結成（社会民衆党と全国労農大衆党が合同）
9月	全協、君主制廃止を掲げた新綱領を採択
10月	日本共産党、銀行ギャング事件
1933年	
3月	全労統一全国会議結成（排同を改組）

5月	関東労働組合会議結成（総評、全労統一全国会議、東交、東京市従など）
6月	共産党の佐野・鍋山、転向声明
7月	反ナチス・ファッショ粉砕同盟結成
11月	総同盟中央委員会、産業協力主義の方針決定
12月	共産党、スパイ査問事件
1934年	
3月	共産党内に「多数派」形成（宮内勇、山本秋ら）
4月	総評、全労統一全国会議に合同を提起
11月	日本労働組合全国評議会（全評）結成
1935年	
1月	社会大衆党第三回大会、陸軍との連携による反資本主義の方針を決定
春	日本共産党、弾圧により壊滅状態に
4月	全国農民組合第一四回大会 大阪・港南で全労・総同盟合同促進協議会結成 加藤勘十全評議長が渡米（～9月） 『労働雑誌』創刊
5月	戦前最後のメーデー
7月	コミンテルン第七回大会（人民戦線戦術採択）
1936年	
1月	全日本労働総同盟結成大会（全労と総同盟が合同） 労働法・小作法獲得労農大会（全評、全農など）
1月	野坂参三、山本顕蔵が「日本の共産主義者への手紙」
2月	総選挙、全評（加藤勘十）や全農の候補者当選
4月	愛国労働組合懇話会結成
5月	全評など労農無産協議会結成
8月	全評、東交など社会大衆党に門戸開放を要求
9月	社会大衆党、労農無産協議会の合同申し入れを拒否
1937年	
1月	全日本労働総同盟、賃上げ闘争の全国的展開を決定 全評、賃上げ闘争を指示
3月	日本無産党結成（労農無産協議会が名称変更）
4月	全評など統一メーデー協議会を結成するがメーデーは禁止に
7月	警視庁、全評に大衆集会禁止を命令
9月	全評、改正綱領草案を発表（階級闘争路線の放棄を余儀なくされる）
12月	人民戦線事件 全評などに解散命令
	＊この年、争議参加人数が戦前最高を記録

無産政党の変遷

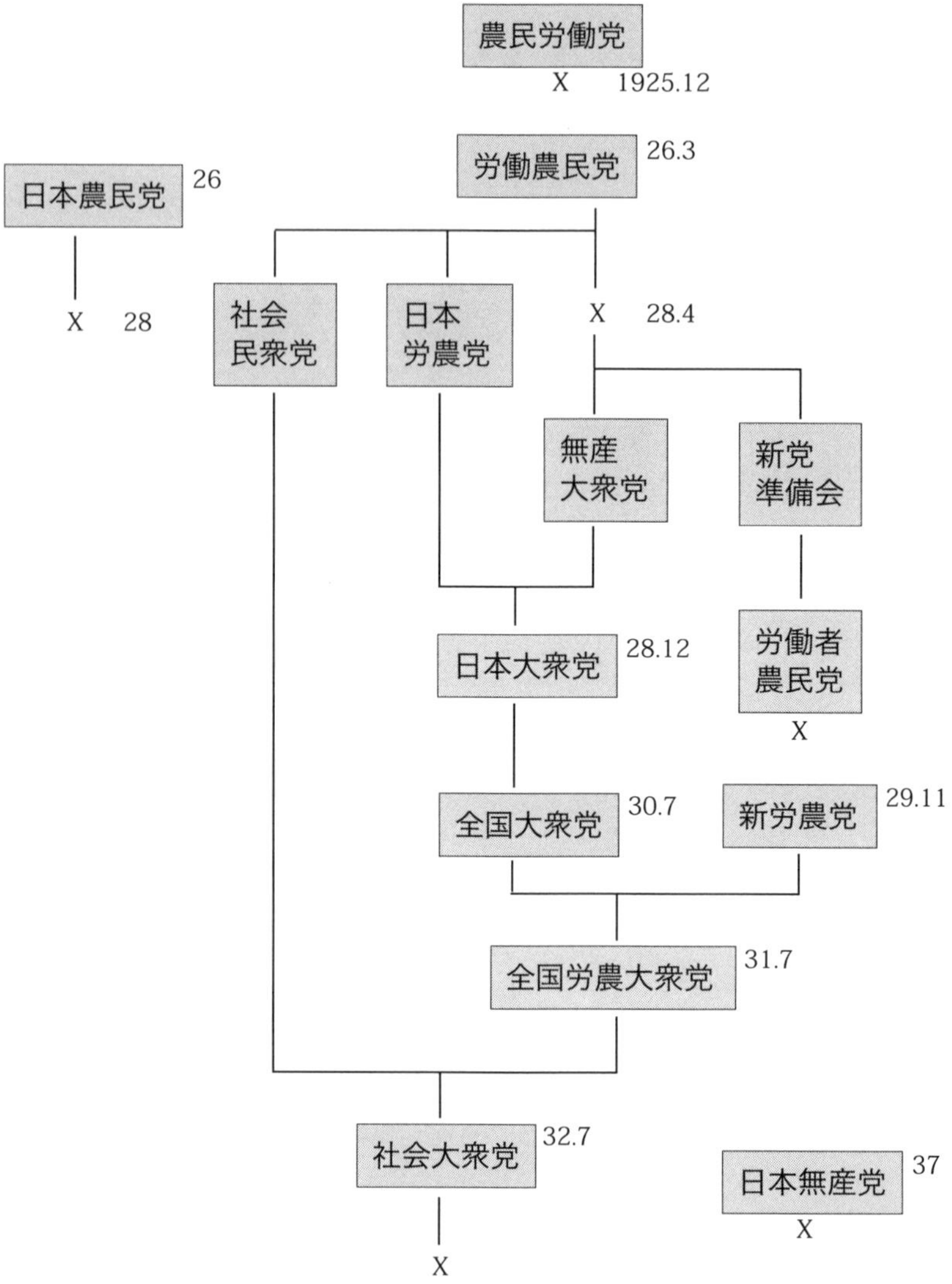

農民労働党
X 1925.12
労働農民党 26.3
日本農民党 26
X 28
社会民衆党
日本労農党
X 28.4
無産大衆党
新党準備会
日本大衆党 28.12
労働者農民党
X
全国大衆党 30.7
新労農党 29.11
全国労農大衆党 31.7
社会大衆党 32.7
日本無産党 37
X
X

著者略歴

龍井葉二（たつい・ようじ）

1949年東京生れ。早稲田大学文学部中退。東京経済大学卒業。日本労働組合総評議会（総評）本部勤務を経て、1989年より日本労働組合総連合会（連合）にて、総合労働局長、総合政策局長、総合男女平等局長、非正規労働センター長などを歴任。連合総研・副所長（2009〜2014年）。主な著作として、共著『「解雇・退職」対策ガイド』（緑風出版）、『日中の非正規労働をめぐる現在』（御茶の水書房、2019年）など。

猪俣津南雄 —— **戦略的思考の復権**

2023年8月10日　初版第1刷発行

著　者　龍井葉二
発行者　川上　隆
発行所　株式会社同時代社
〒101-0065　東京都千代田区西神田2-7-6
電話 03(3261)3149　FAX 03(3261)3237
装　丁　クリエイティブ・コンセプト
制　作　いりす
印　刷　中央精版印刷株式会社

ISBN978-4-88683-950-3